Verkocht

Oxana Kalemi
& Megan Lloyd Davies

Verkocht

Een slachtoffer van vrouwenhandel
vecht voor haar kinderen

SIRENE

Oorspronkelijke titel *Mummy, come home. The true story of a mother kidnapped and torn from her children.*
Oorspronkelijke uitgave HarperCollins*Publishers*, Londen
© 2008 Oxana Kolesnichenko en Megan Lloyd Davies
© 2008 Nederlandse vertaling Uitgeverij Sirene bv, Amsterdam
Vertaald door Jolanda te Lindert
Omslagontwerp Mariska Cock
Foto voorzijde omslag © Getty Images
Uitgave in Sirene mei 2008
Alle rechten voorbehouden

www.sirene.nl

ISBN 978 90 5831 461 1
NUR 402

Inleiding

Het was al laat op de avond toen er een jonge knaap binnenkwam in de seksclub aan de Caledonian Road in de Londense wijk Tottenham, waar ik werkte. Hij was in gezelschap van twee vrienden. Ze waren alle drie dronken, maar hij leek rustig. Hij was klein, had lichtbruin haar en een gedrongen lichaam, was begin twintig en Engelsman.

Ik zat zoals gewoonlijk in de receptieruimte. Daar kwamen de klanten binnen, bekeken de meisjes die op dat moment vrij waren en kozen er dan eentje uit.

Ik keek naar de jongen, maar zonder veel belangstelling. Voor mij waren ze allemaal hetzelfde, deze mannen die hiernaartoe kwamen op zoek naar een stuk vlees om te neuken. Maar ik had een stille avond achter de rug en als ik niet snel een klant kreeg, zou ik in de problemen komen. Mijn pooier, Ardy, zat zoals altijd op me te wachten. Ten eerste om al het geld dat ik die avond had verdiend van me af te pakken en ten tweede om ervoor te zorgen dat ik er niet vandoor ging. Als ik ertussenuit kneep, zouden zijn inkomsten samen met mij in rook opgaan en dus had hij me heel duidelijk laten weten dat als ik ervandoor zou gaan, hij me achterna zou komen om me te vermoorden.

De jongen keek naar me met de glazige blik van iemand die dronken is. Maar hij was jong en zou daarom al blij zijn als ik hem zou masseren of hem zou pijpen. Toen onze blikken elkaar kruisten, glimlachte hij.

'Kun jij met me mee?' vroeg hij.

'Tuurlijk. Waarom niet?' antwoordde ik.

'Je bent geen Engelse,' zei hij. 'Waar kom je vandaan?'

'Turkije.' Ik loog, maar dat was het verhaal dat ik iedereen vertelde. Op de een of andere manier was dat gemakkelijker, want hoe zou ik ooit iemand kunnen vertellen wat me echt was overkomen?

Toen we naar de kleine massagekamer liepen, zat hij aan m'n kont.

'Niet doen!' zei ik streng.

'Natuurlijk niet. Daar hou je niet van.'

'Nee.'

Ik deed de deur dicht. 'Een halfuur kost vijfenveertig pond.'

Hij deed een greep in zijn zak en gaf me een paar verfrommelde bankbiljetten. Ik bekeek ze. 'Ik moet het geld bij de receptie afgeven; ik ben zo terug.' Ik liep weg en kwam een paar minuten later terug. De jongen zat op de stoel die naast de massagetafel stond. 'Oké... dus je wilt een massage?' vroeg ik.

'Nee. Ik wil je neuken.'

Ik keek hem aan. Ik kon zien dat hij dronken was en ik had geleerd voorzichtig te zijn met dat soort mannen – ze konden je verrassen, zich vervelend gedragen – maar toch was ik een beetje verbaasd. Hij leek nog zo jong. 'Wil je niet liever een lekkere, zachte massage?' vroeg ik langzaam. Het zou beter voor me zijn als we daarmee begonnen.

'Nee. Kleed je nu maar uit.'

Ik zou doen wat hij wilde, maar rustig en ernstig, om hem kalm te houden. 'Oké. Maar kleed jij je dan ook uit?'

'Nee. Jij eerst.'

Ik maakte de knoopjes van mijn rok los. Toen ik hem op de grond liet vallen, zodat mijn lingerie zichtbaar werd, werd ik bang. Waarom wilde hij zich niet uitkleden? Had hij soms iets in zijn zak? Hij knikte tevreden toen ik voor hem stond, halfnaakt.

'Nu wil ik dat je me pijpt,' zei hij.

Ik pakte een condoom uit het doosje naast het bed.

'Nee. Geen condoom.'

'Dat zijn de regels.'

'Maar dan geef ik je honderd pond.'

'Kan me niets schelen. Met condoom of helemaal niet.'

'Toe nou! Ik ben schoon, hoor.'

'Nee. Als je het zo niet wilt, zoek je maar een ander meisje uit.'

De jongen zweeg toen ik voor hem neerknielde. Het was lastig om hem het condoom om te doen, omdat hij er nog niet klaar voor was. Daarom probeerde ik hem met mijn hand te stimuleren.

'Heb je vandaag al veel gedronken?' vroeg ik.

6

'Nee. Hoezo?'

'Nou, ik krijg je niet stijf.'

'Maar je bent verdomme een hoer! Dat is je werk!'

Ik vond dat dronken toontje maar niets. Ik voelde instinctief dat ik moest proberen hem te kalmeren en zei op een redelijke toon: 'Dat is waar, maar ofwel je hebt veel gedronken of je hebt drugs gebruikt. Het lukt me niet.'

Hij duwde me weg. 'Ik kan het wel,' mompelde hij. Hij rolde het condoom over zijn niet al te stijve penis. Toen stond hij met een snelle beweging op en draaide me om zodat ik met mijn rug naar hem toe stond. Opeens duwde hij me met veel kracht voorover, zodat ik over de massagetafel hing met mijn rug naar hem toe. Met één hand duwde hij mijn hoofd naar beneden, zodat ik met mijn wang op de goedkope katoenen hoes lag. Hij greep me bij mijn haar beet en pakte met zijn andere hand mijn heup vast. Hij drukte zich van achteren tegen me aan en ik voelde dat hij nu wel opgewonden was. Nu had hij wel een stijve. Hij duwde en duwde en gleed uiteindelijk bij me naar binnen.

Ik probeerde me niet eens te verzetten. Ik wist dat dit geen zin had. Hij was sterk en vastbesloten. Ik maakte geen enkele kans tegen hem.

Hij stootte naar voren en naar achteren. Zijn lichaam kwam steeds met een klap tegen mijn billen aan.

'Zeg dat je geneukt wilt worden,' zei hij opeens. 'Zeg dat je een teef bent, een hoer.'

Ik zweeg. Was het niet al erg genoeg dat ik dit moest verdragen?

'Zeg het!'

'Nee.'

'Ja!'

Hij trok aan mijn haren en begon me op mijn achterste te slaan. 'Zeg het, anders hou ik niet op. Toe, kom op! Je bent een gore slet, een teef, een hoer.'

Ik wilde het niet tegen hem zeggen, kon het niet tegen hem zeggen.

'Nee,' fluisterde ik. Hij drong steeds harder en dieper bij me naar binnen.

'Zeg het!' zei hij. Mijn buik begon pijn te doen.

'Nee.'

'Je bent een hoer.'

Hij pakte mijn hoofd nog steviger vast toen hij nog dieper naar binnen drong.

'Zeg het.'

Ik begon boos te worden.

'Zeg het.'

'Nee.'

'Schiet op, zeg het!' schreeuwde hij. Hij deed me heel erg pijn. Mijn lichaam bonkte tegen de zijkant van het tafelblad. Ik wilde alleen nog maar dat hij ermee ophield. Dat het geschreeuw ophield. Mijn woede ebde weg.

'Ik ben een hoer,' zei ik.

'Nog een keer!' riep hij.

'Ik ben een slet.' Er lag geen enkele emotie in mijn stem.

Hij kreunde en hield op met tegen me aan te rammen. Ik reikte naar achteren om het condoom te pakken, duwde hem weg en raapte mijn jurk op. De jongen keek me niet aan toen hij naar de douche liep. Later, toen hij eruit kwam en zich aankleedde, draaide hij zich nog even om en gaf me vijf pond.

'Het spijt me,' zei hij zonder me aan te kijken.

'Ga maar gewoon weg,' zei ik. 'Ik wil je geld niet.'

De jongen zei niets toen hij vertrok. Ik ging vlug zitten, voelde dat mijn benen slap werden.

'Ik kan er niet tegen,' fluisterde ik, met mijn hoofd in mijn handen gesteund. 'Ik kan er niet meer tegen, tegen dit leven. Ik ben nog liever dood!' Ik was boos, agressief en twijfelde er voor het eerst in mijn leven aan of ik mezelf nog wel in de hand had. Ik had geen idee wat ik zou doen als ik die jongen weer een keer zou zien. Ik zat daar maar naar de muur te staren en probeerde het beest in me dat zich naar buiten probeerde te vechten terug te duwen.

Ik wist dat ik mezelf weer onder controle moest zien te krijgen. Mijn wil om te overleven was nog te sterk. Ik moest wel. Ik moest naar huis, naar mijn kinderen. Dankzij hen had ik het volgehouden, alle gruwelijke ontberingen en ellende. Ik had hun beloofd dat mama weer thuis zou komen en ik wist dat ik wel móést overleven om me aan mijn belofte te kunnen houden.

1

Volgens mij verloopt je geboorte net zoals je leven. Je wordt onder een gelukkig gesternte geboren of niet, en dat zal je altijd blijven achtervolgen. Ik
woog iets meer dan twee pond toen ik drie maanden te vroeg werd geboren en niemand dacht dat ik in leven zou blijven. Maar ik vocht, hield me
krampachtig aan het leven vast en overleefde, zoals ik daarna altijd ben
blijven doen.

Ik ben in Oekraïne geboren, op 16 januari 1976 om een uur of zes uur
's avonds. Het vroor en de straten waren glad. Mijn moeder Alexandra was
gaan rennen omdat ze de bus wilde halen en gleed uit. Daardoor waren de
vliezen gebroken en toen mijn vader Panteley in het ziekenhuis aankwam,
was ik al geboren. De artsen waarschuwden mijn ouders dat ik niet in leven zou blijven, maar mijn vader liet me naar een ander ziekenhuis over-
brengen waar ik drie maanden bleef tot ik sterk genoeg was om naar huis
te gaan. Ze noemden me Oxana.

We woonden in de stad Simferopol in Oekraïne, dat toen nog deel uitmaakte van de Sovjet-Unie. Mijn ouders waren rijk als je het vergeleek
met vele anderen in dit communistische land. Mijn vader was vrachtwa-
genchauffeur en mijn moeder werkte in een kinderdagverblijf. Ze hadden
elkaar op de middelbare school leren kennen en mijn moeder was nog
maar zeventien toen ze trouwden en mijn broer Vitalik werd geboren. Zes
jaar later kwam ik en samen woonden we in een enorm flatgebouw met
meer dan zeshonderd appartementen. We mochten van geluk spreken
omdat we twee slaapkamers hadden en een groot balkon, en omdat we het
ons konden veroorloven om elke dag vlees te eten. Mijn moeder, die klein
en knap was en heerlijk rook naar een parfum dat Red Moscow heette, kon
verrukkelijk koken. De zondag was de beste dag van de week, want dan

aten we kippenlevertjes of lamsvlees met bechamelsaus en uien, en kregen we koekjes of cake na. Dat was mijn lievelingsdag, omdat we dan samen plezier maakten en mijn ouders niet hoefden te werken. Maar daar kwam verandering in toen mijn vader ontslag nam en een eigen bedrijf begon, een garage. Opeens was mijn wereldje veel minder plezierig. Ik weet niet waar het mee begon, de jaloezie van mijn vader of de avondjes uit van mijn moeder, maar daarna begon hij haar te slaan. Dan lag ik in bed te luisteren en smeekte God of hij me wilde beschermen. Papa leek wel een dolle stier die zichzelf niet in bedwang had en mama kon haar mond niet houden. Dan lag ik te luisteren naar dat verschrikkelijke lawaai van hun ruzies, ik wilde dat ze ophielden en was bang dat het mijn schuld was dat ze niet langer gelukkig waren.

Het lawaai in onze flat moet verschrikkelijk zijn geweest, maar niemand bemoeide zich met de ruzies van mijn ouders. Alles wat er tussen man en vrouw gebeurde was immers privé? Bovendien woonden er nog veel meer gezinnen waar het er net zo aan toe ging in onze flat en als je getrouwd was, ging het niemand iets aan wat je man je aandeed. Een vrouw daagde haar man immers altijd uit en als ze een grote mond had kreeg ze klappen en als ze een kort rokje droeg was ze een slet die haar verdiende loon kreeg. Er kwam een keer een politieagent bij ons thuis die samen met mijn vader in de keuken ging zitten praten. Toen hij vertrok, had papa een papier ondertekend waarin hij beloofde mama nooit weer te zullen slaan. Maar ach, een stuk papier kan toch niets beginnen tegen een sterke vuist? Niets kon de breuk tussen mijn ouders lijmen.

'Hij is een klootzak,' zei mijn moeder vaak als we samen in onze slaapkamer lagen. Vitalik had de andere slaapkamer en mijn vader sliep in de woonkamer. 'Ik ga bij hem weg. Jij mag wel met mij mee, Oxana. Met ons tweetjes zullen we gelukkig zijn.'

Ik wilde dat we allemaal gelukkig waren, maar ik wilde ook dat we bij elkaar konden blijven. Ik hield van mijn papa, ook al was hij altijd zo boos op mijn moeder. Ik was ook bang voor mijn moeder, omdat ze af en toe een dronken driftbui kreeg en zich dan opeens tegen mij keerde. Als papa haar weer eens had geslagen, begon ze soms tegen me te schreeuwen dat ik haar niet had beschermd en dan sloeg ze me. Ze heeft me een keer met een bos rozen geslagen; ik zat onder de schrammen en kon een week niet naar school.

Misschien kwam het daar wel door dat mijn broer Vitalik veranderde.

Toen we nog jong waren, konden we heel goed met elkaar opschieten, maar toen hij in de puberteit kwam liet hij me al gauw links liggen. Al snel gingen de ruzies tussen mijn ouders ook over hem. Hij begon te roken, stopte met school en hing wat rond met foute vrienden. Daar maakte mijn vader zich zorgen over. Toen ik negen was, stal Vitalik de trouwringen en een gouden ketting van mijn ouders. Papa was laaiend en dat was de eerste keer dat het tot me doordrong dat mijn moeder niet de enige was die hij zou kunnen slaan.

'Waarom heb je dat gedaan?' schreeuwde mijn vader. 'Ik werk keihard om jou en je zusje een betere toekomst te kunnen geven en dan doe je me dít aan!'

Op een dag kwam de politie aan de deur. Iemand had een auto gestolen en er was een ongeluk gebeurd. Daarna vertelden mijn ouders me dat Vitalik in de gevangenis zat. Hij was nog maar vijftien.

Nadat mijn broer vertrokken was, had ik vaak het gevoel dat ik onzichtbaar was. Ik was zo'n meisje dat haar ouders nooit in de problemen bracht, maar ik was ook een heel gevoelig kind. Elke dag schreef ik in mijn dagboek welke vreselijke dingen mijn moeder of mijn leraren tegen me hadden gezegd en ik was verdrietig, want niemand vond me aardig omdat ik het op school zo goed deed. Dat werd allemaal nog erger toen Vitalik in de gevangenis zat.

'Dat is het zusje van die dief,' giechelden mijn klasgenootjes als ik langskwam.

Op het schoolplein wilde niemand iets met me te maken hebben en mijn leraren begonnen me zomaar slechte cijfers te geven. In die tijd maakte Oekraïne nog deel uit van Rusland. Het was een sovjetland waar veel dingen niet acceptabel waren; niet alleen een broer die in de gevangenis zit. Religie was ook zoiets. Lenin was onze god en mensen die iets anders geloofden, kwamen in de problemen. Ik weet nog dat de directrice een keer zag dat een meisje een kruisje droeg toen ze op school kwam; daarna hebben we haar zeker een jaar niet teruggezien. Er waren natuurlijk wel een paar kerken en ik was in de Griekse kerk gedoopt, maar mijn ouders kwamen nooit openlijk voor hun geloof uit. We vierden de christelijke feestdagen wel, maar we hadden thuis geen bijbel en gingen nooit naar de kerk.

In Oekraïne wantrouwde men alles wat onbekend was. Men leerde kinderen dat ze homoseksualiteit, een zwarte huid en alles wat buitenlands was moesten haten. Iedereen moest hetzelfde zijn. Er was maar één supermarkt waar iedereen boodschappen deed en daar werden geen luxeartikelen of buitenlandse producten verkocht. Dingen als tampons of wegwerpluiers waren onbekend. In plaats daarvan aten we gewoon vlees en groente, vrouwen droegen maandverband van stof en kinderen dronken melk. Toen er voor het eerst Coca-Cola in Oekraïne te koop was, dachten veel mensen dat ze er ziek van zouden worden. Ik heb pas op mijn dertiende een slokje geproefd, op dezelfde dag waarop ik voor het eerst kauwgum kreeg.

Oekraïne was ook om andere redenen een land waar het leven niet gemakkelijk was: het was geen welvarend land en iedereen moest werken. Eén dollar per dag kon het verschil betekenen tussen eten en honger lijden. En ik ben me er altijd van bewust geweest dat er mensen waren die het veel slechter hadden dan ons gezin.

Maar waar ik dol op was, waren Bollywoodfilms. Het zingen, het dansen, de kleuren, de kleren – alles erin was prachtig en ik was ervan overtuigd dat India de hemel op aarde was. Mijn lievelingsfilm was *Disco Danser* met Mithun Chakrabarti in de hoofdrol. Hij was zo lang en knap, dat ik die film drieëntwintig keer heb gezien en toen hij niet meer werd gedraaid, heb ik tranen met tuiten gehuild. Ik vond het einde van deze Bollywoodfilms geweldig, een happy end vol liefde. Daardoor geloofde ik dat mijn prins me op een dag zou vinden en dat we daarna nog lang en gelukkig zouden leven. Ik moest gewoon geduldig wachten tot het zover was.

Toen gebeurde er iets waardoor alle kleuren in mijn dromen verbleekten.

2

In de zomer van 1990 was ik veertien. Ik was stiekem een dagje naar het strand gegaan met twee vriendinnen, Natasha en Sveta. Ik wist dat ik in de problemen zou komen als papa erachter kwam, maar ik genoot ervan om samen met mijn vriendinnen in de zon te liggen en te kletsen. Nu wilden we wat te eten kopen en daarna zouden we naar het station lopen voor de treinreis van een uur naar huis.

Toen we in de rij stonden om pasteitjes te kopen, kwam er een knappe jongen achter ons staan. Hij leek een jaar of achttien en droeg een korte broek, geen shirt en een mooie zonnebril.

Natasha draaide zich om en vroeg hem: 'Weet jij misschien hoe laat het is?'

Hij keek op zijn horloge en zei: 'Bijna zes uur.'

Ik maakte me zorgen. Het was veel later dan ik dacht. 'We moeten gaan,' zei ik snel. 'Anders missen we de trein en dan zijn we nooit op tijd thuis. Ik moet thuis zijn voordat mama van haar werk komt.'

'Maak je niet zo druk, Oxana,' zei Natasha luchtig. 'We hebben tijd genoeg.'

Ze leek zich helemaal geen zorgen te maken en begon met de oudere jongen te kletsen en te lachen. Ik vond het maar niks. Ze ging heel ontspannen en vrij met hem om, en zo was ik niet opgevoed.

'Waarom gaan jullie niet met me mee naar mijn vrienden?' vroeg hij toen we onze pasteitjes hadden gekocht.

'Ja, leuk,' antwoordde Natasha en ze liep met haar nieuwe vriend mee.

'Maar we moeten naar huis,' zei ik en ik keek Sveta aan.

'Nog niet, hoor,' zei ze en ze maakte aanstalten om Natasha en de jongen achterna te gaan. 'We kunnen altijd de volgende trein nog nemen. Je lijkt wel een bang konijntje, Oxana.'

Ik bleef even staan. Ik wist niet wat ik moest doen. Ik kon in m'n eentje naar het station lopen of voor één keer proberen me aan te passen. Ik wilde niet alleen achterblijven en besloot mee te gaan. De jongen liep voor ons uit, achter de winkels langs, naar de rand van een bosje.

'Daar zitten mijn vrienden,' zei hij en hij wees naar de bomen.

Toen we opeens in het donker liepen, hoorde ik de takjes onder onze voeten kraken. Een eindje verderop zag ik een stuk of zeven jongens zitten. Ze leken een jaar of zeventien, achttien en zaten op dekens te roken, met eten en flessen zelfgemaakte wijn om zich heen. We liepen ernaartoe en gingen bij hen zitten. Natasha nam meteen een fles wijn aan, maar ik werd steeds zenuwachtiger. We zouden veel te laat thuiskomen.

Toen hoorde ik achter me twee jongens fluisteren.

'Wat zullen we gaan doen?' vroeg de ene jongen zachtjes.

Ik probeerde hun gesprek af te luisteren en ving een paar woorden op.

'... en dan kun jij haar nemen,' zei de andere jongen terwijl hij naar me keek.

Ik werd bang. Er klopte iets niet.

'Kom, laten we weggaan,' fluisterde ik tegen Sveta. Ik draaide me om naar de jongen die naast me zat en zei glimlachend: 'We moeten naar het toilet.'

'Daar.' Hij wees naar een paar bosjes. Sveta en ik stonden op en liepen rustig weg.

'We moeten hier weg,' zei ik zachtjes tegen haar.

'Hoe bedoel je?' vroeg ze.

'Geloof me, er is iets niet in orde. Ik tel tot vijf en dan gaan we rennen.'

'Oké,' zei Sveta.

Mijn hart ging tekeer en toen begon ik te tellen: 'Vijf, vier, drie, twee, een!' Ik rende het donkere bos door. Ik hoorde niet dat Sveta achter me aan rende – misschien was ze een andere kant op gerend – maar ik bleef niet staan. Ik rende door. Dat moest.

Opeens voelde ik handen tegen mijn rug. Ik werd op de grond geduwd en daarna ruw omgedraaid. Een jongen van een jaar of zeventien keek op me neer. Hij had blonde krullen, blauwe ogen en dikke lippen.

'Luister,' snauwde hij. 'Ik heb een voorstel. Of al deze jongens gaan je naaien of je accepteert alleen mij.'

'Nee!' schreeuwde ik. 'Niet doen!'

'Goed dan,' zei de jongen en hij krabbelde overeind. 'Dan roep ik de anderen wel.'

Ik voelde wel dat hij zenuwachtig was en niet goed wist wat hij moest doen. 'Nee, alsjeblieft,' smeekte ik. 'Roep hen er niet bij. Ik ga wel met jou mee.'

'Goed,' zei hij en hij trok me overeind. 'Kom mee dan.'

Ik was doodsbang toen hij mijn arm greep en we samen door het bos liepen. Wat was hij van plan? Waarom wilde hij me niet laten gaan? 'Doe me geen pijn alsjeblieft,' jammerde ik. 'Mijn ouders wachten op me.'

'Als je lief bent, zal ik je niet aan de anderen geven, maar als je niet lief bent, heb ik nog heel veel vrienden.'

Mijn hart ging tekeer. Ik wist niet wat er precies gebeurde tussen vrouwen en mannen, maar ik wist wel dat ik niet wilde dat deze jongen me aanraakte. Toch kon ik niet ontsnappen. Ik hield mijn blik op de grond gericht op zoek naar een wapen – een tak, een steen – maar hij hield me stevig vast.

'Doe me vandaag alsjeblieft geen pijn,' smeekte ik toen we bij een verlaten huis kwamen. Hij duwde me een oude schuur binnen die achter het huis stond. 'Kun je me vanavond niet met rust laten?'

Hoe langer hij van me afbleef, hoe beter. Ze hadden me altijd verteld dat ik maagd moest zijn om een goede echtgenote te kunnen zijn en ik wist dat dit betekende dat ik niet mocht toelaten dat een jongen me aanraakte. Als ik het goedvond dat deze jongen me aanraakte, zouden ze me daarna altijd een hoer noemen.

'Maak je maar geen zorgen, hoor,' zei hij. 'Ik zal je geen pijn doen. Drink eerst maar wat wijn, dan doet het minder pijn.'

Hij legde een kleed op de grond en gaf me een fles. Toen keek hij me weer aan. Er heerste een drukkende stilte. We keken elkaar aan. Ik zag aan zijn blik dat hij vastbesloten was het te doen.

'Doe me alsjeblieft geen pijn,' fluisterde ik toen de jongen me hardhandig tegen de grond duwde.

Ik was zo bang dat ik me niet kon bewegen. Op school had ik jongens wel eens een klap gegeven als ze probeerden me aan te raken, maar dit was anders. Mijn lichaam verstijfde helemaal. Misschien liet hij me wel gaan als hij merkte hoe bang ik was.

'Ik zal het niemand vertellen,' huilde ik. 'Laat me alsjeblieft gaan. Ik zal het niet aan de politie of aan mijn ouders vertellen.'

Maar de jongen luisterde niet naar me en begon aan mijn kleren te trekken toen ik mijn armen om mijn lichaam sloeg.

'Nee,' smeekte ik toen hij de dunne bandjes van mijn roze topje kapottrok. 'Ik ben nog maagd.'

'Ach, onzin,' snauwde hij zacht. 'Je hebt heus al wel een vriendje gehad!'

De tranen stroomden over mijn wangen toen hij met geweld mijn broekje omlaag trok. Ik klemde mijn benen tegen elkaar aan. Hij ging op me liggen, waardoor ik amper nog adem kon halen. Hij was te zwaar en te sterk en dwong mijn benen uit elkaar. Ik probeerde te schreeuwen, maar hij legde zijn hand op mijn mond.

Ik voelde opeens een felle pijnscheut tussen mijn benen. Ik wilde niet dat hij me dit aandeed en mijn lichaam ook niet. Het deed ontzettend pijn. De jongen bleef maar duwen, tot hij in me was. Ik gilde het uit.

'Hou je kop,' riep hij. 'Ontspan je!'

Maar het deed ongelooflijk veel pijn toen de jongen me millimeter voor millimeter van mezelf beroofde. Ik voelde dat zijn zweet op me viel, dat hij me likte en ik rook de stank van zijn oksels. Ik voelde dat ik misselijk werd.

Ik weet niet hoe lang het duurde voordat hij niet meer op en neer bewoog en van me af rolde en op zijn rug ging liggen.

'Zie je wel, het stelde niets voor,' zei hij. 'Nu ben ik moe. Morgen breng ik je naar het station en dan kun je naar huis.'

Hij sliep meteen in terwijl ik rillend wakker lag, te bang om me te bewegen. Toen viel ik ook in slaap, dankbaar voor de vergetelheid.

Toen we de volgende ochtend vroeg wakker werden, zag ik opgedroogd bloed op mijn dijen toen ik mijn broekje aantrok. Het deed pijn toen ik mijn benen bewoog. Ik had het vreselijk koud, ik rilde bijna van de kou, en ik vroeg me af wat hij nu zou gaan doen. Thuis leek heel ver weg.

Hij nam me mee het schuurtje uit en daarna liepen we over een verlaten, met bomen omzoomde weg tot we bij een leeg strand kwamen.

'Knap jezelf maar even op,' zei de jongen en hij wees naar de zee. 'Daarna breng ik je naar het station.'

Ik keek naar het toiletgebouw aan het einde van het strand, zo'n laag gebouwtje zonder dak, met lage muren en gaten in de grond.

'Mag ik even naar het toilet?' vroeg ik.

'Ja, maar doe de deur niet op slot.'

De jongen bleef buiten staan wachten toen ik het toilethokje in liep en naar de andere muur keek. Ik kon eroverheen klimmen en wegrennen. Als ik weg kon komen, kon ik misschien vergeten dat dit was gebeurd. Niemand hoefde het ooit te weten.

Ik bleef even staan luisteren. Ik hoorde hem niet bewegen, ik hoorde alleen het geluid van de zee die op het strand spoelde. Ik hield mijn adem in en trok me omhoog. Toen mijn hoofd boven de rand van de muur uitstak en ik naar beneden keek, zag ik twee mannen aan de andere kant staan wachten.

'Ze probeert te ontsnappen,' riep een van de mannen. Ik hoorde de jongen gefrustreerd grommen toen hij naar binnen rende.

'Dat had je niet moeten doen,' riep hij toen hij me beetpakte. 'Hier zul je voor boeten!'

Ik raakte in paniek toen de jongen me naar buiten trok waar de twee mannen stonden te wachten. Een was begin dertig, had blond haar en een goedgebouwd lichaam. De ander was groot, slanker en ouder.

'Hallo, kleintje. Leuk je te ontmoeten. Kom op, we gaan,' zei de lange man. Hij greep me bij een arm en trok me naar een tent die vlakbij stond.

Ik keek achterom en zag dat de blonde man de jongen wat geld gaf. Toen werd ik de tent in geduwd. Het licht was een beetje gelig en de lucht was heet; ik kon amper ademhalen.

'Goed, wat zullen we doen?' vroeg de blonde man glimlachend toen hij achter ons aan naar binnen kroop.

Zwijgend greep hij me bij mijn haar en drukte zijn lippen op de mijne. Ik voelde dat hij me beet terwijl hij me bij mijn schouders vasthield en zijn broek optrok. Hij duwde mijn hoofd naar zijn kruis en knielde. Ik begreep er niets van. Wat was hij van plan? Ik klemde mijn kaken op elkaar en dwong mezelf niet te huilen of te schreeuwen toen de man zich tegen me aan drukte. Opeens voelde ik vingers die probeerden mijn mond open te wrikken en ik proefde bloed toen mijn mondhoeken scheurden.

'Hou haar neus dicht,' zei een stem, waarna iemand mijn neus dichthield.

Wat er ook gebeurde, ik moest mijn mond dichthouden; ik mocht niet toelaten dat hij zijn piemel in mijn mond stopte. Maar het werd eerst rood en daarna zwart voor mijn ogen. Ik hapte naar adem, waarop de blonde man zich in me drong. Ik beet hem.

'Stomme teef,' riep hij.

Hij sloeg met een vuist op mijn mond en stootte met zijn knie tegen mijn gezicht. Mijn hele hoofd deed pijn. Ik proefde bloed en voelde het zout van mijn tranen in mijn wonden bijten.

'Wacht maar even,' zei de grote man. Hij greep me bij de nek, haalde een rol plakband tevoorschijn en plakte mijn mond dicht. Daarna trok hij mijn armen achter mijn hoofd en duwde me tegen de grond. Bloed en tranen stroomden in mijn keel.

De blonde man trok mijn T-shirt omhoog en opeens voelde ik zijn gewicht op me drukken. Hij wilde wat de jongen gisteren had genomen. Dat had ontzettend veel pijn gedaan. Ik verstijfde weer toen hij bij me naar binnen drong.

'Zo doe je jezelf alleen maar pijn,' zei hij.

Het was erger, veel erger dan de avond tevoren toen deze volwassen man met veel meer kracht bij me naar binnen drong dan de jongen had gedaan. Ik wilde dat ik dood was. In de zee vallen, vanuit de lucht, en doodgaan. Mijn wangen werden nat van de tranen toen de man boven op me bewoog. Ik had nog nooit zo diep in mijn lichaam zoveel pijn gevoeld, helemaal in mijn binnenste.

'Stil maar,' zei hij, terwijl zijn heupen steeds maar weer tegen de mijne bonkten. Hij praatte opeens met een zachte stem, zoals je tegen een klein meisje praat. 'Huil maar niet. Het komt wel goed.'

Maar hij lag nog steeds boven op me, tot ik opeens een doordringende, muskusachtige geur rook. Toen hij van me af rolde, voelde ik iets warms op mijn buik.

Zwijgend ging ik rechtop zitten en trok de tape van mijn mond. De mannen staken een sigaret op. Ik had het gevoel alsof er een beest in me zat dat wilde schreeuwen, maar dat ik er niet uit kon laten.

'Het was lekker hè, ja toch? Ondanks die tape?' vroeg de blonde man glimlachend en hij nam een trekje van zijn sigaret.

'Mag ik er ook een?' vroeg ik en ik wees naar de sigaret.

'Rook je?'

'Ja.' Dat was niet zo, maar hij stopte een sigaret in mijn bloedende mond en hield er een lucifer bij. Ik werd duizelig toen ik de rook inhaleerde. Zonder erbij na te denken drukte ik de brandende sigaret op de rug van mijn hand. Ik wilde weten of ik leefde, maar ik voelde helemaal niets toen de brandende punt mijn huid verbrandde. Het enige waardoor ik nu nog weet dat die dag echt was, is het witte litteken op mijn hand. Maar dat wist ik toen nog niet. Alles leek wel een droom. Wanneer zou ik thuis wakker worden?

18

Ik kreeg een klap in mijn gezicht.

'Ben je gek geworden?' riep de grote man.

Ik keek hem zwijgend aan.

'Ze moet zichzelf even opknappen,' snauwde de blonde man. Hij trok me bij mijn arm de tent uit.

Ik stond op en strompelde naar de zee. Ik spatte mezelf nat. Het water voelde koud aan en mijn neus en mond prikten toen het zoute water in mijn wonden kwam. Vanbinnen voelde ik niets.

'Gaat het wel goed met je?' vroeg iemand.

Ik draaide me om en zag een politieauto op het strand staan met een agent ernaast. Een andere agent zat in de auto.

Opeens realiseerde ik me dat ik nu veilig was. Zij konden me helpen.

Maar toen werd ik bang. Niemand mocht ooit weten wat er was gebeurd. Mijn vader mocht dit nooit te weten komen. Ik zou de schande nooit te boven komen. Ik begon te rillen toen de zee over mijn voeten spoelde en ik trok mijn natte T-shirt naar beneden. Ik had helemaal geen ondergoed aan. Wat zouden ze wel niet van me denken?

'Niets aan de hand, hoor,' zei ik tegen hem.

Hij keek me onderzoekend aan.

'Ze is mijn nichtje,' zei de blonde man.

'Is dat zo?' vroeg de agent.

'Ja,' zei ik.

De agent bleef me even aankijken. 'Nou ja. Pak toch je spullen maar, want ik wil dat je meekomt.'

Ik streek met een hand over mijn mond om het bloed weg te vegen, stond op en liep met hem mee. Zwijgend ging ik voor in de auto zitten. De agent zette de beide mannen achterin. Zij zeiden niets en ik ook niet. Ik zou het niet vertellen, besloot ik toen we wegreden. Ik zou liegen als het moest. Als papa erachter kwam dat ik geen maagd meer was, zou hij me vermoorden of me een hoer noemen. Dat zou een ramp zijn.

Ik was heel bang toen ik het politiebureau binnenkwam. Ik wist wel hoe de politie was, ze konden doen wat ze wilden. En daarom vertelde ik het niet, zelfs niet toen een vriendelijke man me steeds opnieuw vroeg wat er was gebeurd.

'Waar zijn je vriendinnen?' vroeg hij.

'Weet ik niet.'

'En je kleren?'

'Ben ik kwijtgeraakt.'

'Wat deed je bij die mannen?'

'Gewoon, praten.'

Het was even stil toen hij over mijn antwoord nadacht. Toen zei hij:
'Hebben deze mannen je iets aangedaan?'

'Nee.'

'Weet je het zeker, Oxana?'

'Ja.'

Even later kwam er een vrouwelijke arts binnen die me meenam naar een ander vertrek. Ik begon te huilen toen ik in een stoel met beugels moest gaan liggen en ze me van top tot teen onderzocht – mijn hele lichaam, ook elk stukje dat niemand voor die dag ooit had gezien. De vrouw zei niets toen ze me onderzocht en zich omdraaide om aantekeningen te maken. Later verliet ze het vertrek, kwam terug met een witte schort en toen werd ik teruggebracht naar de kamer waar de rechercheur zat.

'Waarom heb je tegen me gelogen?' vroeg hij zacht. 'Je bent verkracht, hè? De dokter zegt dat je heel erg bent mishandeld. Dat moet heel veel pijn hebben gedaan. Waarom heb je niets gezegd?'

Ik staarde naar het tafelblad. Zou mijn lichaam altijd mijn verhaal vertellen aan iemand die er goed genoeg naar keek? Ik was misselijk. Zou mijn toekomstige man het te weten komen?

'Ik ben bang,' huilde ik. 'Mijn vader mag niet weten wat er is gebeurd.'

'Waarom dan niet?'

'Omdat hij me zal vermoorden. Alstublieft, vertel het niet aan mijn ouders. Ik zal alles doen wat u wilt, maar vertel het hun alstublieft niet.'

'Dat zal ik niet doen,' zei hij.

En dus vertelde ik hem alles. Hij hield zijn belofte en belde mijn ouders niet. In plaats daarvan belden we mijn achternichtje. Yula kwam me ophalen en zou me naar huis brengen. Ze woonde niet ver bij ons vandaan, met haar man en twee kinderen. Ik zag haar regelmatig en vertrouwde erop dat ze me zou helpen. De rechercheur vertelde haar dat ze me in mijn eentje op het strand hadden gevonden en dat ik kleren nodig had.

Yula kwam kleren brengen en, nadat ze met de rechercheur had gepraat, nam ze me mee in haar auto. We hadden een kwartiertje of zo gereden toen ze de auto parkeerde en naast me op de achterbank kwam zitten.

'Wat deed je in je eentje op het strand, Oxana?' vroeg ze vriendelijk.

Ik begon te huilen. 'Je mag het nooit aan mama en papa vertellen,' fluisterde ik.

Yula begon ook te huilen. Ze wist dat mijn vader heel streng was. 'Maar dat moet ik wel,' zei ze. 'Je bent veertien. Nog maar een meisje. Ze moeten het weten.'

'Nou, dan pleeg ik zelfmoord,' riep ik. 'Ik weet wel hoe dat moet.'

'We moeten iets zeggen, Oxana,' zei ze. 'Je bent bijna twee dagen weg geweest.'

'Jij moet iets verzinnen,' zei ik snel. 'Alsjeblieft, Yula, je moet me helpen.'

We zeiden niets meer toen ze me meenam naar haar huis om op mijn moeder te wachten.

Een uur later kwam mijn moeder binnenrennen. 'Waar heb je gezeten?' riep ze en ze begon me te slaan. 'Je vader was ontzettend bezorgd. We konden niet eens naar het werk dankzij jou. Je bent een slecht meisje! Je bent een lastpak! Wij hadden geen idee wat er aan de hand was.'

'Alexandra!' riep Yula. 'Je begrijpt het niet! Die arme Oxana heeft iets vreselijks meegemaakt. Ja, ze is ondeugend geweest – ze is stiekem met haar vriendinnen naar het strand gegaan – maar toen zijn ze te pakken genomen door een stelletje dieven. Ze zijn vreselijk mishandeld en al hun spullen zijn gestolen en toen zijn ze zomaar ergens gedumpt. Ze mag van geluk spreken dat ze nog leeft!'

Mijn moeders woede verdween. 'O, arme schat van me!' zei ze met tranen in haar ogen. Ze sloeg haar armen om me heen en omhelsde me. Ik kon me niet herinneren wanneer ze dat voor het laatst had gedaan.

Toen we weer thuis waren, trok ik mijn pyjama aan en kroop meteen mijn bed in. De volgende dag vertelde ik het verhaal dat Yula had verzonnen aan papa en hij stopte met vragen stellen toen ik begon te huilen. Hij sloeg me niet zoals ik had verwacht, maar mijn ouders stuurden me een week naar familie op het platteland. Daarna hebben we het er nooit meer over gehad.

Die dag op het strand vind ik nog altijd bijna nog erger dan alles wat er daarna is gebeurd. Ik was nog een kind totdat ik door dat donkere bos bij die jongens vandaan rende. Toen werd ik de ellendige wereld van de volwassenen binnen gesleurd. In de maanden daarna zag ik elke keer dat ik droomde de duivel, en ik was ervan overtuigd dat hij me op een dag zou doden.

3

'Hallo,' zei de jongeman toen ik bij zijn tafeltje stond om zijn bestelling op te nemen. Hij zat op het terras van het café een krantje te lezen en een sigaret te roken. 'Een jus d'orange, alsjeblieft.'

Het was de vierde keer dat hij hier was en ik wist dat hij hier voor mij kwam.

'Nog een keer hallo,' zei hij toen ik met zijn jus d'orange bij zijn tafeltje kwam. Hij was ouder dan ik, had groene ogen, lichtbruin haar en net zo'n vierkante kaak als mijn favoriete acteur Arnold Schwarzenegger.

Ik wist wel dat hij een praatje wilde maken, maar hoewel ik vond dat hij er leuk uitzag, had ik toch geen zin met hem te praten. Mannen die ik niet kende maakten me zenuwachtig en daarom stelde ik me gereserveerd op. Ik liep weer naar binnen en begon de glazen af te drogen. Nog maar een paar uur werken en dan zou ik teruggaan naar de kamer waarin ik samen met mama woonde. Zij zou wel weg zijn en dus zou ik hem helemaal voor mezelf hebben.

Na die dag aan het strand, een jaar geleden, was ik totaal veranderd. Ik praatte er nooit over en ik had die meisjes ook niet meer gezien toen ik eenmaal weer thuis was. Ik was bang dat hun ouders vragen zouden gaan stellen. Maar ik kon wat er was gebeurd niet uit mijn hoofd zetten en al gauw praatte ik helemaal niet meer. Ik ontweek mijn ouders en praatte wekenlang niet. Een paar maanden later kwam ik Sveta tegen die me vertelde dat Natasha na die dag was verdwenen. Ik wist niet of het waar was of niet, maar ik geloofde haar toen ze me vertelde dat zij een maand in het ziekenhuis had gelegen nadat ze door dertien mannen was verkracht. Ik voelde me ontzettend schuldig. Zij was jonger dan ik en ik had haar moeten beschermen.

Op Sveta na was Yula de enige die wist wat er was gebeurd. Toen de zaak voor de rechter kwam, werd ik niet opgeroepen omdat ik zo jong was. Maar Yula ging namens mij, en ook hier wisten mijn ouders niets van. De vijftienjarige jongen die mij had verkracht, werd eerst tot drie jaar veroordeeld. De blonde man kreeg twaalf jaar en de grote drie. Maar het kon me niet veel schelen. Als ik in de spiegel keek, kon ik alleen maar denken aan de zonde die ik had begaan en dan haatte ik mezelf. Ik was gebrandmerkt, ik was inwendig dood en ik voelde niets meer. School, mijn familie, mijn vriendinnen... niets interesseerde me nog omdat ik leeg was vanbinnen. Ik leidde nog wel hetzelfde leven als daarvoor – ik ging naar school en kwam weer thuis – maar ik voelde niets.

Zes maanden later gingen mijn ouders eindelijk scheiden. We lieten papa in de flat wonen en mama en ik verhuisden naar een smerige kamer met een eenpersoonsbed, een tafel en een stoel erin. Ik had gehoopt dat we meer naar elkaar toe zouden groeien, maar nu ze van mijn vader af was, ging mama de meeste avonden op stap. Meestal ving ik alleen even een glimp van haar op wanneer ze bij me in bed glipte, stinkend naar drank en sigaretten.

Een paar maanden later stopte ik met school. Ons nieuwe thuis lag aan de andere kant van de stad en bovendien kon het me toch niet veel meer schelen. Mijn droom dat ik mijn eindexamen zou halen en een goede baan zou krijgen, lag in duigen na die dag aan het strand. Mama heeft nog geprobeerd me over te halen om weer naar school te gaan, maar ik wilde niet terugkomen op mijn besluit. Toen ik een paar weken thuis was, vertelde ze me dat ik aan het werk moest om kostgeld te kunnen betalen.

'Als je niet naar school gaat, moet je maar wat geld gaan verdienen,' zei ze. 'Het kan niet zo zijn dat je mijn eten opeet en er niets voor betaalt. Je moet maar eens leren hoe hard het leven kan zijn.'

Daarom werkte ik in het café waar ik nu de glazen stond af te drogen. De man stond op en keek door het raam naar binnen. Ik boog mijn hoofd en bleef de glazen afdrogen.

Elke keer dat mijn geheimzinnige vriend weer in het café kwam, zweeg ik en ik ging niet in op zijn pogingen het ijs te breken. Maar toen ik op een avond klaar was met werken en naar huis wilde gaan, zag ik hem buiten staan. Met een bos bloemen.

'Hallo,' zei hij. 'Ik heet Sergey. Zullen we een eindje samen oplopen?'

Ik glimlachte; de bloemen waren prachtig en van de zenuwen omdat ik

zo dicht bij een knappe man in de buurt was kreeg ik kriebels in mijn buik.
'Kom op,' zei hij toen hij me zag aarzelen. 'Hoe heet je?'
'Oxana,' zei ik aarzelend.

'Nou, Oxana, ik zou me zeer gevleid voelen als je een eindje met me zou willen wandelen. Woon je hier ver vandaan?'

Zonder aarzelen gaf ik hem antwoord en toen begonnen we te lopen. Al snel liepen we te kletsen en later gingen we in het park op een bankje zitten en bleven we praten. Sergey was vierentwintig, grappig en zo knap dat ik trilde als een espenblaadje. Toen we afscheid namen, was ik helemaal opgewonden, maar ook bang. Ik was al zo lang dood vanbinnen dat ik me daarbij het veiligst voelde. Wilde ik echt weer tot leven komen en pijn riskeren? Sergey zou natuurlijk al snel tot de ontdekking komen dat ik niets waard was, dat ik gezondigd had, en dan zou het allemaal voorbij zijn. Maar dat was niet zo. Elke dag kwam hij weer en wachtte op me, zodat we samen hand in hand in het park een wandeling konden maken tot het donker werd. Ik werd warm vanbinnen als hij glimlachte en ik bloosde door alle aandacht. Toen, op een avond, kuste hij me, onder een boom in het park – een zachte, heerlijke kus. Zo had ik gedroomd dat het zou zijn.

'Nu ben je mijn meisje, Oxana,' zei Sergey zacht.

'Ja,' zei ik, gelukkiger dan ik ooit verwacht had te zullen zijn.

'Wil je dit echt, Oxana?' vroeg Sergey, met een verlangende blik in zijn groene ogen.

Ik knikte. We waren in de flat van een vriend van hem, in de slaapkamer. Het was vroeg in de middag, maar de gordijnen waren dicht om het daglicht buiten te sluiten. Ik had alleen mijn bh en mijn slipje nog aan.

'Goed,' zei hij. 'Ik wil het ook, maar je moet het wel zeker weten.' Hij kwam naar me toe en ging naast me op het bed zitten. Hij begon mijn arm te strelen.

'Ik weet het zeker.' Dat was zo. Ik had besloten dat ik mezelf aan Sergey wilde geven. Ik wilde helemaal van hem zijn. Ik had de man gevonden met wie ik wilde trouwen en wiens kinderen ik wilde krijgen. Waarom wachten? Trouwens, er was altijd de afschuwelijke mogelijkheid dat als ik het niet deed, hij me zou verlaten voor iemand die het wel deed, zelfs al vertelde hij me hoeveel hij van me hield. Waar ik wel ontzettend bang voor was, was dat hij zou merken dat ik geen maagd meer was als hij de eerste keer met me zou vrijen en zich dan vol afschuw van me af zou keren.

Hij liet me op het bed liggen. 'Je bent zo mooi,' fluisterde hij en toen kuste hij me. Even later voelde ik dat hij zich tegen me aan drukte en daarna gleed hij in me. Het was totaal anders dan toen met die mannen op het strand... dit was teder en fijn en het deed niet pijn, ook al kreunde ik even toen hij in me kwam.

'Het is goed, hoor,' zei hij troostend. 'Alleen de eerste keer doet het even pijn, echt.'

Al heel snel was het voorbij en lag hij naast me te soezen.

'Hou je nog steeds van me?' vroeg ik. Hij had niet gemerkt dat ik geen maagd meer was, maar ik was bang dat hij me niet meer wilde nu hij me had gehad.

'Natuurlijk. Maak je maar geen zorgen. Ik heb je toch gezegd dat je mijn meisje bent?' En toen viel hij in slaap.

'Ik hou ook van jou,' fluisterde ik. Ik lag naar zijn gezicht te kijken en ik wist dat ik hem nooit zou willen verlaten. Drie maanden later gingen we samenwonen, in een gehuurde kamer in een flatgebouw.

Ik zei niet tegen mijn moeder waar ik naartoe ging. Het had haar toch niets kunnen schelen.

Sergey en ik waren heel gelukkig in ons kleine kamertje, ook al was ik de enige die geld binnenbracht met mijn baantje in het café. Sergey was wel op zoek naar werk, maar had nog niets gevonden. Ondertussen trok hij met zijn vrienden op en ging de stad in als ik aan het werk was. 's Avonds waren we samen.

Eind 1991 ontdekte ik dat ik zwanger was.

'Nou, dan moeten we er denk ik maar het beste van maken,' zei Sergey onzeker toen ik hem het nieuws vertelde. 'Heb je niet goed opgelet?'

Ik keek hem alleen maar aan. Ik was nog maar vijftien en wist helemaal niets van het leven. Er was geen seks op de televisie, geen half ontklede vrouwen in advertenties en geen seksuele voorlichting op school. Ik had oudere meisjes er natuurlijk wel eens over horen praten, maar ik begreep het niet en ik had gedacht dat Sergey wel wist wat we moesten doen. Hij was immers veel ouder dan ik.

'Denk je...' Ik wist amper hoe ik het moest zeggen. Zo was het allemaal niet gegaan in mijn dromen. '... denk je dat we moeten trouwen?'

Hij wist net zo goed als ik dat ik, tenzij ik getrouwd zou zijn, een slet zou worden genoemd en dat ons kind een ellendig leven te wachten stond. Op school zouden ze hem plagen en iedereen zou altijd op hem neerkijken. Alleen een ring om mijn vinger kon dat voorkomen.

'Ja, misschien is dat wel beter,' zei Sergey glimlachend. Toch keek hij lang niet zo gelukkig als ik had gehoopt dat hij zou zijn bij dit vooruitzicht. 'En ik moet echt een baan vinden, want anders kan ik mijn vrouw en kind immers niet onderhouden.' Hij glimlachte en kuste me, en ik probeerde het positief te bekijken. Hij moest wel blij zijn, ja toch? Dit hadden we toch de hele tijd gepland?

Terwijl we voorbereidingen troffen voor ons huwelijk, en dat kostte veel tijd, werd mijn buik steeds dikker. Het was wel duidelijk dat ik niet langer in het café kon werken. Ik moest ergens naartoe waar ik me kon verstoppen voor de blikken en het gefluister, tot ik was getrouwd.

'Je komt niet weer hier wonen!' schreeuwde mijn moeder. 'Ik neem je niet in huis omdat je je als een slet hebt gedragen! Ik zou het maar laten weghalen, als je het mij vraagt! Een kind is alleen maar een ondankbare sta-in-de-weg.'

Er was maar één iemand bij wie ik terechtkon: mijn vader. Ik had hem al meer dan een jaar niet gezien en ik was bang voor wat hij zou zeggen als ik bij hem aan zou kloppen, maar ik had me geen zorgen hoeven maken.

'Oxana!' riep hij. Hij glimlachte en sloeg zijn armen om me heen. 'Waar heb je gezeten? Kom binnen, kom erin. Wat fijn om je te zien!'

Opgelucht liep ik ons vroegere appartement binnen. Het was heel fijn om weer terug te zijn en het voelde alsof ik weer thuis was. Ik vertelde papa wat er was gebeurd. Dat ik Sergey had ontmoet en met hem ging trouwen, maar dat ik nu niet langer bij mama kon wonen. Hij keek naar mijn dikke buik.

'Ik neem aan dat dit de reden is dat je moet trouwen,' zei hij.

'Tja... ik...' Ik ontweek zijn blik.

'Laten we ons daar nu maar niet druk over maken,' zei hij vriendelijk. 'Je mag hier wonen zolang als je wilt. En je verloofde ook, als hij wil. Het is hier groot genoeg, en ik ben het zat om alleen te wonen. Een beetje gezelschap zou leuk zijn.'

'O, dank je wel, papa!' riep ik en ik sloeg mijn armen om zijn hals. Eindelijk begon alles er een beetje beter uit te zien.

Het geluksgevoel in me groeide, net als de baby in mijn buik.

Niet lang na mijn zestiende verjaardag trouwde ik. Ik droeg een witte bloem in mijn haar en een blauwe bloes en rok. Sergey en ik beloofden elkaar eeuwige trouw en schoven een goedkope ring om elkaars vinger. Nu waren we man en vrouw. Ik wist wel dat sommige mensen geloofden dat het ongeluk bracht als je zonder jurk en zonder goud trouwde, maar ik wist zeker dat ze ongelijk hadden.

Sergey en mijn vader leken het goed met elkaar te kunnen vinden en het was prettig om samen te wonen in afwachting van ons kind. Sergey kreeg een baan in een metaalfabriek en dat vond ik fijn omdat we nu voor een eigen woning konden sparen. Maar het waren moeilijke tijden in Oekraïne nu dit land onafhankelijk was geworden na de val van de Sovjet-Unie. Daarom kwam Sergey vaak zonder salaris naar huis. Hij was niet de enige en de maatschappelijke onvrede groeide toen alles duurder werd en het steeds moeilijker was geworden om aan eten te komen. Ik was alweer een van de weinige gelukkigen die boter, eieren en vlees had, zo vaak als mijn vader dat maar te pakken kon krijgen, en ik werd steeds dikker door mijn zwangerschap en door de overvloed aan goed eten.

Ik had geen idee wat er aan de hand was toen op 31 mei 1992 mijn vliezen braken. Papa wel, en dus bracht hij me naar het ziekenhuis. Ik had een zware en pijnlijke maar korte bevalling en toen was mijn zoon Alexander – oftewel Sasha – geboren. Ik trilde helemaal toen ze hem in mijn armen legden.

'Kijk niet zo bezorgd,' zei een verpleegster toen ze de tranen in mijn ogen zag. 'Hij is gezond, hoor.'

Maar ik huilde niet omdat ik bang was. Ik huilde omdat ik gelukkig was. Ik was opnieuw geboren toen mijn zoon ter wereld kwam. De dag op het strand lag nu mijlenver achter me. Ik was een ander mens, een moeder, en nu kon mijn leven opnieuw beginnen.

Toen we thuiskwamen, bleef ik uren naar de slapende Sasha kijken. Hij leek zo tevreden – met zijn melkwitte huid en zijn perzikkleurige wangetjes – en zo perfect dat ik het bijna eng vond om hem aan te raken. Stel dat ik hem liet vallen? Maar papa liet me zien wat ik moest doen als ik het niet wist.

'Hier,' zei hij toen ik de baby de eerste keer in bad wilde doen en hij steeds uit mijn handen gleed. 'Kijk en leer.'

Er waren zoveel nieuwe dingen die gedaan moesten worden en soms vroeg ik me af of ik het wel allemaal zou kunnen leren. Toch leerde ik langzaam maar zeker hoe ik Sasha's buikje moest masseren als hij huilde en zijn hoofd moest strelen om hem in te laten slapen. Ik genoot van al die facetten van het moederschap en het gaf me een warm gevoel dat ik voor iemand anders leefde. Het verleden leek nu heel ver weg. Ik had nu iemand anders om voor te leven, iemand in wie ik voort zou leven als ik er niet meer was.

Toch was het geen gemakkelijke tijd en Sasha was een lastige baby. 's Nachts sliep hij niet veel en bleef maar huilen, tot het geluid mijn hele hoofd vulde en ik het gevoel kreeg dat dit het enige geluid op de wereld was. Ik begon uitgeput te raken en voelde me opgesloten in een wereld waarin alleen de baby en ik bestonden. Ik was altijd maar bezig hem te voeden, te verschonen en te proberen hem te laten ophouden met huilen. Sergey was eerst blij geweest met zijn zoontje. Maar hij kon niet zo voor hem zorgen zoals ik dat deed – hij kon hem immers niet de borst geven – en Sergey werd 's nachts wel eens boos als hij wakker werd van het gehuil.

Al snel bracht hij steeds meer tijd met zijn vrienden door. Ik was de hele dag al alleen thuis als hij en papa aan het werk waren en nu moest ik het ook 's avonds zonder mijn echtgenoot stellen. Toen de weken zich aaneenregen tot maanden begon ik me ontzettend eenzaam te voelen.

'Waarom blijf je niet eens een keertje thuis bij ons?' vroeg ik dan als hij van zijn werk kwam. 'Je zoon heeft je nodig. En ik ook.'

'Omdat ik me wil ontspannen, zonder een huilende baby,' zei hij. 'Het is jouw taak om voor hem te zorgen, niet de mijne.' Er lag een harde blik in zijn ogen die ik nog niet eerder had gezien. Ik werd er bang van.

Al snel kon ik niet meer slapen en eten, en ik werd mager. Nog geen vijf maanden later was ik ruim dertig kilo afgevallen. Ik had ingevallen wangen en donkere wallen onder mijn ogen en was altijd bekaf. Ik was bijna bang om in slaap te vallen uit angst dat ik niet wakker zou worden als de baby me nodig had. Alsof ik in een draaikolk werd meegezogen en er niets tegen kon doen.

Het had geen zin mijn moeder om hulp te vragen. Ze interesseerde zich niet voor mij en niet voor haar kleinkind. Ze was meestal op stap met haar vrienden en dronk heel veel. Papa was de enige die deed wat hij kon om me te helpen. Hij ging 's ochtends altijd eerst melk voor me kopen en kwam vroeg van zijn werk thuis om me met de baby te helpen. Ik vergaf hem alles wat hij in het verleden had gedaan en was dankbaar voor de liefde en de steun die hij me gaf, nu, nu ik het echt nodig had.

Maar hoe moeilijk het ook werd, heel vaak maakte Sasha alles weer goed: een glimlach of een lach kon me zo blij maken dat ik zeker wist dat ik, wat er ook gebeurde, altijd van hem zou blijven houden.

Sasha was een maand of drie toen mijn vader een keer voorstelde om Sergey op te halen van zijn werk. Dat leek me een goed idee. Ik was nog nooit bij hem op de fabriek geweest en was best nieuwsgierig. Papa en Sasha bleven buiten wachten en ik ging naar binnen om te vragen hoe laat Sergey klaar zou zijn.

'Er werkt hier niemand die zo heet,' zei de receptionist plompverloren.

Ik glimlachte en zei: 'Natuurlijk wel, u vergist u.'

Maar toen brachten ze me naar het kantoor van een manager. Hij was omringd door stapels dossiers en hij vertelde me hetzelfde. 'Het spijt me, mevrouw Kalemi, maar ik kan de naam van uw man nergens vinden,' zei hij nadat hij zijn papieren had doorgenomen. 'Hij staat niet op de personeelslijst.'

'Maar hij moet hier zijn,' zei ik. 'Mijn man werkt hier al acht maanden lang zes dagen per week!'

De man pakte een andere stapel papieren van een plank. 'O ja,' zei hij toen. 'Ene Sergey Kalemi heeft hier in oktober gesolliciteerd.'

'Ja, dat is hem,' zei ik opgelucht.

'Maar ik ben bang dat hij nooit is verschenen.'

Ik staarde de man aan. Ik begreep niet wat hij zei. 'U vergist u. Hij werkt hier al maanden!'

'Het spijt me, maar ik vergis me niet. Uw man heeft hier in oktober gesolliciteerd en is aangenomen, maar hij is nooit op zijn werk verschenen.'

Mijn hart ging als een razende tekeer. Hoe was het mogelijk dat Sergey hier niet werkte? Al sinds Sasha's geboorte was hij twaalf uur per dag van huis. Misschien had hij een baan in een andere fabriek gekregen en me dat niet verteld. Er moest een verklaring zijn.

Ik liep naar buiten, naar mijn vader.

'Oké, waar blijft hij?' vroeg papa toen ik Sasha optilde. 'Nog niet klaar?'

'Nee.'

'Hoe laat komt hij?'

Ik hield de baby stevig vast en staarde voor me uit. 'Helemaal niet,' zei ik langzaam.

'Wat bedoel je?'

'Ze zeggen dat hij hier nooit heeft gewerkt.'

Heel even was het stil. Toen liep mijn vader rood aan. 'Wat!' zei hij zacht.

Ik werd bang toen ik zag dat mijn vader woedend werd. Die blik kende ik maar al te goed.

'Papa, blijf alsjeblieft rustig,' smeekte ik. 'Als we Sergey hebben gevonden, kan hij het vast wel uitleggen.'

'Dat hoop ik maar,' zei mijn vader zacht.

Toen gingen we naar huis.

Toen Sergey thuiskwam, nam ik hem mee naar de slaapkamer terwijl papa buiten bleef wachten. Ik vertelde hem wat er was gebeurd.

Hij begreep meteen dat het geen zin had iets te ontkennen en schoot in de verdediging. Hij zei: 'Ik ben daar niet gaan werken, omdat ik geen referenties kon opgeven.'

'Waarom dan niet?' riep ik uit.

'Omdat ik nog nooit ergens heb gewerkt.'

Ik keek hem verbijsterd aan. 'Wat?'

'Ik wilde niet dat je erachter kwam en dus heb ik gelogen. Het spijt me. Ik ben ooit veroordeeld omdat ik als jongen een keer iets heb gestolen en nu kan ik geen baan meer krijgen.' Hij haalde zijn schouders op.

'Maar hoe kom je dan aan het geld dat je me de afgelopen maanden hebt gegeven?'

'Ik heb een afspraak met de mensen die het huis van mijn ouders van me huren. Het staat al leeg sinds hun dood en deze mensen betalen me elke maand de huur contant.'

Ik wist dat Sergey een huis had, maar ik had er nooit willen wonen. Het stond in een andere wijk van Simferopol en het had geen stromend water en ook geen elektriciteit. Ik woonde liever bij mijn vader in huis. Maar nu staarde ik Sergey verbaasd aan en zei: 'Waarom vertel je me dit? Waarom vertel je me nu alweer leugens? Als iemand huur voor dat huis betaalt, dan zou je elke maand meer geld thuisbrengen.'

'Oxana, geloof me,' smeekte Sergey. 'Ik heb je alles gegeven wat ik had.'

Ik wist dat hij loog. Waarom was hij 's avonds laat dan zo vaak dronken thuisgekomen? Hij had al zijn geld aan drank en aan zijn vrienden uitgegeven in plaats van aan zijn vrouw en baby.

Sergey toonde geen spijt, alleen koele opstandigheid. Was mijn hele leven dan gebaseerd op leugens? Waarom werkte mijn man niet om de kost voor ons te verdienen? Ik hoopte dat hij zou veranderen nu ik de waarheid kende en dat hij zijn verantwoordelijkheid zou nemen. Ik moest een goede vrouw voor hem zijn, ik moest mijn man een nieuwe kans geven en hem laten zien dat ik nog steeds van hem hield. Maar al gauw zou blijken dat het allemaal niet zo eenvoudig was.

'En?' vroeg mijn vader toen ik eindelijk naar hem toe ging. 'Wat voor excuus had hij? Hij kan maar beter een goed verhaal hebben!'

Toen ik hem vertelde wat Sergey had gezegd, werd hij woedend. 'Hoe kan een man zo leven? Hoe kan hij op mijn zak teren en niet zelf voor zijn vrouw en kind zorgen? Ongelooflijk!'

'Doe hem alsjeblieft geen pijn!' smeekte ik. Ik zag wel dat papa hem een pak slaag wilde geven.

'Goed dan, maar alleen omdat jij het vraagt,' zei hij. 'Maar de zaak is wel duidelijk, Oxana. Hij moet vertrekken.'

'Nee, nee! Haal ons alsjeblieft niet uit elkaar! Je moet hem nog een kans geven!'

'Nee, ik heb er genoeg van. Ik wil dat hij vertrekt, nu!'

Ik voelde me ellendig toen ik hem dat hoorde zeggen. Wat moesten we doen? Mijn plaats was bij mijn man, ook al hadden we problemen samen. Mijn angst veranderde in boosheid en toen in paniek. Ik begon te krijsen tot mijn vader me een klap gaf. Op zijn gezicht tekenden zich afwisselend verdriet en woede af, maar ik was alleen maar razend. Mijn vader had alweer laten zien wat voor iemand hij werkelijk was.

'Nu is het genoeg,' schreeuwde ik. 'Ik vertrek en je ziet me nooit meer terug.'

'Maar je kunt Sasha niet meenemen. Je kunt niet zomaar weggaan!'

'Echt wel! Sergey is mijn man, hij is de vader van mijn kind.'

Nu was ik degene die zich niet meer kon beheersen en ik gedroeg me als de zestienjarige die ik was. Papa zei niets toen ik onze spullen inpakte, de woonkamer in liep en mijn sleutels naar hem toe gooide.

'Ik hoop dat je nu tevreden bent!' schreeuwde ik toen ik de deur achter ons dichtsloeg.

4

De sneeuw kraakte onder de wielen van Sasha's kinderwagen. Het was januari 1994 en ik was acht maanden zwanger van mijn tweede kind. Het was vroeg in de avond en ik was op weg naar mijn moeder. Mijn hoofd tolde van de gedachten aan alle dingen die waren gebeurd sinds ik papa anderhalf jaar geleden had verlaten en geen enkele gedachte was prettig.

Sergey en ik waren vertrokken naar de enige plek die we konden bedenken nadat we uit papa's huis waren weggegaan. Hij had niet gelogen toen hij zei dat hij het huis van zijn ouders had verhuurd, dus daar konden we niet wonen. In plaats daarvan betrokken we een huisje in de tuin, dat de zomerkeuken werd genoemd. Het was een gebouw met één kamer zonder ruiten in de kozijnen, zonder stromend water en zonder fornuis. Ik probeerde er een thuis van te maken, maar dat was onmogelijk: het was er altijd koud, tochtig en ellendig. Bovendien vond Sergey kennelijk dat hij niet langer hoefde te doen alsof, nu ik had ontdekt dat hij loog. Het leek wel alsof hij niet meer van me hield nadat ik hem had geconfronteerd met de waarheid over hemzelf. Nu zag ik hem eindelijk zoals hij echt was: een dronkenlap die een hekel had aan werken en liever zijn vrouw en kind liet verhongeren dan hun het beetje geld te geven dat hij met een paar baantjes verdiende en waar hij wodka van kocht. Heel vaak hadden we dagenlang niets te eten en het was heel moeilijk om goed voor Sasha te zorgen. Zijn luiers werden niet droog doordat het er zo koud was, zijn huid was ruw en zijn maagje was altijd leeg.

Sergey en ik maakten aldoor ruzie. Op een avond, na een verschrikkelijke ruzie waarbij hij me met zijn vuisten had bewerkt, wist ik dat ik weg moest. Die avond ging ik terug naar papa's flat, samen met Sasha. Ik moest huilen toen papa ons verwelkomde in de warmte en het licht van mijn ou-

32

de thuis. Eindelijk waren we veilig. Op de een of andere manier moest ik opnieuw beginnen en Sergey uit mijn leven bannen.

Maar mijn geluk was helaas maar een kort leven beschoren. Twee maanden later overleed mijn vader plotseling. Hij was nog maar zesenveertig, maar helemaal op na een leven van altijd maar keihard werken. Ik huilde tijdens de begrafenis, overweldigd door verdriet en schuldgevoelens. Ik voelde me verschrikkelijk, omdat ik het gevoel had dat ik hem had vermoord door alles wat hij ter wille van mij had meegemaakt. Ik had zijn vriendelijkheid afgewezen en daarom was het mijn schuld dat hij dood was. Mijn broer Vitalik kwam algauw langs om alles wat van papa was op te eisen. Ik kon zien dat hij aan de drugs was en toen ik hem aankeek realiseerde ik me dat hij me er geen cent van zou geven. Sasha en ik waren alweer alleen.

Sergey had me al snel gevonden. Hij had gehoord dat mijn vader was overleden en kwam bij me, huilend en vol spijt. Hij zei dat hij van mij en van de baby hield en dat hij ons terug wilde. Alles zou anders worden, beloofde hij: hij zou ophouden met drinken, een baan zoeken en ons een echt thuis bieden. Hij hield van me, zei hij, en hij had spijt van alles wat er was gebeurd.

Ik geloofde hem. Ik moest wel. In Oekraïne was er in die tijd geen overheidssteun voor vrouwen zoals ik die niemand hadden om hen te beschermen, die geen plek hadden om te wonen en die een baby hadden om voor te zorgen. Ik had geen keus. Ik moest erop vertrouwen dat mijn man zijn leven wilde beteren. Bovendien hield ik van hem, ondanks alles. Mijn gevoelens voor hem waren nog te sterk.

Maar toen na een paar weken bleek dat ik alweer zwanger was, realiseerde ik me dat Sergey helemaal niet was veranderd. Hij haatte de baby vanaf het moment dat we wisten dat ik zwanger was.

'Door wie heb je je laten naaien toen je bij je vader woonde?' schreeuwde hij. We maakten ruzie in ons koude buitenhuisje, terwijl Sasha de longen uit zijn lijfje huilde.

'Door niemand! En ik wil dit kind ook niet!' schreeuwde ik terug, huilend. Dat was waar. Ik had Sasha ook al en we woonden in verschrikkelijke omstandigheden. Hoe zou ik voor nóg een kind moeten zorgen? Ik besloot dat ik een abortus moest laten plegen, maar toen de dokter me vertelde dat dit vijftien dollar zou kosten, wist ik dat ik nooit aan zoveel geld zou kunnen komen en dat ik dus zelf maar moest proberen van deze baby af te komen. Ik begon zware meubels op te tillen, nam regelmatig een lang, heet bad en stompte mezelf in mijn buik. Zo probeerde ik het kindje kwijt te raken. Maar er gebeurde niets en dus ging ik naar een oud vrouwtje dat me vertelde dat ik dille moest laten trekken in heet water en dat water daarna moest opdrinken. Daarna ging ik naar een andere oude vrouw die me een paar tabletten gaf die volgens haar een einde aan mijn zwangerschap zouden maken. Niets hielp.

Toen de maanden verstreken, drong het langzaam tot me door dat ik echt nog een kind zou krijgen. God wilde dat ik nog een baby kreeg en ik zou moeten leren ervan te houden. Maar diep vanbinnen was ik bang voor hoe het zou zijn na zijn geboorte. Ik had een vreselijke zonde begaan doordat ik had geprobeerd mijn eigen kindje te doden en ik was ervan overtuigd dat hij ziek en vol woede geboren zou worden, net als ik. Mijn schuldgevoelens lieten me nooit in de steek en zelfs nu – een paar dagen voordat de baby geboren zou worden – voelde ik me nog schuldig.

Ik liep met Sasha in de kinderwagen door de winterse kou, ademde mijn longen vol met bevroren lucht en liep de straat in waar mijn moeder woonde. Een paar avonden eerder had Sergey me tijdens een ruzie onder in mijn buik geschopt en me daarna de straat op gegooid, de sneeuw in. Uiteindelijk liet hij me wel weer binnen, maar ik moest op een stoel slapen omdat ik volgens hem te dik was om bij hem in bed te kunnen liggen. Ik had het gevoel dat hij me alleen maar had geslagen vanaf het moment dat de baby was verwekt. Vanavond moest ik iets eten – brood misschien of een paar eieren – en ik hoopte dat mama iets voor me had. Ik was net achttien geworden en misschien zou ze iets aardigs voor me willen doen. De baby moest iets hebben en Sasha ook.

Ik boog mijn hoofd toen de ijskoude wind me in mijn gezicht blies. Nog even en dan zou ik binnen zijn. Ik hoopte wel dat Sasha zou doorslapen en mama niet boos zou maken met zijn gehuil.

Toen ik bij haar huis aankwam, ontdekte ik dat mama en haar vrienden dronken waren. Zoals gewoonlijk.

'Wat wil je nou weer!' gromde ze, met een sigaret in haar mondhoek. 'Kijk eens hoe je eruitziet! Je lijkt wel een varken!'

'Ik wil alleen maar iets eten...' zei ik. Ze gromde en ik liep achter haar aan de warme keuken in waar ze een plak brood en een stuk kaas op tafel zette. Ik at het dankbaar op.

'Waarom kan die luie klootzak van een man niet voor je zorgen? Ik wist meteen al dat hij een nietsnut was! Hoe haal je het in je hoofd om je weer zwanger te laten maken? Hij kan niet eens voor één kind zorgen, laat staan voor twee!'

'Hij slaat me als ik hem zijn gang niet laat gaan,' mompelde ik.

Ze snoof. 'Toch moet je niet denken dat ik je steeds weer uit de nesten haal. Ik heb zelf al problemen genoeg. Ik kan het me niet veroorloven om voor jou en die rotkinderen van je te zorgen, dus je kunt net zo goed niet meer bij me aankloppen.'

Het eten smaakte opeens nergens meer naar. Hoorde ik dat goed? Weigerde mijn moeder me nog een keer te helpen? Ze wist hoe we woonden en wat dat betekende voor de baby en mij. Even later ging mama terug naar haar vrienden die haar wodka opzopen en nadat ik Sasha had gevoed liet ik mezelf uit en ging weer de koude duisternis in, terug naar de ijskoude zomerkeuken.

Ik was bijna blij toen ik de volgende dag op het toilet zat en zag dat ik bloedde – de baby was doodgegaan en ik zou een miskraam krijgen. Misschien was het ook maar beter zo. Wat voor leven zou ik dit kind kunnen bieden? Ik nam me voor te wachten toen de pijn die nacht en de volgende dag heviger werd. Maar uiteindelijk werd de pijn ondraaglijk en moest ik wel naar het ziekenhuis.

'De baby is in orde, hoor,' zei een dokter tegen me, maar ik voelde niets.

Drie dagen later werd mijn tweede zoon geboren.

5

Pavel, die we Pasha noemden, was klein en had een dikke bos donker haar en grote blauwe ogen die zo donker waren dat ze wel zwart leken. Hij deed me aan mijn vader denken toen ik hem zag.

'Hij zal veel aandacht nodig hebben,' zei de dokter toen hij Pasha aan me gaf. 'Hij heeft een beetje geelzucht, maar verder is hij in orde.'

Ik zei niets toen ik mijn zoon voor het eerst in mijn armen hield. Pasha werd wakker en ik keek hem aan toen hij zijn ogen opsloeg. De tranen stroomden over mijn wangen. Op de een of andere manier moest ik van hem gaan houden en de zonde vergeten die ik had begaan toen ik probeerde te voorkomen dat hij geboren zou worden en vergeten hoe hard Sergey me had geslagen toen hij ontdekte dat we nog een kind zouden krijgen. Mijn baby had me nodig.

'Ik zal goed voor hem zorgen,' zei ik tegen de dokter.

Maar ook al was ik dol op mijn nieuwe zoontje, toch werd het leven er niet gemakkelijker op. Pasha was een ziekelijk kindje en ik schrok toen ik hem de eerste keer verschoonde. Zijn huid leek wel van papier, hij had lange, magere beentjes en zijn billen waren niet mollig en zacht, maar mager en bonkig. Hij was een wispelturig kind dat mijn tepel uitspuugde, ook al krijste hij van de honger en als Sergey schreeuwde, kon hij urenlang blijven huilen.

'Laat hem zijn kop houden! Wat een rotherrie! Wat doet dat rare kind hier? Waarom geef ik hem eigenlijk te eten en een thuis?'

Pasha was precies zoals ik had gevreesd dat hij zou zijn. Ik was ervan overtuigd dat hij zo zwak was omdat ik had geprobeerd van hem af te komen en ik wist zeker dat hij huilde van verdriet. Na alles wat er was gebeurd, kon hij immers alleen maar ziek en ongelukkig zijn? Daardoor werd ik alleen maar vastbeslotener voor hem te zorgen en hem gezond en gelukkig te maken, net als Sasha. Mijn oudste zoon was nu bijna twee en deed het zo goed als maar kon in deze omstandigheden. Ik probeerde ervoor te zorgen dat hij altijd genoeg te eten en te drinken kreeg, en hij werd al groot. Hij waggelde door de zomerkeuken, brabbelend en spelend. Sasha slaagde er zelfs in om Sergeys boze buien te verdrijven, hoewel ik dankbaar was dat hij meestal doorsliep tijdens Sergeys dronken tirades.

Van Sasha wist ik dat hij sterk was. Mijn grote angst was dat Pasha het leven dat we leidden niet aan zou kunnen. Ook al gaf ik hem te eten en kleedde ik hem warm aan, toch was ik altijd bang dat hij dood zou gaan. Als hij lag te krijsen en te huilen, wist ik zeker dat hij me duidelijk wilde maken dat hij ongelukkig was en er niet meer tegen kon.

'Waarom stop je hem niet gewoon in een tehuis?' riep Sergey vaak. 'Hij gaat toch dood, dus dan kun je jezelf net zo goed de moeite besparen om voor hem te zorgen.'

Mijn relatie met Sergey werd met de dag slechter. Ik twijfelde eraan of hij ooit voor ons zou kunnen zorgen. Ik kreeg heel even hoop toen hij aangenomen werd om ongeschoold werk te doen, waardoor hij de paar dollars per dag verdiende die we nodig hadden voor kleren en eten, maar dat baantje raakte hij kwijt nadat hij met een collega had gevochten. Nu moesten we weer leven van wat Sergey bij elkaar kon stelen en niet uitgaf aan drank. Maar zelfs een stelende echtgenoot en een paar dollars om eten van te kopen, was beter dan helemaal geen echtgenoot.

Op een avond zat Sergey aan tafel en probeerde een oude radio te repareren die hij had gevonden. Sasha zat aan zijn voeten met wat rommel te spelen die Sergey op de grond liet vallen. Ik zat heel dicht bij het vuur, met Pasha in mijn armen. Ik had sterk het gevoel dat ik hem moest beschermen, omdat we die dag bij een dokter waren geweest die had gezegd dat Pasha een hernia en spierproblemen had. Ik had wel geweten dat mijn zoon zwak was, maar was helemaal van slag toen de dokter tegen me zei dat hij naar een kindertehuis zou moeten, waar hij geopereerd kon worden en waar ze voor hem konden zorgen.

'Maar dat kan niet,' zei ik. 'Hij is mijn zoon. Hoe moet ik 's nachts slapen als ik hem in de steek zou laten?'

'Toch zou het beter voor hem zijn als u dat wel deed.'

Ik zag aan zijn blik dat hij me verafschuwde. Wat de dokter echt wilde zeggen, was: 'Waarom heb je een baby als je toch niet voor hem kunt zorgen?'

Ik schaamde me ontzettend en wilde uitleggen hoe het allemaal was gekomen, maar ik zweeg.

Nu zat ik te kijken naar Sergey die probeerde die radio te repareren. Wat zou het resultaat zijn als hij daarin slaagde? Zou hij hem voor een dollar verkopen en mij het geld geven zodat ik er eten voor kon kopen? Ik betwijfelde het. Ik trok Pasha tegen me aan en ik voelde dat ik woedend werd.

'We moeten werk zoeken,' zei ik. 'De baby is ziek. We hebben geld nodig om goede melk te kunnen kopen. Je hebt gehoord wat de dokter heeft gezegd. We moeten ervoor zorgen dat Pasha sterk wordt.'

Sergey keek me aan en zei: 'Ik doe mijn best. Zodra ik een baantje vind, ga ik aan het werk.'

'Maar we moeten meer doen. We hebben twee of drie dollar per dag nodig om eten te kopen en jij kunt dan misschien geen werk vinden, maar ik misschien wel.'

Sergey vroeg verbaasd: 'En moet ik dan voor de kinderen zorgen als jij aan het werk bent?'

'Ja, een andere mogelijkheid is er niet.'

'Nou, je zou niet hoeven werken als we Pasha in een kindertehuis zouden stoppen.'

Ik voelde dat ik woedend werd. Pasha, Pasha, Pasha... Sergey gaf hem overal de schuld van.

'Waarom snap je het dan niet gewoon?' schreeuwde ik. 'We moeten allemáál eten en jij zorgt daar niet voor. Wat voor vader ben jij? Kijk toch naar ons: we zijn allemaal mager, ziek!'

'Maar ik denk altijd aan jou, Oxana.'

Opeens was ik alle lessen vergeten die Sergey in het verleden in me had geramd. Ik legde Pasha in zijn wiegje en ging voor hem staan. 'Wat?' schreeuwde ik. 'Wanneer denk je ooit aan iemand anders dan aan jezelf? Je geeft je geld uit aan wodka terwijl je eigen kinderen niets te eten hebben. Het enige wat je doet, is drinken en stelen. Je verandert nooit. Je bent geen man, je kunt niet eens voor ons zorgen!'

Sergeys ogen schoten vuur, maar ik trok me er niets van aan, zo woedend was ik. Ik kon mijn kinderen niet goed verzorgen, Pasha was ziek, we hadden altijd honger en ik werd beschouwd als een dief omdat Sergey dat was, omdat ik zijn vrouw was. Zijn misdaad was mijn misdaad.

'Je bent gewoon lachwekkend,' zei ik. 'Het enige wat je kunt, is vrouwen slaan omdat er geen man is die je aankunt. Je bent gewoon zielig.'

Zijn hand petste tegen mijn wang. 'Kutwijf dat je bent!' riep hij.

'O, toe maar, sla me maar!' schreeuwde ik terug. 'Je kunt immers geen man aan, hè? Toe maar, sla maar. Ik ben immers je vrouw? Daar ben ik goed voor!'

Nog steeds kon ik mijn mond niet houden.

'Toe dan,' schreeuwde ik, terwijl de tranen over mijn wangen stroomden. 'Toe dan, laat maar eens zien dat je een echte vent bent!'

Sasha begon te huilen en verstopte zich onder de tafel. Ik zag hem met bange ogen naar ons kijken en iets in me wilde dat het allemaal ophield, zodat ik hem in mijn armen kon nemen om hem te troosten. Maar we waren al te ver gegaan. Sergey en ik waren allebei woedend en gefrustreerd. We baalden van ons leven en konden daar alleen maar elkaar de schuld van geven.

'Je bent een slappeling, geen echte man,' schamperde ik.

Opeens haalde Sergey uit en greep me bij mijn haar. 'Ik vermoord je!' riep hij. 'Zeg eens dat ik het niet doe!'

'Probeer het dan!' gilde ik. 'Doe het dan! Wil je me vermoorden?' We keken elkaar aan. Ik was niet bang voor hem. Ik was ziek van alle blauwe plekken en kapotte lippen.

'Toe dan,' snauwde ik. 'Doe het dan.'

Sergey maakte zijn riem los en trok hem uit zijn broek – een leren riem met een grote ijzeren gesp waar hij dol op was – duwde me de gang in, vouwde de riem dubbel en hief zijn arm om toe te slaan.

'Nee!' schreeuwde ik en ik probeerde de riem van hem af te pakken. Ik trapte omhoog, richtte op zijn kruis. Op de een of andere manier kreeg ik de riem te pakken en sloeg hem ermee voordat ik de voordeur uit rende, de tuin in, waar ik een stuk hout opraapte.

'Ik vermoord je!' riep Sergey. Hij rende me achterna en ik zag een zilveren flits in het donker.

Ik werd heel bang. Hij had een vleesmes in zijn hand. Zijn ogen waren dood en levenloos. Ik moest rennen. Maar Sergey greep me bij mijn haar en sleurde me mee, in de richting van de zomerkeuken. Had ik hem deze keer te ver gedreven? Hij trok me mee de gang in en ik probeerde te ontsnappen en kon me heel even losmaken uit zijn greep. Maar opeens voelde ik een vlammende pijnscheut in mijn rug en daarna zag ik het mes door de lucht suizen. Het viel op de grond en een voor een verschenen er bloeddruppels omheen. Van wie waren die?

Ik voelde met een hand aan mijn rug en toen ik hem terugtrok zag ik bloed. Ik viel op de grond, huilend, hijgend. Sergey stond doodstil boven me, met een verwarde en bange blik in zijn ogen. Ik bleef stil liggen.

'Nu is het genoeg!' riep ik. 'Ik ga naar de politie.'

Maar we wisten allebei dat ik dat niet zou doen. Dit had ik al zo vaak gezien bij mijn ouders. Ik wist dat de politie me geen plek kon geven waar ik kon wonen en geen geld om eten van te kopen en dat het dus geen zin had om hulp te vragen.

Sergey boog zich naar me over en sloeg zijn armen om me heen. 'Het spijt me, Oxana,' jammerde hij. 'Dit wilde ik niet, het spijt me. Het is alleen maar een snee, maak je maar geen zorgen.'

Maar ik zei niets, omdat de moed die ik eerder nog had gevoeld uit me weg stroomde, net als het bloed uit de wond in mijn rug. Toen ik Sergey aankeek, zag ik alleen maar een duistere blik. Nu was ik van hem. Hij had me verslagen. Eindelijk wist ik dat er geen grenzen waren aan wat hij bereid was te doen. Het mes had vanavond misschien zijn doel gemist, maar de volgende keer zou dat niet het geval zijn.

Ik kon wel gillen toen Pasha begon te huilen – een hoge, dunne jammerkreet die hij de hele dag al had laten horen.

'Sh,' zei ik toen ik me over hem heen boog om hem uit zijn wieg te halen.

Bezorgdheid en irritatie streden om voorrang. Sergey zou al gauw thuiskomen en me uitschelden als Pasha niet stil was. Zijn haat voor zijn zoon – en voor mij – was alleen maar sterker geworden sinds die avond waarop hij me had gestoken. Na die ruzie was ik niet naar het ziekenhuis gegaan en de snee had een dun, wit litteken op mijn rug achtergelaten.

Het enige wat ik kon doen, was niet opvallen en hopen dat ik Sergey niet boos maakte. Ik kon niet weglopen. Elke dag weer vroeg Sergey of ik van hem hield en hij bleef bij me in de buurt om te voorkomen dat ik weer probeerde weg te lopen. Ik was helemaal niet van plan weg te lopen. Vroeger was mijn vader er nog geweest naar wie ik toe kon, maar nu was er niemand. Dus waar kon ik naartoe? Sergey had al laten zien waar hij toe in staat was en ik voelde me machtelozer dan ooit. Het enige wat ik kon doen was hopen dat de zaken ooit ten goede zouden keren.

Toen ik Pasha weer oppakte, dacht ik aan wat de dokter had gezegd, een paar weken geleden. Binnenkort hadden we weer een afspraak en het ging nog steeds niet beter met mijn zoon, ondanks alle melk die ik geprobeerd had hem te geven. Hoe meer ik over dat kindertehuis nadacht, hoe meer ik me afvroeg of het misschien toch goed was hem daar naartoe te laten gaan. Mijn buurvrouw Janna, die me wel eens iets te eten gaf als wij helemaal niets hadden, de dokter en mama hadden allemaal gezegd dat het goed zou zijn, dat ze daar goed voor de baby konden zorgen. Iedereen zei hetzelfde en ik wist eigenlijk wel wat ik moest doen. Ik zou Pasha een halfjaar in dat kindertehuis stoppen en in die tijd zou ik werk zoeken en iemand die voor Sasha kon zorgen als ik aan het werk was. Daarna zou Pasha gezond genoeg zijn om weer thuis te komen wonen.

Sergey was heel blij toen ik hem dat die avond vertelde.

'Eindelijk ben je verstandig,' zei hij glimlachend.

Het was dan misschien wel de juiste beslissing, maar de volgende dag, toen ik Pasha's weinige kleren in een tas stopte, was ik ontzettend verdrietig. Zou Pasha het me ooit vergeven? Ik had nog steeds niet geleerd voldoende van hem te houden en nu stuurde ik hem weg.

De volgende dag zei de directrice van het kindertehuis tegen me: 'Nu krijgt hij de operatie die hij nodig heeft. We zullen hem veel laten eten, zodat hij kan aansterken.'

'Maar wanneer kan ik hem bezoeken?' vroeg ik.

'Wanneer u maar wilt, maar de meeste ouders komen in het weekend op bezoek.'

'Dan zal ik dat ook doen.'

Pasha leek heel oud toen hij me aankeek. Hij was een ernstige baby die zelden glimlachte.

'Zal ik hem nemen?' vroeg de directrice en ze kwam bij me staan.

Het deed fysiek pijn toen ze Pasha van me overnam.

Het is echt het beste, zei ik tegen mezelf toen ik begon te huilen. Nu kun je je leven op de rails zetten, alles in orde maken voor de kinderen en dan kan hij weer thuiskomen. Je hebt geen keus. Je moet dit doen, voor zijn eigen bestwil.

Sergey legde zijn hand op mijn arm toen de deur dichtging.

'Wat is er?' vroeg hij. 'Ik ben blij dat hij weg is. Kom, we gaan.'

Ik zei niets toen we naar buiten liepen, maar ik hield Sasha's handje stevig vast. Ik had mijn baby aan onbekenden gegeven, ik had hem al in de steek gelaten vanaf het moment dat ik wist dat ik hem zou krijgen en nu ging er een steek door me heen.

God moge me vergeven, zei ik in gedachten tegen mezelf.

6

Kort nadat Pasha weg was, kreeg ik een baan in een café dankzij een nieuwe vriendin van me, Marina. Ze woonde in dezelfde straat als wij. Ze was zeventien, lang en slank, en had lang zwart haar en prachtige ogen. Maar ze was vooral heel aardig. Marina zag wel dat ik ontzettende honger had en gaf me altijd wat te eten als ik bij haar en haar ouders op bezoek kwam. Ik vond het heerlijk dat ik een vriendin had. Heel veel mensen wilden niets met me te maken hebben vanwege Sergey, maar Marina trok zich er niets van aan. Ik had me steeds zo oud en moe gevoeld, maar als ik bij haar was voelde ik me bijna weer een tiener.

Al snel werkten we allebei in het café. De eigenaar was een moslim, Aziz. Eerst vond Sergey het maar niets dat ik ging werken, maar hij draaide bij toen hij hoorde dat ik eenendertig dollar per dag zou verdienen. Ik moest twaalf tot veertien uur per dag werken, maar nu kon ik tenminste eten kopen. Ooit, hoopte ik, zou ik misschien zoveel kunnen sparen dat ik zelf een kamer kon huren, zodat ik samen met Sasha bij Sergey weg kon gaan.

Sergey zorgde overdag voor Sasha, maar op een avond besloot hij me van het werk te halen. Toen hij buiten stond te wachten, zag hij dat ik grapjes maakte met Aziz. Hij kreeg onmiddellijk een jaloerse woedeaanval.

'Waarom stond je die man te zoenen? Neuk je hem soms?' schreeuwde hij toen we naar huis liepen.

'Je weet best dat ik dat niet doe en bovendien kuste ik hem niet.'

'Dat deed je wel. Nu begrijp ik ook waarom je niet meer met me wilt vrijen.'

'Kom op, zeg!' zei ik vermoeid. 'Ik ben gewoon moe.'

Sergey sloeg me. 'Lieg niet tegen me!' zei hij.

'Waarom doe je dit?' Ik begon te huilen. 'Ik zweer je dat ik niets verkeerds heb gedaan. Je weet dat ik je nooit zou bedriegen.'

'Nee, dat weet ik dus niet,' riep hij. 'En vandaag was je laatste werkdag. Je gaat niet terug.'

Ik ging er niet tegenin toen we naar onze zomerkeuken wandelden en daarna naar bed gingen. Maar toen ik de volgende ochtend wakker werd, stond ik op, kleedde me aan en legde voordat ik vertrok wat geld op tafel. Dan zou Sergey wel begrijpen dat het ook prettig voor hem was als ik werkte.

Marina stond al buiten op me te wachten en we liepen rustig naar ons werk. Opeens hoorden we achter ons iemand schreeuwen en toen ik me omdraaide, zag ik dat Sergey achter ons aan rende.

'Stomme trut,' riep hij. 'Ik heb toch gezegd dat je daar niet weer naartoe mocht! Wat ben je verdomme van plan?'

Marina begreep er niets van. Ik had haar nooit iets over Sergey verteld. Niemand trouwens. En ook al had ze geschokt gekeken toen ze had gezien hoe wij woonden, ze had er geen idee van hoe de situatie echt in elkaar zat.

'Kom op,' zei ik en ik begon te rennen. We slaagden er een tijdje in hem voor te blijven, maar toen we de straat bereikten, kreeg Sergey me te pakken. Hij sloeg me zodat ik viel.

'Kun je niet luisteren?' schreeuwde hij. 'Ik meende het, hoor, wat ik zei. Stomme trut!'

Ik kreeg een stomp in mijn maag. 'Help me,' schreeuwde ik tegen Marina. Maar ze was doodsbang en wist niet wat ze moest doen om Sergey tegen te houden die me de kleren van het lijf trok.

'Waarom doe je dit?' krijste ik tegen hem. 'We hebben het geld nodig. Ik kan niet zomaar ophouden met werken!'

'Hoer! Je neukt met al die moslims en daarom wil je niet meer met mij.'

'Waar héb je het over!' riep Marina opeens. 'Dat is helemaal niet zo. Hou op! Laat haar met rust.'

Sergey zei niets, maar opeens hield het gestomp even plotseling op als het was begonnen. Toen ik opkeek, zag ik dat er een auto naast ons was gestopt. Twee klanten van het café stapten uit, waarop Sergey er snel vandoor ging. Ik lag op straat en trok mijn jasje om me heen om mijn ondergoed te verbergen. Ik huilde.

De klanten waren heel aardig en hielpen me overeind. Het lukte me mijn jurk weer aan te trekken en de bandjes vast te houden tot ik ze in het café vast kon spelden. Mijn ene oog was al blauw geworden toen Aziz binnenkwam en Marina hem vertelde wat er was gebeurd.

'Is hij gek of zo?' vroeg Aziz toen ze uitverteld was.

Ik zei niets. Ik kon alleen maar denken aan het moment waarop ik weer naar huis moest. Ik was ontzettend bang. Wat zou Sergey me deze keer aandoen? Ik wist waar hij toe in staat was – een riem, een mes, het kon hem niets schelen wat hij gebruikte om me pijn te doen. Maar ook al wilde ik dolgraag bij hem weg, ik kon Sasha niet achterlaten.

Die avond stond ik voor de voordeur van de zomerkeuken. Ik hield mijn adem in. Ik stond er al een paar minuten, maar ik durfde de deurkruk niet beet te pakken en naar binnen te gaan. Ik wist dat ik niets terug kon doen als Sergey me weer zou slaan. Dat had ik vroeger al eens geprobeerd en ik wist wat me dan te wachten stond. Ik was zwak en hij was sterk – ik kon nooit van hem winnen.

Maar het was donker binnen toen ik de voordeur eindelijk optrok. Misschien zou onze buurvrouw Janna wel weten waar Sergey en Sasha waren. Ze stookte zelf wodka en daarom ging Sergey vaak even bij haar langs.

'Oxana!' riep ze uit toen ze de deur opendeed.

'Weet jij waar Sergey is?' vroeg ik. 'Hij is niet thuis en ik wil weten waar Sasha is.'

'De baby is hier bij mij. Maar weet je dan niet wat er is gebeurd?'

'Wat bedoel je?'

'Sergey ligt in het ziekenhuis.'

'Wat!'

'In het ziekenhuis!' riep Janna met grote ogen.

'Maar wat is er dan gebeurd?'

'Hij is in elkaar geslagen. Er kwamen een paar mannen aan de deur en voordat ik wist wat er gebeurde, kwam Sergey de zomerkeuken uit wankelen. Helemaal onder het bloed, hij kon amper lopen.'

Ik voelde me beroerd worden. Wat had hij nu weer gedaan? Zouden die mannen terugkomen om hetzelfde met mij te doen?

Het was al te laat om die avond nog naar het ziekenhuis te gaan. Maar toen Marina me de volgende ochtend kwam halen, zei ik dat ik niet zou gaan werken. Ik ging naar het ziekenhuis en zag Sergey in bed liggen. Hij had een gescheurde lip en een blauwe kaak en gekneusde nieren.

De spiertjes in zijn gezicht trokken toen hij me aankeek.

'Wat is er gebeurd?' vroeg ik.

'Nou, dat zul je zelf wel weten.'

'Wat bedoel je?'

'Heb jij ze niet gestuurd dan?'

'Wie?'

'Die verdomde moslimminnaars van je!' snauwde Sergey. 'Die lui die me dit hebben geflikt. Mannen uit dat café waar je zo dol op bent.'

'Waar héb je het over?' fluisterde ik. 'Natuurlijk heb ik niemand op je afgestuurd. Ik wist hier niets van.'

'Nou, dat moet ik nog zien. Ik kan al snel weer naar huis en dan komen we er wel achter.'

Dit kon toch niet waar zijn? Ik geloofde hem niet. Toen ik op mijn werk kwam, zei ik tegen Aziz: 'Mijn man denkt dat jij een paar mannetjes hebt gestuurd om hem in elkaar te slaan. Is hij gek geworden of zo?'

Aziz keek me strak aan. 'Nee, Oxana, hij heeft gelijk. Ik heb die mannen gestuurd om je man een beetje respect bij te brengen. Ik accepteer niet dat hij je zo behandelt of dat hij mijn goede naam besmeurt met zulke schandalige insinuaties. Nu weet hij dat we hem in de gaten houden en als hij je ooit weer aanraakt, hoef je het ons alleen maar te laten weten.'

Ik was verbijsterd. Het was dus echt zo! Maar dit was verschrikkelijk. Ik werd woedend. 'En wat dan?' schreeuwde ik. 'En als je hem hebt vermoord, ben jij dan van plan elke dag voor mijn baby te zorgen? Ga jij hem voeden, hem verzorgen en geld op tafel leggen?'

Aziz fronste en zweeg.

'Nee? En hoe moet ik dan rondkomen, hè? Hoe moet ik mijn baby te eten geven zonder man die geld verdient of voor de baby zorgt terwijl ik hier voor jou aan het werk ben? Begrijp je dan niet wat je hebt gedaan? Nu kan ik hier nooit weer terugkomen, en mijn man zal me hiervoor waarschijnlijk vermoorden!'

'Nee, Oxana, je vergist je. Blijf maar hier, dan ben je veilig. Echt waar.'

'Dat kan ik niet.' Trillend van woede, draaide ik me om en draafde het café uit. Aziz dacht misschien dat hij me beschermde, maar dit was niet het einde – het was alleen maar het begin. Eén ding wist ik heel zeker: zodra we alleen waren, zou Sergey wraak nemen.

Nadat Sergey een week in het ziekenhuis had gelegen, kwam hij weer thuis. Ik wachtte tot de bom zou barsten. Ik had geen idee waardoor de bom tot ontploffing zou komen, maar ik wist wel dat het niet lang zou duren en dus werd ik steeds banger als hij niets zei. Het was net alsof er nooit iets gebeurd was en geen van oms begon over Aziz of het café. Maar de opluchting die ik elke avond voelde als er weer een dag voorbij was gegaan zonder een pak slaag, veranderde in angst op het moment dat het wachten de volgende ochtend weer begon.

Ik miste mijn werk in het café – het geld dat ik verdiende, het eten dat we konden kopen, de vrienden die ik daar had gekregen – maar ik kon niet terug. Mijn deur naar deze nieuwe wereld was dichtgeslagen en ik zat gevangen aan de verkeerde kant van die deur. Ik zag Marina nog steeds en ze gaf me zo vaak ze kon wat geld of eten, maar we praatten niet over wat er was gebeurd. Onze levens waren gewoon te verschillend en ik wilde mijn leven vergeten op de momenten dat we samen waren.

Maar toen de dagen weken werden, begon ik me af te vragen of Aziz toch gelijk had gehad. Ik had altijd geweten dat Sergey bang was voor andere mannen en misschien liet hij me wel met rust uit angst voor wat er kon gebeuren. Ik wist het niet zeker maar – ik leek wel een actrice die een rol speelt – ik gaf hem seks als hij dat wilde, zei niets als hij wegging om te drinken en had het nooit meer over werk. Alles werd weer zoals vroeger en ook al dacht ik niet dat Sergey het zomaar zou vergeten, ik begon toch te hopen dat hij me met rust zou laten.

Een paar weken nadat hij uit het ziekenhuis was ontslagen, verhuisden we eindelijk van de zomerkeuken naar het grote huis, samen met Sergeys zuster Ira en haar man Alex. De huurders waren vertrokken en Ira had het huis al voor ons ingericht. Ik vond haar aardig. Zij en Alex werkten in een marktkraam waar ze trouwjurken verkochten en ze hadden, ondanks dat ze zelf geen kinderen konden krijgen, hun nichtje Vica in huis genomen nadat haar moeder zelfmoord had gepleegd.

Ze hadden het goed en ik had bijna het gevoel dat ik weer familie had. Ons nieuwe huis had dan wel geen stromend water en geen toilet binnenshuis, maar het had een goed golfplaten dak, witte muren en kastanjebruine houten vloeren. Er was ook een woonkamer waar Vica sliep en er waren twee slaapkamers, eentje voor Ira en Alex en eentje voor Sergey, Sasha en mij. Maar hoewel ik het heel prettig vond om de avonden met Ira door te brengen, wist ik nog altijd niet zeker of ik haar wel kon vertrouwen. Ze was immers Sergeys zuster, ook al leek het erop dat ze hem niet echt graag mocht. Maar ze was ook aardig: ze gaf Sasha en mij zo vaak ze kon iets te eten en zorgde voor haar nichtje Vica die ze net zo goed naar een kindertehuis had kunnen sturen, net als ik met Pasha had gedaan.

Ik was mijn kleine Pasha natuurlijk niet vergeten. Ik dacht de hele tijd aan hem, maar ook al wilde ik hem dolgraag zien en vasthouden, toch was ik doodsbang om ernaartoe te gaan. Ik voelde me verschrikkelijk schuldig omdat ik hem daar had achtergelaten en was bang dat hij pijn had. Ik kon de gedachte dat dat kleine lijfje van hem geopereerd werd niet verdragen en durfde er niet aan te denken hoe hij me aan zou kijken als ik hem zou opzoeken. Ik was dus een lafaard en ging niet naar hem toe, hoe erg ik hem ook miste.

Hij is beter af waar hij nu is, zei ik tegen mezelf. En hij komt weer thuis als die zes maanden om zijn en dan zal ik een betere moeder voor hem zijn.

Vlak nadat Pasha weg was, ontdekte ik dat ik weer zwanger was. Ik kon mijn man niet weigeren waar hij om vroeg en had geen geld voor anticonceptie. Maar hoewel ik me er zorgen over maakte dat er weer een extra mond moest worden gevoed, was ik ook blij. Ik wist gewoon dat het deze keer allemaal anders zou zijn: ik zou een goede moeder zijn en dit zou een gemakkelijke en gezonde baby zijn, heel anders dan Pasha die altijd ziek en ongelukkig was geweest. Ik zou laten zien dat ik een goede moeder kon zijn en als Pasha thuiskwam zou hij een nieuw broertje of zusje hebben van wie hij kon houden.

Sergey zei er niet veel over toen ik het hem vertelde, maar dat kon me niets schelen zolang hij me maar met rust liet. Ik had gedaan wat hij wilde – Pasha naar het tehuis sturen en ophouden met werken – en daardoor leek hij nu gelukkiger. Het enige wat ik kon doen, was bidden dat hij me met rust zou laten.

Maar deze keer verhoorde God mijn gebeden niet.

7

Een paar maanden later wilde Sergey op een avond uit en vroeg me of ik met hem meeging. Ik kon er niet onderuit en toen het donker werd, liepen we samen over een vieze weg naar een stenen huis met een grote, metalen deur.

We gingen naar binnen en kwamen in een smerig vertrek met een oude bank en een bed erin. In het halfduister zaten vier mannen en twee meisjes naar muziek te luisteren. Ze leken allemaal dronken.

Sergey begon onmiddellijk met hen te kletsen, maar ik zei niets en ging zitten. De meisjes zagen eruit alsof ze zo van hun stokje konden gaan en even later trok een van de mannen hen overeind.

'Kom, we gaan,' zei hij en vertrok.

Al snel stond Sergey ook op.

'Ik moet even iets doen,' zei hij tegen me. 'Ben zo terug.'

Nu bleef ik alleen achter met twee mannen, eentje met donker haar die lang was en slank, en eentje die korter was en een beetje dikker.

'Hé, hoe gaat het?' vroeg de donkerharige man. 'Wil je wat drinken?'

Hij liep naar de bank en kwam naast me zitten. 'Toe maar, drink maar iets,' zei hij op een zangerig toontje.

'Nee, bedankt,' zei ik. Hij sloeg zijn arm om mijn schouders. Ik duwde hem van me af.

'Ach, gewoon een vriendschappelijke knuffel,' zei hij lachend. Hij liep naar de tafel, ging zitten en begon een joint te rollen. Ik wist wat het was, omdat Sergey ze ook wel eens rookte. Het stonk verschrikkelijk.

Ik keek bezorgd om me heen. Waar was Sergey? Hij was al heel lang weg en zat zich waarschijnlijk ergens te bezatten. Ik had er genoeg van. Ik wilde weg.

De dikke man stond op uit zijn stoel toen ik opstond. 'Waar ga je naartoe?' riep hij.

'Naar huis.'

'Nee, niet doen. Niet weggaan.'

De donkerharige man stond op en kwam naar me toe. 'Nee, niet doen,' zei hij. 'We komen net op dreef.'

'Maar ik moet weg!' zei ik en ik draaide me om. Opeens sloeg iemand van achteren een arm om mijn hals. 'Laat me los!' riep ik.

'Nee,' zei een stem. 'Eerst gaan we iets leuks doen. Het komt wel goed, hoor. Jij gaat het ook lekker vinden.'

Ik wist meteen wat hij wilde. Dit kon niet echt gebeuren – niet met een baby in mijn buik. 'Nee,' schreeuwde ik en ik probeerde me los te wringen. 'Sergey zal je vermoorden. Hij komt zo weer terug.'

'Nee hoor,' zei die stem achter me lachend. 'Hij is heel druk bezig.'

Ik worstelde, maar de arm sloot zich steeds strakker om mijn hals. Zo strak dat ik geen adem meer kreeg. Ik raakte in paniek toen iemand me naar het bed sleurde en me erop gooide. De donkerharige man klom boven op me. Hij pakte me bij mijn haar beet en drukte zijn mond op de mijne toen ik begon te schreeuwen. Beelden van het strand flitsten door mijn hoofd en weer voelde ik de kille angst die ik toen ook had gevoeld. 'Alsjeblieft, laat me met rust,' smeekte ik en ik begon te huilen. 'Ik zal doen wat je wilt.'

Maar de mannen luisterden niet. Ze bonden mijn handen boven mijn hoofd vast en weer was er iets wat me liet zwijgen. Een ziel kan maar zoveel verdragen en dan bevriest hij tot er niets meer van over is en dat overkwam me die avond ook. Mijn geest sloot zich af toen die mannen zich in de diepste plekjes van mijn lichaam drongen. Ik verstijfde.

Ze lachten en rookten toen ze klaar waren en nadat ik mijn kleren had aangetrokken, strompelde ik naar buiten, de duisternis in.

Daar zat Sergey op me te wachten.

'Ik moet met je praten,' fluisterde ik. Ik moest hem vertellen wat er was gebeurd, anders zouden die mannen misschien iets zeggen en dan zou hij denken dat ik het zelf had gewild. Dan zou hij me vermoorden. De tranen stroomden over mijn wangen toen we wegliepen.

'Wat is er aan de hand?' vroeg hij.

'Je vrienden...'

'Ja?'

'Ik ben verkracht.'

Sergey bleef staan. 'Echt?' vroeg hij traag.

'Ja. Ze hebben me gedwongen. Ik zweer het. Ik kon ze niet tegenhouden.'

Hij keek me aan en zei: 'Ik weet wat er is gebeurd. Die mannen zijn mijn vrienden. Niemand heeft je verkracht. Dus waarom lieg je?'

Ik begreep er niets van. 'Maar ik lieg niet!' riep ik. 'Ze hebben me verkracht nadat je weg was gegaan.'

'Ik was al die tijd buiten, Oxana.'

'Nou, dan moet je me hebben horen schreeuwen.'

'Ik heb niets gehoord,' zei Sergey met een glimlach in zijn stem.

Opeens voelde ik me koud worden. Hij wist wat er met me was gebeurd, maar had niets gedaan toen hij me hoorde schreeuwen.

'Dacht je soms dat je ermee weg zou komen, met wat je die smerige vriendjes van je hebt laten doen?' zei Sergey zachtjes. 'Dacht je soms dat ik gewoon zou vergeten wat die moslimklootzakken met me hebben gedaan?'

Ik draaide me van hem af. 'Ik ga weg,' huilde ik. 'Naar mama of naar de politie, ook al moet ik daarna op straat leven.'

'Weet je dat wel zeker?' riep Sergey. 'Je moeder wil je niet en ik heb een heleboel vrienden die je zo graag willen neuken dat ze je overal zullen vinden, waar je ook maar naartoe vlucht. Wat wil je de politie trouwens vertellen? Ze geloven je toch niet. Iedereen weet dat je een hoer bent!'

Mijn hoofd tolde toen we daar in het donker stonden. Hij had gelijk. Wie zou me geloven? Welke man zou toestaan dat zijn eigen vrouw werd verkracht? Zelfs Ira, die wist dat haar broer een dief was, zou niet kunnen geloven dat hij zo diep kon zinken.

Ik had twee kinderen, en eentje op komst. Ik kon op geen enkele manier aan hem ontsnappen. Ik kon alleen maar hopen dat hij klaar was met wraak nemen en dat hij me nu met rust zou laten.

'Kom mee,' zei Sergey zacht.

Ik draaide me om en liep achter hem aan naar huis.

Het was stom van me geweest te denken dat Sergey was vergeten wat die mannen van Aziz hadden gedaan. Die fout zou ik niet nog een keer maken, dus nu hield ik Sergey in de gaten en bleef alert. Ik daagde hem op geen enkele manier uit, zelfs niet als hij dronken thuiskwam en me uit bed duwde, of als hij me zonder iets te zeggen sloeg – hij wachtte gewoon op een goed moment om me pijn te doen. Het leek wel alsof hij het niet meer kon verdragen me te zien. Hij haatte me zo erg, dat mijn veerkracht eronder leed. Het was vast mijn eigen schuld wat er was gebeurd. Sergey had gelijk. Ik was niets waard.

Ondertussen gleed hij verder af. Hij raakte steeds meer verslaafd en op een avond zat hij samen met een vriend in de keuken. Hij zat aan tafel, deed een bandje om zijn arm en balde zijn vuist, terwijl zijn vriend hem een injectie gaf. Ik stond in de gang, keek naar binnen en zag zijn verheerlijkte blik.

Dus dat was de manier waarop hij aan zijn ellendige bestaan ontsnapte en hij zijn gezin tot honger en armoede veroordeelde.

Inmiddels sloeg Sergey me regelmatig, ook al probeerde ik me gedeisd te houden. Soms werd hij badend in het zweet en rillend wakker en dan sloeg hij me, of ik hitste hem tijdens een ruzie te erg op en sloeg hij me. We maakten heel vaak ruzie over eten, omdat hij vaak alles opat en niets overliet voor de kinderen en mij.

Stukje bij beetje ging er iets in me dood en ik begon bang te worden voor mijn eigen schaduw. Ik geloofde Sergey als hij schreeuwde dat ik lelijk, stom en nutteloos was. Waarom zou mijn leven anders deze wending hebben genomen?

'Het enige wat je kunt is zwanger worden en nu ben je alweer een dikke, zwangere koe,' riep hij dan. 'Je bent nergens goed voor.'

Ik vond het leven zo verschrikkelijk dat ik een soort robot werd en mijn gedachten en gevoelens uitschakelde. Wakker worden, eten, wassen, schoonmaken, koken, Sasha voeden, in bad doen... Mijn leven draaide alleen nog maar om praktische dingen. Ik wilde niets voelen of zien en ik vertelde mezelf steeds weer dat alles wat er gebeurde alleen maar een film was.

'Het wordt een happy ending,' fluisterde ik dan terwijl ik water uit de bron pompte om Sasha's kleren te wassen. 'Het gebeurt niet echt en papa waakt over je.'

Na een hevige ruzie bond Sergey mijn voeten en handen achter mijn rug vast, hij vertrok en liet me zo een paar uur lang op de grond liggen. Stompen, wurgen, slaan – het kon hem niets schelen wat hij deed en het leek wel alsof het ook mij niets kon schelen. Dit was mijn straf.

Je bent net een hond, zei ik in gedachten tegen mezelf. Als die wil eten en niemand geeft hem iets, dan is hij hulpeloos en wordt hij mager. Jij bent net een hond en Sergey is je baasje.

Ik kon twee dingen doen: een eind aan mijn leven maken en mijn kinderen achterlaten of wachten tot er een einde kwam aan dit leven en een nieuw leven beginnen. Ik moest gewoon geloven dat er een eind zou komen aan deze pijn en tijdens het wachten van mijn kinderen houden. Zij waren het enige goede in mijn leven, het enige wat mijn bevroren hart nog kon raken. Als Sasha 's nachts naast me lag te slapen, aaide ik over mijn dikke buik. Dan fluisterde ik tegen mijn ongeboren kindje dat we ooit samen gelukkig zouden zijn.

8

Pasha leek wel een ander kind toen hij in december 1994 weer thuiskwam. Ik had hem eindelijk een keer opgezocht voordat zijn tijd in het tehuis voorbij was en schaamde me ontzettend toen ik zag hoe hij veranderd was. Vroeger was hij mager en ziekelijk geweest, maar nu was hij mollig en gezond. Meteen na zijn herniaoperatie was hij gaan eten en ik vond het heerlijk om te zien dat hij net als andere normale baby's van elf maanden kon zitten, zijn hoofd rechtop houden, kon lachen en mijn vingers grijpen. Nu hij niet langer ziek was, verdwenen mijn schuldgevoelens en hoopte ik dat ik van hem kon houden zoals ik wilde, zoals een echte moeder.

Sergey negeerde hem gewoon toen hij thuiskwam en dat vond ik niet erg. Maar het leek wel alsof Pasha's opgewektheid verdween op het moment dat hij de deur binnenkwam en hij begon te huilen, uren achter elkaar. Dagenlang bleef hij huilen; er leek geen eind aan te komen. Ik werd wanhopig; waarom kon ik geen goede moeder zijn voor mijn zoon en hem gelukkig maken? Had ik hem in het tehuis moeten laten, waar hij was gegroeid en gezond was geworden?

Het leek wel alsof Pasha's verdriet onze hele kamer vulde. Ik was nu zes maanden zwanger en wist niet wat ik moest doen. Ira en Alex waren vriendelijk, maar zij hadden er ook last van dat Pasha altijd maar huilde. Maar zij konden tenminste naar hun eigen kamer gaan en de deur achter zich dichtdoen.

Sergey werd gek van het geluid.

'Zorg dat die klotebaby zijn bek houdt!' riep hij dan. Daarna sloeg hij me en ik wist dat het nog erger zou worden als ik Pasha niet stil kreeg. Maar wat ik ook probeerde, ik kreeg Pasha niet stil. Hij was zo anders dan Sasha op die leeftijd was geweest. Mijn oudste zoon had gegiecheld als ik iets tegen hem zei en lachte als we spelletjes speelden, maar Pasha leek in een andere wereld te leven dan ik en ik wist niet hoe ik contact met hem kon krijgen. Hij huilde en huilde maar en zelfs als het me lukte om hem stil te krijgen, sloeg Sergey me verrot.

Op een ochtend, het was nog vroeg was Pasha weer heel hard aan het krijsen. Sergey lag in bed met het kussen over zijn hoofd en probeerde te slapen terwijl ik Pasha probeerde te troosten. Sasha was diep in slaap; hij was de enige van ons die het lawaai kon negeren.

'Zorg dat hij stil wordt!' schreeuwde Sergey. Ik rende naar de keuken en wilde snel wat eten klaarmaken in de hoop dat Pasha er rustig van zou worden. 'God mag weten hoe de anderen hiertegen kunnen! Straks maakt hij iedereen wakker!'

De deur van de slaapkamer stond open en toen ik bij het fornuis stond, zag ik dat Sergey uit bed stapte en naar Pasha toe liep. Hij hief zijn hand op en sloeg hem. Ik zag Pasha's hoofd tegen de muur klappen.

'Nee, niet doen!' riep ik en ik rende terug naar de baby. Hij was even stil van de pijn en zijn gezichtje was lijkbleek. Ik voelde me misselijk worden toen ik hem oppakte en knuffelde. 'Laat hem met rust!' riep ik. 'Hij is nog maar een baby!'

Sergey gromde, haalde zijn schouders op en liep weg, terwijl ik Pasha knuffelde en hem meenam naar de keuken. Ik zat zachtjes te huilen toen ik hem eten gaf. Zo ging je niet met een kind om, maar hoe kon ik mijn zoon beschermen als ik mezelf niet eens kon beschermen?

Nadat Sergey die avond was vertrokken, pakte ik onze spullen in. Toen nam ik de kinderen mee naar de wachtkamer van het station van Simferopol. Dat was de enige plek die ik kon bedenken waar het warm was. Daar wilde ik de nacht doorbrengen totdat ik wist wat we moesten doen. Ik was ervan overtuigd dat het veel te gevaarlijk was om bij Sergey te blijven. Maar we bleven hier ook de volgende nacht en de volgende nacht. Alleen overdag gingen we soms een paar uurtjes weg om in het park te wandelen en daarna gingen we terug naar de warmte van de wachtkamer. Ik wist niet wat ik anders moest doen. Er waren geen vrouwenhuizen in Oekraïne in die tijd, geen gratis slaapplaatsen voor mensen die in de problemen zaten en dus hield ik min of meer op met nadenken toen de dagen zich aaneenregen. We moesten gewoon in leven blijven.

Ik zei tegen mezelf dat we beter af waren dan mensen die op straat leefden. Wij hadden tenminste een warm plekje om te slapen – Pasha in zijn kinderwagen en Sasha op een bank – en er was een toilet waar ik de luiers kon wassen, waarna ik ze aan de kinderwagen hing om ze te laten drogen. We konden ook naar de restauratie gaan, waar het personeel me restjes brood gaf of de flessen melk opwarmde die ik had meegenomen. Maar al snel begon Sasha te hoesten en Pasha kreeg diarree.

Tijdens onze vierde nacht in de wachtkamer kwam Ira binnenstuiven. 'Ik hoorde dat je hier was! Wat ben je aan het doen? Die kinderen gaan hier nog dood! Je moet meteen mee naar huis komen!'

Ik keek doodsbang naar haar op. 'Ik kan niet naar huis! Je weet wat Sergey me dan zal aandoen. Je weet hoe hij me behandelt.'

Ze keek me vol medelijden aan. 'Ja, dat weet ik. Hij is een klootzak, ik kan niets in zijn voordeel zeggen, maar dat is juist de reden dat ik naar je toe ben gekomen. Sergey is er niet. Hij is gearresteerd!'

'Gearresteerd? Waarvoor?' Ik was al gaan denken dat Sergey nooit voor al zijn misdaden zou hoeven boeten.

'Kom mee naar huis, dan zal ik je alles vertellen.'

Eenmaal weer thuis, voelde het heerlijk om weer in de warmte te zijn, met de kinderen lekker in hun bedje en Ira die me een kop warme thee en wat soep gaf.

'Sergey is gearresteerd en zit in voorlopige hechtenis,' vertelde Ira terwijl ik zat te eten. 'Een paar maanden geleden is een man overvallen en beroofd en later als gevolg daarvan overleden. De politie denkt dat Sergey dat heeft gedaan.'

'Ik kan het niet geloven,' zei ik. 'Hij is gemeen, maar hij is ook laf. Hij slaat alleen maar vrouwen.'

'Ja, ik weet het,' zei Ira verdrietig. 'Ik ben blij dat onze moeder dit niet meer hoeft mee te maken. Maar je weet hoe hij was de laatste tijd...'

'De drugs,' zei ik en knikte.

'Het is erger geworden, dat zien we allemaal. Het is heel goed mogelijk dat Sergey onder de drugs zat en daardoor te ver ging toen hij die man beroofde.' Ira keek me aan. 'Hij is gewoon een dief en drugsverslaafde. Hij zal er niet gemakkelijk van afkomen als de politie het hem lastig wil maken. Als ik jou was, zou ik maar genieten van de rust en de vrede zolang hij weg is. Die baby van je komt al snel, hè?'

'Ja.' Ik keek naar mijn dikke buik. 'Nog een week, of twee.'

'Een extra reden om hier te zijn en niet in een of andere tochtige wachtkamer. Eerlijk, Oxana, wat moeten we met je beginnen?' vroeg Ira met een vriendelijke glimlach. Ze wist wel dat ik wanhopig moest zijn geweest om dit te doen.

'Maar nu Sergey er niet is, hoe moet ik de kinderen dan te eten geven?' vroeg ik versuft.

'Ja, weet je, misschien heb ik wel een oplossing...'

Ira stelde voor dat ik thuis stoffen bloemen naaide voor op de trouwjurken die zij maakte. Ik zou twee dollar per stuk krijgen. Het kostte me vijf dagen om de eerste te maken, maar al snel kon ik de rozen en de lelies een stuk vlugger naaien. Als de kinderen 's avonds in bed lagen en ik zat te naaien, dacht ik aan de bruiden die ze zouden dragen. Ik had altijd gedroomd dat ik als ik met mijn prins zou trouwen een prachtige witte jurk zou dragen en bloemen in mijn haar zou hebben.

Meestal werkte ik door tot vier uur 's nachts en sliep daarna een paar uurtjes. Maar soms was ik nog maar net klaar als de kinderen wakker werden en kostte het me moeite hun ontbijt klaar te maken. Maar ik vond het niet erg. Het was een opluchting dat ik niet meer bang hoefde te zijn voor een pak slaag en dat ik zelf het geld verdiende dat ik nodig had om eten te kopen. Ik kreeg bijna goede hoop voor de toekomst – als ik niet zo bang was voor wat er zou gebeuren als Sergey weer thuis zou komen.

Op 9 maart 1995 beviel ik van ons derde kind, Luda. Een meisje dit keer. Weer werd ik vervuld van liefde toen ik naar de mollige, rozige wangetjes van mijn kindje keek.

'Hallo, klein meisje,' zei ik tegen haar. 'Ik ben je mama. En we gaan heel erg gelukkig worden, dat beloof ik je!'

Ira en Alex verwelkomden ons thuis met cakejes en wijn, en Luda werd al snel ieders lieveling. Ik voedde haar, zorgde voor de kinderen en verdiende het geld dat we nodig hadden met de bloemen die ik maakte. Ik had mijn drie kinderen bij me en verdiende de kost voor ons allemaal. Dat was het enige wat telde.

Toen Luda ongeveer vier maanden oud was, hoorde ik dat ik door een politieagent zou worden verhoord over Sergeys arrestatie. Ongerust en zenuwachtig ging ik naar het politiebureau. Ik werd naar een kale kamer gebracht waar een politieagente op me wachtte. Ze gebaarde dat ik moest gaan zitten, vertelde me de details van de zaak en keek me met een kille blik aan.

'De overval vond plaats op 24 februari. Kunt u zich die dag herinneren?'

vroeg ze. 'Uw man zegt dat hij zoals altijd samen met u thuis was, maar wij hebben een getuige die bij hem was die nacht en die zegt dat hij de hele avond niet thuis is geweest. Kunt u ons helpen?'

Ik dacht na over de afgelopen maanden. Hoe moest ik me één bepaalde avond herinneren? Het was al zo lang geleden... Maar opeens herinnerde ik me iets waardoor ik even naar adem hapte.

'Nee, ik kan me die dag niet herinneren,' zei ik vlug.

Maar dat kon ik wel. De twintigste februari was een nationale feestdag geweest en ik wist dat Sergey een paar avonden daarna met bebloede en geschaafde knokkels thuis was gekomen.

'Liefje,' zei de agente zacht. Ik keek haar aan. 'Weet je wel dat het een misdaad is om bewijs achter te houden? Daarvoor kun je drie tot vijf jaar de gevangenis ingaan.'

Ik staarde naar het tafelblad. Ik kon mijn mond houden, Sergey beschermen en het risico lopen dat ik bij mijn kinderen werd weggehaald. Of ik kon de politie vertellen wat ik wist en dan hadden mijn kinderen en ik misschien kans op een leven zonder al dit geweld en al deze misdaden... Ik had dus geen keus...

'Ik kan me die avond wel herinneren,' zei ik langzaam.

De rechercheur keek me aan en ik voelde mijn hart als een razende tekeergaan toen ik begon te praten. Ik vertelde haar alles wat ik me kon herinneren.

'Dank u. U hebt de juiste beslissing genomen,' zei de agente en ze gaf me een pen zodat ik mijn verklaring kon ondertekenen.

Een paar weken later werd Sergey aangeklaagd voor beroving en mishandeling.

Het nieuws dat hij terecht moest staan en misschien wel veroordeeld zou worden, wekte gemengde gevoelens bij me op. Aan de ene kant was ik blij bij de gedachte dat hij misschien achter de tralies zou worden gezet, me nooit meer pijn zou kunnen doen – misschien had God eindelijk mijn gebeden verhoord zoals ik altijd had gehoopt dat Hij zou doen. Maar ik was ook ontzettend bang voor een leven zonder mijn echtgenoot. Het is moeilijk te begrijpen, maar als je maar lang genoeg verrot bent geslagen, ga je vanzelf geloven dat je echt zo slap en waardeloos bent als je altijd is verteld en, in een land waar het leven zo zwaar is als Oekraïne, kunnen de paar dollars die een gewelddadige echtgenoot mee naar huis neemt net voorkomen dat jij en je kinderen verhongeren.

Bovendien had ik ooit van hem gehouden, en hij van mij. We hadden samen drie kinderen, onder wie een dochter die hij nog nooit had gezien. Ik voelde me verdrietig worden toen ik dacht aan onze fijne momenten samen en de kansen die we hadden gekregen. Waar was al ons geluk gebleven? Waarom was het allemaal zo vreselijk geworden?

In april 1996 hoorde ik dat Sergey voor doodslag tot zeven jaar cel was veroordeeld.

Een paar weken na de rechtszaak ging ik bij hem op bezoek. Hij zat al op me te wachten in een kleine cabine die door een glazen scheidingswand in tweeën werd verdeeld. Ik pakte de telefoon op om met hem te kunnen praten en ik voelde niets toen ik naar hem keek.

Nog maar vier jaar geleden ging ik nog naar school, droomde ik van de ware liefde en had er geen idee van wat een man zoals hij je kon aandoen. Maar nu leek het wel alsof er een gordijn voor mijn ogen was weggetrokken. Sergey was veel erger dan ik ooit had willen zien. Hij had al jaren van alles van me gestolen: alles, van een goede jurk en een horloge tot Pasha's babykleertjes toen ik in het ziekenhuis van hem beviel. Ik was blind geweest, als een kind dat in Sinterklaas gelooft. Maar nu werd ik heel snel volwassen. Ik was twintig, moeder van drie kinderen en ik moest voor hen zorgen.

'Zo, is er misschien iets wat je me wilt vertellen?' vroeg Sergey en hij keek me door het glas heen strak aan.

'Nee. Wat wil je horen?'

Hij leunde naar voren en hield de telefoon dichter bij zijn mond. 'Ik weet wat je hebt gedaan. Jij hebt de politie verteld dat ik die avond niet thuis was. Het is jouw schuld dat ik hier zit.'

'Wat een onzin,' zei ik met vaste stem. 'Wie heeft je dat verteld?'

'Doe maar niet net alsof,' snauwde Sergey. 'Ik weet precies wat er is gebeurd en ik beloof je dit: ik zal je weten te vinden als ik hieruit kom en dan vermoord ik je!'

Zwijgend stond ik op en vertrok. Zeven jaar was een lange tijd, maar zou ik hard genoeg kunnen rennen om aan hem te ontsnappen?

Toen ik de gevangenis uit liep, bad ik dat ik Sergey nooit terug zou zien.

9

Toen ik het stinkende, rottende vlees rook, welde er een golf braaksel omhoog. Het brandde achter in mijn keel, dik en lobbig als siroop. Ik begon te kokhalzen.

'Doe je sjaal voor je gezicht,' zei Klava toen ze zag hoe het me verging. 'Dat helpt.'

Ik bedekte mijn mond en keek naar beneden. Ik zag rottend vlees, verschimmelde groenten, kapot speelgoed, dozen, flessen, tissues, bebloed maandverband – allerlei dingen die mensen in hun afvalbak gooien zonder ook maar te vermoeden dat iemand ze ooit zou willen gebruiken. Ik drukte mijn sjaal dichter tegen mijn gezicht – ik kon amper ademhalen.

'Schiet op,' zei Klava. 'Begin maar. Als je niet zoekt, vind je ook niets.'

'Maar ik heb geen handschoenen.'

Ze deed een greep in haar jaszak en gaf me twee plastic zakjes. 'Bind die maar om je handen,' zei ze en ze gooide die van haar in de afvalbak naast me.

Het was een uur of elf 's avonds en het was heel rustig in de rijke buurt van Simferopol waar we naartoe waren gegaan om eten te zoeken. Niet lang daarvoor had ik de kinderen slapend achtergelaten en ik dacht aan hun gezichtjes toen ik naar beneden keek. Ik pakte een stuk rottend vlees beet, smeet het opzij en begon te zoeken. Ik moest eten vinden. We hadden al weken amper iets gegeten en ik was bang dat we dood zouden gaan van de honger als ik niet iets deed.

Vlak nadat Sergey was veroordeeld, kwam Ira bij me. Ze zei dat ze me niet langer kon betalen voor het maken van bloemen. 'Het spijt me,' zei ze. 'We maken geen trouwjurken meer. Daar kunnen we niet van leven. Jij moet dus ook iets anders vinden.'

'Maar wat moet ik dan doen?' vroeg ik wanhopig. 'Ik moet op de kinderen passen. Ik kan niet weg om te werken!'

'Misschien kan iemand anders die trouwjurken maakt je gebruiken?' opperde ze, maar zonder veel hoop. Geen van ons kende een persoon die iemand nodig had om bloemen te maken. 'Je kunt hier blijven wonen zolang je maar wilt,' zei ze. 'En ik zal je zo veel mogelijk helpen. Maar je weet hoe het is, iedereen heeft het moeilijk, wij ook, vooral nu ik ook voor Vica zorg.'

'Ik weet het,' zei ik. 'En bedankt hoor, Ira.'

Maar toen ze weg was, sloeg de wanhoop toe. Ik kon geen enkele manier verzinnen om rond te komen. Zonder echtgenoot, hoe slecht ook, bevond ik me in een afschuwelijke situatie. Ik was volstrekt hulpeloos.

Toen mijn laatste restje geld op was, moest ik bedelen bij vrienden en buren. Ira, Marina en Janna deden wat ze konden, maar als ze me 's ochtends een stuk brood hadden gegeven, kon ik 's avonds niet nog eens naar hen toe, zelfs niet als de kinderen weer honger hadden. Het was gruwelijk om Pasha, die net was begonnen te lopen, te zien met een bolle buik en magere, slappe beentjes, en om Sasha te horen huilen van de honger. Op sommige dagen kon ik hun alleen maar warm water geven met stukjes geweekt brood erin of een paar stukjes gebakken varkensvlees die Marina's moeder me gaf. Maar gelukkig had ik nog wel genoeg melk om Luda te voeden. Ik vond het vreselijk dat ik mijn vrienden steeds om hulp moest vragen en daarom ging ik af en toe naar mijn moeder. Maar als ze al ooit van me had gehouden, was die liefde nu vervangen door haar liefde voor de wodka en ze vond het grappig me te laten smeken om een halve aardappel. Dan liep ik naar huis met het beetje dat ze me had gegeven en huilde hete, woedende tranen. Hoe kon ze haar eigen dochter en kleinkinderen zo behandelen? Ik wist zeker dat ik Luda nooit eten zou kunnen onthouden en dat ik zelfs de helft van wat ik bezat met een hongerige hond zou delen.

Op een dag was ik zo wanhopig dat ik alleen nog maar alles wilde vergeten. Ik liet de kinderen bij Ira achter en vertrok om bij Janna een fles wodka te halen. Normaal dronk ik nooit meer dan een glas of twee, omdat ik al zo vaak had gezien wat drank kon aanrichten. Drank leek mijn moeder gelukkig te maken, ondanks het ellendige leven dat ze leidde. Misschien zou drank hetzelfde voor mij kunnen doen. Glas na glas brandde in mijn keel in mijn poging aan mijn leven te ontsnappen.

Ira kwam binnen en zag dat ik straalbezopen was. Ik lag met mijn hoofd op tafel en kon amper een woord uitbrengen.

'Wat ben je in vredesnaam aan het doen, Oxana?' riep ze, vol walging. 'Moet je zien hoe je eraan toe bent! Denk je soms dat ik wel voor je kinderen zorg als jij aan de drank gaat? Drank is geen oplossing en dat zou je zo langzamerhand moeten weten ook!'

'Laat me met rust,' mompelde ik en draaide me om.

'Je moet hiermee ophouden,' zei ze woedend. 'Dit is de manier niet, echt niet! Wat ben je voor moeder? Sergey is dan misschien wel weg, maar je kinderen zijn hier nog steeds.'

'Laat me met rust!'

'Nee!' riep Ira en ze begon me door de kamer te slepen. 'Hoe kun je hier zielig zitten doen als je drie kinderen hebt die je nodig hebben?'

Ze duwde me naar een spiegel toe. Iemand die ik niet kende keek me aan. De vrouw die ik zag was mager en bleek, en had zwarte wallen onder haar ogen. Ze leek heel oud. Ik herkende haar helemaal niet. Zij had vast niet de kracht die nodig was voor de toekomst die haar wachtte.

Ik begon te huilen.

'Je moet sterk zijn, Oxana,' zei Ira zachtjes. 'Je hebt geen keus.'

Daarna liet Janna's vriendin Klava me zien hoe ik mezelf kon helpen. Ze gaf me een pot vlees in gelei. Klava was lerares geweest, maar nadat ze haar baan was kwijtgeraakt was ze gaan drinken, want als je in Oekraïne je baan verliest, verlies je iedereen om je heen. Nu was ze eenzaam, en oud, en de enige troost die ze had, zat in een fles wodka.

'Waar heb je dit vandaan?' vroeg ik toen ik de pot bekeek die er duur uitzag.

'Uit de vuilnisbakken.'

'Wat?'

'Uit de vuilnisbakken. Daarin ga ik op zoek naar eten.'

Ik staarde haar aan. Ik had geen idee dat mensen zoiets deden. Het ergste wat ik ooit had gedaan was buiten op straat sigarettenpeuken oprapen en de restjes tabak in krantenpapier rollen om te roken.

'Je gelooft gewoon niet wat mensen allemaal weggooien,' zei Klava. 'Pakken haverpap, jam die nog maar een paar dagen over datum is, ik heb zelfs een keer rode kaviaar gevonden.'

Mijn maag draaide zich om toen ik naar de pot keek.

'Maak maar open,' zei Klava. 'Je zult het zien. Er is niks mis mee.'

En dat deed ik. Ze had gelijk. Daarna ging ik met haar mee en duwde mijn schaamte opzij. Papa zou begrijpen waarom ik dit deed. We moesten eten. Wat kon mij het schelen als iemand me zag? Toen ik het vuilnis doorzocht, vond ik al snel een ongeopend blik vlees met rijst.

'Achter de huizen is vast nog meer,' giechelde Klava toen ze me diep hoorde ademhalen in een poging mijn misselijkheid de baas te worden. 'De mensen weten dat we komen en daarom zetten ze eten neer waarvan ze denken dat wij daar wel belang bij hebben. Maar ze hebben geen idee wat we echt gebruiken.'

Ik liep om de afvalbakken heen en zag een paar dozen en zakken op de grond liggen. Ik bukte me om iets op te rapen: een kleine kartonnen doos met havermout erin. Toen keek ik in een zak en haalde er een stuk geroosterd brood uit. De hele zak zat vol! Met wat bouillonblokjes kon ik soep voor de kinderen maken. Daar zouden we dagen van kunnen eten! Ik kreeg een gelukzalig gevoel vanbinnen. Later, toen ik thuiskwam, ontdekte ik kleine maden in het brood en heel even walgde ik ervan, maar toen pakte ik een mes en haalde ze eruit. Zo'n geweldige vondst kon ik niet laten lopen. Ik proefde een beetje van het ingeblikte vlees met de rijst voordat ik het in een pan met water deed om er soep van te maken. Als ik er de volgende ochtend nog niet ziek van was geworden, dan zou ik het aan de kinderen kunnen geven.

'Meer, mama. Nog meer!' De volgende ochtend bleef Sasha om meer vragen.

Ik kan niet beschrijven hoe het voelt als je ziet dat je kind dat zo'n honger heeft geleden z'n buikje weer vol heeft.

We konden een paar weken eten van het voedsel dat ik in het afval had gevonden. Daarna kreeg ik een schoonmaakbaantje in een kazerne. Ik was heel blij dat ik dertig dollar per maand kon verdienen – genoeg om ons drie keer per dag te eten te geven – maar die baan betekende ook dat ik de kinderen alleen thuis moest laten. Ik zei tegen mezelf dat ik niet op vuilnisbakken en vrienden kon blíjven vertrouwen, maar vijf maanden lang bleef de angst, elke keer dat ik het huis verliet, als een slapende slang op de loer liggen.

Na enige tijd liet de kolonel die me het baantje had gegeven me weten dat hij me niet langer kon betalen, omdat niemand in het leger nog geld kreeg. De economische situatie in Oekraïne was nog steeds heel slecht en daarom gaf hij me zo vaak hij kon tien dollar – genoeg om ons een tijdje te voeden. Maar toen kwam ik op een dag thuis en ontdekte dat er iets vreselijks met Luda was gebeurd. Sasha had het koud gehad en een elektrisch kacheltje gepakt dat ik 's winters gebruikte. Zij was erop gevallen en had nu twee paarse brandblaren op haar billen. Toen wist ik dat ik niet meer buitenshuis kon gaan werken.

Ik deed alles wat ik kon om te overleven en maakte me zorgen over het leven dat ik mijn kinderen niet kon geven. Ze verdienden immers een volle buik en een goed thuis. Sasha, die al bijna vijf was, was altijd buiten aan het spelen, was dol op auto's en vliegtuigen en was altijd vrolijk. Luda, die nog maar anderhalf was en net begon te lopen, aanbad haar broer en probeerde altijd met hem mee te doen. Zij was net als ik, een vechter. Maar Pasha was nog altijd anders. Terwijl zijn broer en zusje blond waren, had hij donker haar; terwijl zij roze wangetjes hadden, vulden zijn grote ogen zijn gezicht. Hij was nog altijd zwak en zelfs nu hij bijna drie jaar oud was, had hij nog geen woord gezegd. Hij was een moeilijk kind om voor te zorgen en dat terwijl ik al mijn energie nodig had om alleen maar te overleven. Toch probeerde ik geduld met hem te hebben.

Op een dag ging ik met Pasha naar de dokter en toen pas hoorde ik wat er met hem aan de hand was: hij was doof. Dat verklaarde alles – het feit dat hij niet praatte en dat hij als hij in zijn bedje lag, gromde en gilde als een dier. Ik voelde me heel schuldig omdat ik dat niet had geweten. Ik had me ontzettend aan hem geërgerd en soms had ik wel willen schreeuwen als hij met zijn hoofdje bonsde of met een speeltje op de rand van zijn bedje sloeg. Nu wist ik dat hij dit deed omdat hij in zijn eigen vreemde, stille wereldje was opgesloten. Daar zou hij ook blijven, tot hij op zijn vierde naar een speciale dovenschool kon. Ik schaamde me zo dat ik hem alweer in de steek had gelaten. Was hij doof door iets wat ik had gedaan? Ik had immers geprobeerd van hem af te komen toen ik zwanger van hem was. Zou ik het ooit goed kunnen maken? In Oekraïne was het leven voor een kind als Pasha heel zwaar, en ik was bang voor zijn toekomst, maar had geen idee hoe ik hem zou kunnen helpen. Natuurlijk kende ik hem goed genoeg om te weten wanneer hij honger had of moe was, maar ik kon niet tegen hem praten, geen liedjes voor hem zingen of hem met troostende woordjes kalmeren, en er was niemand die me iets kon uitleggen over zijn handicap. Het voelde alsof we elk aan een kant van een rivier stonden, terwijl het water tussen ons door raasde.

Had ik maar meer geld, dan kon ik hem en mijn andere kinderen een beter leven bieden. Misschien, als we een goed dak boven ons hoofd hadden en goed eten op tafel, dat ik dan eindelijk een goede moeder kon zijn, vooral voor de kleine Pasha die me zo erg nodig had.

Tien maanden nadat Sergey de gevangenis in was gegaan kwam mijn buurvrouw Yula, die in het buitenland had gewerkt, weer thuis. Ze was gescheiden en haar ouders hadden tijdens haar afwezigheid voor haar kinderen gezorgd. Nu was ze terug en had geld, en iedereen was hevig onder de indruk van haar nieuwe koelkast en de nieuwe televisie waar ze zo trots op was. Maar wat mij interesseerde waren niet die nieuwe dingen, maar haar gezicht. Ze had make-up op en haar haar geverfd en de blik in haar ogen zei dat ze zich met geld opeens een eigen plekje in de wereld had kunnen kopen.

Ik bleef Yula maar vragen waar ze was geweest en wat ze had gedaan, maar veel wilde ze er niet over kwijt. Ik wílde het weten, want ik had gehoord dat ze in een fabriek in Turkije had gewerkt waar ze soms wel tweehonderd dollar per week verdiende. Ik kon het gewoon niet geloven. Ik wist wel dat Turkije vlak bij Europa lag en vlak bij al die rijke landen, maar ik had er geen idee van dat de situatie daar zo was. Geen wonder dat Yula er zo anders uitzag.

Ik kon het niet uit mijn hoofd zetten. 's Avonds lag ik in bed te denken aan de stinkende vuilnisbakken, aan de hongerige koppies van mijn kinderen en aan onze koude, kale kamer. Had ik híér misschien op gewacht, was dit een uitweg uit dit afschuwelijke leven? En als Yula het kon, waarom zou ik het dan niet kunnen?

10

Mijn sportschoenen kraakten toen ik naar een roltrap liep die naar boven ging. Ik was op het vliegveld van Istanbul en het was er prachtig, zo licht en schoon. Toen ik uit de grote, rode, moderne bus stapte die bij het vliegtuig had gestaan om ons op te halen, had ik zelfs twee mannen gezien die rondreden in een karretje dat de vloer schoonmaakte. Eerder, toen ik in het vliegtuig zat en mijn land onder me kleiner en kleiner zag worden, had ik me afgevraagd of ik zo dichter bij God was. Nu liep ik met de stroom mensen mee de trap af.

Ik kon bijna niet geloven dat ik echt in Turkije was. Voordat ik vertrok, had het wel geleken alsof Yula niet wilde dat ik ging. Ze wilde me helemaal niet helpen. Maar ik had haar gedwongen me te vertellen wat ik moest weten – zoveel mazzel kon ze toch niet voor zich houden! – en uiteindelijk had ze me een strookje papier gegeven met een adres erop gekrabbeld.

'Daar heb ik gewerkt,' zei ze.

Nu stond ik er alleen voor. Het was geen gemakkelijke beslissing geweest om mijn kinderen achter te laten, maar ook al vond ik dat verschrikkelijk, toch kon ik mezelf maar één ding afvragen: hoe zou ik zo'n kans kunnen laten liggen? Dan zouden we altijd arm blijven! Ik kreeg een nieuwe kans, dit was een deur die openstond en ik hoefde alleen maar naar binnen te lopen. Ik was bang en opgewonden tegelijk. Bang om alleen te zijn in een vreemd land, maar opgewonden doordat ik eindelijk in staat zou zijn om Sasha, Pasha en Luda het leven te bieden waar ik altijd van had gedroomd.

Ik dacht terug aan Sasha's gezichtje. Hij had gehuild toen ik hem die ochtend voor mijn vertrek had omhelsd. Hij rook nog naar slaap en ik wilde met hem meehuilen. Maar ik moest mezelf blijven vertellen waarom ik vertrok.

'Ik neem hem wel,' had Ira gezegd en ze tilde hem op. Zij zou voor de kinderen zorgen en ik zou haar betalen met mijn salaris van mijn baan in Turkije.

Ik kon geen woord uitbrengen en durfde niet eens iets te zeggen toen ik naar Sasha keek.

'Ga nu maar,' zei Ira. 'Niet achteromkijken, hoor. Dat brengt ongeluk.'

Terwijl ik door een paar deuren liep en in een ruimte met veel mensen terechtkwam, wilde ik dat ik weer veilig thuis was. Hier waren zoveel mensen.

Ira had me genoeg geld geleend om een taxi naar de fabriek te kunnen nemen. Yula had me verteld dat het adres niet ver van het vliegveld was en dus wilde ik er meteen naartoe om te solliciteren. Toen ik in een taxi zat, keek ik mijn ogen uit. Turkije leek wel op Amerika in films die ik had gezien, met reclameborden voor hamburgertenten, moderne auto's en veel mensen. Het was heel groen buiten, de straten waren glad en recht en ik zag ontzettend veel prachtige moskeeën tegen de lucht afsteken.

'Welke straat?' vroeg de taxichauffeur toen we ongeveer een kwartier onderweg waren.

Ik begreep wat hij bedoelde en liet hem het stukje papier met het adres erop zien. Hij keek ernaar en fronste.

'*Cumhuriyet Caddesi?*' vroeg hij.

'Ja. Fabriek,' antwoordde ik in het kleine beetje Turks dat ik van Yula had geleerd.

De man zei niets meer en reed door. Hij keek strak voor zich uit en zuchtte. Ik keek naar de zon voor ons. Die begon al onder te gaan en ik wilde dat de chauffeur sneller ging rijden. Ik wilde niet dat de fabriek al gesloten zou zijn als we er aankwamen.

Al snel reden we een lange, stoffige straat in. Ik deed het portier open en stapte uit.

Ik begreep het niet.

Er was niets.

Ik bukte me en vroeg door het raampje aan de taxichauffeur: 'Cumhuriyet Caddesi?'

'Ja, ja,' zei de man. 'Cumhuriyet Caddesi.'

Hij moest zich vergissen. Er stond geen fabriek aan deze weg, alleen een paar houten huisjes en een paar kraampjes die fruit verkochten. Wat was er gebeurd? Waarom had hij me hiernaartoe gebracht?

'Cumhuriyet Caddesi?' vroeg ik weer en ik probeerde een paniekgevoel te onderdrukken.

'Ja, ja,' schreeuwde de man en hij tikte op de meter.

Ik keek ernaar.

Zeventig Turkse lira.

En ik had maar honderd bij me.

Mijn hart ging tekeer. Waarom had Yula me naar een straat gestuurd waar niets was? Wat moest ik nu doen?

Tien minuten later stond ik in een lawaaierige straat in het centrum van Istanbul met een plastic tasje waar mijn kleren in zaten en mijn paspoort. De taxichauffeur had me hiernaartoe gereden toen ik was gaan huilen. Deze rit had me al mijn geld gekost. Ik had niets meer. Mijn hart bonsde – wat zou er met me gebeuren nu ik helemaal alleen was in deze onbekende stad?

Ik begon te lopen, huilend en rillend. De gezichten en gebouwen waren wazig door mijn tranen. Ik had geen idee waar ik naartoe ging of wanneer ik zou stoppen met lopen. Alles was zo anders dan thuis: de teksten op de borden, de kleding van de mensen, zelfs de kleur van hun haar en hun ogen. Deze stad was vol geluiden, geuren en mensen. Ik had het gevoel dat ik verdronk.

Ik raakte in paniek. Ik was zó dom geweest, ik was nu heel ver van huis en nu kon ik misschien nooit terug. Wat moest ik doen, zonder geld en zonder vrienden om me te helpen? Ik had hier nooit naartoe moeten gaan. Ik had nooit moeten denken dat ik mijn leven kon veranderen. Ik had geen idee waar ik naartoe moest.

Opeens hoorde ik Russisch praten. Iemand sprak mijn taal en ik liep achter de stem aan. Ik kwam bij een winkel waar een vrouw voor stond die de mensen naar binnen riep.

'Beste koopjes hier,' riep ze. 'Kom en kijk. Geen verplichting.'

Ik bleef staan en keek haar aan. Mijn gezicht was vies van de tranen en het stof en ik hijgde.

'Wat is er?' vroeg ze.

'Ik weet niet wat ik moet doen.' Ik begon te huilen. 'Iemand had me verteld dat ik hier in een fabriek kon gaan werken, maar dat was niet zo. Nu ben ik alleen en weet niet wat ik moet doen.'

'Rustig maar,' zei de vrouw en ze liep naar me toe. 'Ik kan je niet verstaan. Kom maar even mee naar binnen.'

De winkel was koel en donker en de vrouw nam me mee naar een kamertje achterin. Ik vertelde haar over mijn leven in Simferopol en over mijn gesprek met Yula en hoe ze tegen me had gelogen. En dat ik nu zo ver van huis was en bij mijn kinderen vandaan. De vrouw luisterde rustig naar me toen ik haar vertelde wat er was gebeurd.

'Wacht hier,' zei ze. Ze stond op, liep naar voren en zei in het Turks iets tegen een man. Een paar minuten later kwam ze terug en keek op me neer. 'Ik kan je geen geld lenen voor een ticket naar huis,' zei ze, 'maar je mag vannacht bij mij thuis slapen en dan vinden we misschien wel een baantje voor je zodat je geld kunt sparen om terug te vliegen.'

Ik stond op en fluisterde: 'Dank u wel.'

'Ik help je graag, hoor – dit zou ik voor iedereen doen,' zei de vrouw. Ze glimlachte vriendelijk naar me en zei: 'Ik heet Zhenya.'

11

Toen ik de volgende ochtend wakker werd, dankte ik God dat Hij me naar Zhenya had geleid. Zonder geld kon ik niet terug naar Oekraïne en zij had gezegd dat ze me zou helpen werk te vinden. Al snel werkte ik samen met haar in de leerwinkel waar ik haar had ontmoet. We maakten lange dagen en het was niet gemakkelijk om iets te verkopen aan de toeristen die voorbijkwamen, maar ik kreeg ongeveer zestig dollar per week, evenveel als ik in Oekraïne in een maand had verdiend. Het was niet zoveel als ik had gehoopt, maar wel veel meer dan ik ooit had verdiend.

Maar ik bleef maar aan Yula denken en aan de leugens die ze had verteld. Ik begreep niet waarom ze me naar een plek had gestuurd die niet eens bestond. Maar toen ik dit aan Zhenya vertelde, realiseerde ik me dat ze misschien iets te verbergen had.

'Ik denk dat je te veel vragen hebt gesteld en dat ze je wel iets moest vertellen,' zei Zhenya een keer. 'Yula heeft waarschijnlijk gewoon een straatnaam opgeschreven die ze een keer had gehoord om maar van je af te zijn.'

'Maar waarom dan?' vroeg ik.

'Omdat ze niet wilde dat je de waarheid te weten kwam. Ik heb al heel vaak gehoord over vrouwen die beweren dat ze in Turkije werken, terwijl ze ondertussen hun lichaam verkopen.'

'Aan mannen?'

'Ja.'

'Voor geld?'

'Ja. Veel geld,' zei Zhenya.

Toen ebde mijn woede weg. Als ze dat had gedaan, had ik medelijden met haar. Al gauw dacht ik niet meer aan haar. Misschien had ze iets te verbergen, misschien had ze niet in een fabriek gewerkt. Ik was alleen maar blij dat ik niet hetzelfde hoefde te doen. Ik werkte tenminste aan een echte toekomst.

Zhenya was tweeëndertig, elf jaar ouder dan ik, en werd een soort moeder voor me. Ze was efficiënt, lang en slank en had geblondeerd haar, een lange rechte neus en blauwe ogen. Na haar scheiding was ze van Moldavië naar Turkije gegaan om te werken. Haar ouders zorgden voor haar zoon en zij verdiende haar eigen geld omdat ze niet op hun zak wilde teren. Net als ik droomde ze ervan dat ze ooit een eigen huis zou hebben waar ze met haar kind kon wonen.

Al snel kwam er regelmaat in mijn leventje en ik was blij dat ik elke week geld kreeg. Ik werkte twaalf uur per dag in ruil voor zestig dollar per week. Dat betekende dat ik tweehonderdveertig dollar per maand verdiende, honderdvijftig om naar Ira te sturen, vijftig voor de huur en veertig voor mezelf om van te leven. Ik wist dat ik geld opzij moest leggen, maar eerst moest ik dingen voor mijn kinderen kopen, zoals kleren, goede leren schoenen, een kachel voor onze kamer en beddengoed.

Maar ik had nooit gedacht dat ik Sasha, Pasha en Luda zo ontzettend zou missen. Mijn kinderen bleven maar door mijn hoofd fladderen, als libellen boven het water. Als ik iets at vroeg ik me af wat zij die dag hadden gegeten, als ik naar een tekenfilm op tv keek dacht ik hun gelach te horen en elke ochtend als ik wakker werd en mijn ogen opendeed, miste ik hen verschrikkelijk.

'Wanneer kom je thuis, mama?' vroeg Sasha vaak als ik hen opbelde en dan probeerde ik opgewekt te klinken en vertelde hem dat het niet lang meer zou duren. Als ik de stemmetjes van Pasha en Luda op de achtergrond hoorde, begon ik bijna te huilen.

Ik huilde wel eens als ik op straat liep en kleine kinderen zag werken in plaats van op school te zitten. Het maakte me verdrietig als ik hen zo zag met hun donkere haar en donkere ogen; ze deden me heel sterk aan Pasha denken. Van mijn drie kinderen dacht ik het meest aan hem. Ik wist dat hij me het meest nodig had en dat het voor hem het moeilijkst was. Ik wilde dolgraag bij hem zijn en hem helpen.

Zhenya kwam soms bij me zitten als ik om hen huilde. 'Je moet proberen vol te houden. Ze hebben je nodig,' zei ze dan. 'Kalmeer maar een beetje en rust wat uit. Je wordt nog ziek als je dat niet doet. Daar schieten je kinderen toch ook niets mee op?'

In de maanden die volgden, begon ik mijn nieuwe leven te accepteren en ontdekte ik nieuwe dingen. Ik ging naar een nachtclub, deed voor het eerst make-up op, epileerde mijn wenkbrauwen en liet mijn haar knippen. Toen ik in juni 1997 twee weken thuis was nadat ik drie maanden weg was geweest, kon iedereen zien hoe goed ik het had, dankzij mijn leren rok en schoenen. Ik vond het heerlijk om de kinderen weer te zien en ik had nieuwe kleren, spelletjes en speelgoed meegenomen, alles wat ik hun vroeger ook had willen geven, maar niet had gekund. Dat maakte me zo gelukkig en ik vond het vooral heerlijk om Pasha weer te zien. Ik had hem ontzettend gemist en we brachten samen heel veel tijd door.

Ik wilde Yula opzoeken, om haar eens even duidelijk te maken wat ik ervan dacht dat ze me had voorgelogen, maar ze was er niet. Haar ouders zeiden dat ze weer in het buitenland aan het werk was, en dus haalde ik mijn schouders op en ging naar huis. Ze hadden geen idee wat hun dochter echt deed.

Op een avond zaten Ira en ik na het avondeten aan de keukentafel, toen ze over de kinderen begon. 'Ik vind het niet erg om voor Sasha en Luda te zorgen,' zei ze. 'Het zijn heel lieve kinderen en ze kunnen het goed met Vica vinden. Ze vindt het leuk om een beetje over hen te moederen. En je stuurt me genoeg geld om hen te kunnen onderhouden. Maar Pasha... met hem is het anders.'

'Hoe bedoel je?' vroeg ik, in paniek.

'Hij is gewoon te lastig,' zei ze. 'Hij is niet zoals de anderen. Hij begrijpt niet wat ik zeg, hij is niet sterk. Het spijt me. Ik ben dol op hem, hoor, maar ik heb het gevoel dat ik hem in de steek laat. Hij heeft meer nodig dan ik hem kan geven; hij moet dus ergens anders naartoe.'

Ik kon niet boos worden op Ira. Ik zag wel hoe moeilijk ze het ermee had. Als zij niet langer voor Pasha kon zorgen, dan had ik geen keus. Dan moest hij in het internaat voor dove kinderen in Simferopol gaan wonen.

Ik wist dat dit het beste was, maar het brak mijn hart. De dag dat ik hem daar naartoe bracht, zal ik nooit vergeten. Ik wist dat hij er niet naartoe wilde, ik las het in zijn ogen want hij kon me dat niet vertellen, maar ik moest sterk zijn. Hij huilde toen ik hem aan iemand anders gaf en hij stak zijn armpjes naar me uit alsof hij me smeekte om hem weer in mijn armen te nemen, terwijl de tranen over zijn wangen stroomden. Maar ik kon hem niet mee terugnemen. Ik kon niet stoppen met mijn werk in Turkije om voor hem te zorgen, omdat we dan nooit een betere toekomst zouden krijgen. En ik wist dat ze daar goed voor hem zouden zorgen.

Ik huilde bittere tranen toen ik vertrok en ik kon zelf amper geloven dat ik mijn zoon voor de tweede keer achterliet. Het is echt het beste, zei ik in gedachten tegen mezelf en veegde mijn tranen weg. Straks heb je zoveel geld verdiend dat je een huis kunt kopen en dan kun je hem weer naar huis halen. Dan zijn jullie weer een gezinnetje. Hier kunnen ze hem leren zijn wereld te begrijpen.

Ik zal hem gauw opzoeken, zei ik tegen mezelf. Ik zou nooit toestaan dat mijn eigen kinderen me vergaten. Ooit zouden ze begrijpen waarom ik hen had moeten achterlaten.

12

Veel te snel was ik alweer in Turkije aan het werk. Ik vond het moeilijk dat ik niet thuis was, maar het leven in Turkije was goed en ik verdiende in elk geval wat geld. Ik probeerde zo veel mogelijk geld opzij te leggen, zodat ik een nieuw leven kon beginnen. Ik leefde voor mijn bezoekjes aan thuis en voor de tijd die ik met mijn kinderen kon doorbrengen.

Ik ging elke keer zo'n twee tot twaalf weken naar huis en de langste periode waarin ik niet naar huis kwam, duurde zeven maanden. Maar toen de maanden een jaar werden en nog één en nog één, begon ik me steeds meer zorgen te maken. Ik merkte dat Luda me begon te vergeten en het deed me pijn als ze per ongeluk mama tegen Ira zei. Ik maakte me ook zorgen over Pasha. Ik had hem al heel lang niet gezien toen ik hem een keer had opgezocht op zijn school. Ik had me er ontzettend op verheugd hem terug te zien, maar zodra ik er was, verstopte hij zich achter de benen van zijn lerares. Hij keek me verlegen en onzeker aan toen ik hem met een glimlach begroette. Het deed pijn zoals hij me met zijn donkere ogen aankeek, terwijl hij zich achter een vreemde vrouw verschool. Ik nam hem mee naar de tuin en probeerde met hem te spelen, maar hij bleef huilen en ten slotte moest zijn lerares hem troosten. Ik voelde me ellendig toen hij zich aan haar vastklampte. Deze vrouw, een vreemde, wist hoe ze Pasha's kleine wereldje moest betreden, maar ik niet. Alweer had ik het gevoel dat ik had gefaald. Hoe graag ik hem ook mee naar huis wilde nemen, toch wist ik dat ik hem niet, zoals deze school dat kon, de kans kon geven te leren en zich te ontwikkelen. Alles wat zij hem konden leren, had hij nodig in zijn onzekere toekomst. Maar ik wist ook dat zijn herinnering aan mij elke dag zwakker werd. Ik zei tegen mezelf dat ik hem moest achterlaten zodat hij kon leren wat nodig was, maar beloofde mezelf dat ik hem hiervandaan zou halen zodra ik terugkwam uit Turkije.

De enige van mijn kinderen die echt nog wist wie ik was, was Sasha. Maar tijdens mijn eerste jaar in Turkije gebeurde er een ongeluk. Een nieuwe oppas zorgde voor hem en Luda toen hij viel en zijn hoofd bezeerde. Ik dacht dat ik doodging toen Ira me belde en zei dat hij in coma lag. Het duurde zeventien dagen voordat hij weer bijkwam en de ziekenhuisrekening was zeshonderd dollar. Ik kon maandenlang niet naar huis omdat ik die rekening moest betalen. Toen ik eindelijk weer thuiskwam, was Sasha een ernstig kind geworden; hij leek veel ouder dan het gelukkige ventje dat ik had achtergelaten. Na het ongeluk was Sasha agressief en vergeetachtig geworden; ik herkende hem gewoon niet. En hoewel de artsen me verzekerden dat hij na verloop van tijd weer zou herstellen, had hij dure medicijnen nodig.

En dus zat ik gevangen in de vicieuze cirkel van werken, sparen en geld uitgeven. Ik bleef bij Zhenya wonen, maar veranderde steeds weer van baan om meer inkomsten te krijgen en meer te kunnen sparen. In mijn vrije tijd ging ik met mannen uit, omdat ik naar gezelschap verlangde en in de hoop dat ik een rijke man zou ontmoeten die mij en mijn kinderen kon onderhouden. Maar ik ontmoette nooit iemand die me echt iets deed. Al mijn geld ging op aan mijn reisjes naar huis en aan de verzorging van de kinderen. Hoe hard ik ook werkte en hoezeer ik God ook smeekte om een beter leven, het leek alsof ik dat nooit zou krijgen. Het enige wat ik wilde, was tweeduizend dollar. Zoveel kostte een huis in Moldavië volgens Zhenya. Ik droomde dat ik daar was. Maar de jaren verstreken. Sasha was nu bijna negen, Pasha zes en Luda vijf. Ze woonden niet meer bij Ira, omdat ze geen plek meer voor hen had. Sasha en Luda woonden nu bij Tamara, een vriendin van Marina's moeder. Ik stuurde haar geld om voor hen te zorgen. Ik zou snel naar huis moeten gaan, anders zouden ze me echt zijn vergeten. Sergey zou ook ooit een keer uit de gevangenis komen en tegen die tijd moest ik Simferopol ver achter me hebben gelaten – ik was niet vergeten wat hij gezworen had te doen.

Op een avond in april 2001 ging ik samen met een vrouw die Marianna heette ergens iets drinken. Zij was een vriendin van een vriendin van Zhenya uit Moldavië en was een tijdje op bezoek. Ik mocht haar graag, omdat ze altijd vrolijk en opgewekt was. En ze genoot van een avondje uit, met veel drank en grapjes.

Die avond kon ik niet zoveel lachen en kletsen als Marianna wilde, doordat ik lang en veel over mijn dilemma had nagedacht.

'Hé, wat is er met jou?' vroeg ze. 'Je bent vanavond helemaal niet vrolijk.'

Doordat ze zo vriendelijk glimlachte, begon ik mijn hart uit te storten en vertelde haar over mijn problemen.

'Het is helemaal niet moeilijk, hoor!' zei ze. 'Ik weet de oplossing! Waarom doe je niet wat ik doe? Als ik niet thuis ben in Moldavië, werk ik in een nachtclub in Bosnië. Ik hoef maar de helft van het jaar te werken om de rest van het jaar lekker te kunnen leven.'

'Wat doe je daar dan?'

'Ach, je weet wel, drankjes serveren, achter de bar staan. Echt, Oxana, het is gemakkelijk geld. Wodka inschenken, met de klanten kletsen, en alle fooien die ik krijg mag ik houden.'

'Hoeveel verdien je dan?'

'Vierhonderd dollar per maand.'

'Vierhonderd!' Ik was verbijsterd. Als ik dat werk een paar maanden deed, kon ik voor mij en de kinderen een huis kopen.

'Dat zou jij ook kunnen doen, als je wilt,' zei ze ontspannen. 'In Bosnië wonen heel veel rijke mensen en er is altijd vraag naar knappe meisjes die in dure nachtclubs drankjes voor hen in willen schenken. Dat kun jij ook, hoor, dat weet ik zeker.'

'Denk je dat echt?'

Ik dacht even na. Turkije had ik eerst ook vreemd gevonden, maar nu voelde ik me er op mijn gemak. Maar ik wist niet zeker of ik hier wel weg wilde om naar een ander buitenland te gaan.

'Ik weet het niet, hoor,' zei ik. 'Ik heb een goede baan en ik zou het verschrikkelijk vinden om bij Zhenya weg te gaan.'

'Zhenya gaat zelf ook weg binnenkort. Weet je wat... jij gaat over een tijdje toch weer naar Oekraïne? Nou, ik ga terug naar Moldavië voordat ik weer naar Bosnië ga om te werken. Waarom kom je op de terugweg niet naar Moldavië, dan kun je me laten weten wat je hebt besloten. Als je met me mee wilt, kunnen we samen naar Bosnië reizen. En zo niet, dan kun je hier weer naartoe. Zo heb je meer dan genoeg tijd om iets te beslissen.'

Dat leek me wel wat en toen ik thuiskwam, vertelde ik Zhenya wat Marianna me had verteld.

'Ik weet het niet, hoor,' zei ze aarzelend. 'Het lijkt me helemaal geen goed plan.'

'Waarom niet? Stel je voor, vierhonderd dollar per maand om achter een bar te staan en drankjes in te schenken!'

'Maar ik vind het niet zo'n goed idee dat jij in een nachtclub zou gaan werken.'

'Waarom niet? Dan kan ik bij jou in de buurt een huis kopen. Dan worden we buren en dan kunnen onze kinderen met elkaar spelen!'

Zhenya keek me bedenkelijk aan. 'Volgens mij is dit niet de manier. Misschien komt er nog eens een moment waarop je geluk hebt, maar volgens mij is dit niet het juiste moment.'

Ik baalde ervan dat Zhenya mijn dromen de grond in boorde en dus hield ik erover op. Maar ik bleef denken aan die nieuwe kans. Tijdens mijn verblijf in Oekraïne dacht ik er steeds aan en ik had al bijna besloten om Marianna's aanbod aan te nemen. Toen ik afscheid nam van de kinderen voelde ik me voor het eerst sinds lange tijd weer hoopvol en optimistisch. Als mijn plannetje zou slagen, zouden we binnenkort allemaal weer bij elkaar zijn. Ik zei tegen Ira dat ze misschien een tijdje niets van me zou horen, maar dat ik snel contact met haar zou opnemen en zoveel geld zou sturen als ze nodig had voor de kinderen. Toen ging ik naar Moldavië.

Zhenya was op dat moment ook thuis en ik ging bij haar op bezoek in het huis van haar ouders voordat ik met Marianna een kopje koffie ging drinken in een café in de buurt.

'Je moet het echt doen, hoor,' zei Marianna. 'Ik heb al met mijn baas gepraat en hij wil je wel een baan geven. Het is gegarandeerd geld. Dat kun je toch zeker niet laten lopen?'

'Oké,' zei ik en ik haalde diep adem. 'Ik weet het bijna zeker.'

'Je moet snel beslissen, hoor. Morgen vertrek ik. Als je mee wilt, zie ik je om tien uur op het busstation.' Marianna glimlachte en vroeg: 'Waarom zou je het niet doen, Oxana?'

Later die avond vertelde ik Zhenya dat ik had besloten om samen met Marianna naar Bosnië te gaan.

'Niet doen,' zei ze. 'Ik vertrouw haar niet. Ga alsjeblieft niet.'

'Maar waarom niet?' riep ik. 'Marianna is toch een kennis van ons! Zij kent je vrienden en als zij zeggen dat ze te vertrouwen is, waarom zou je dan bang zijn? We kennen heel veel mensen die in het buitenland werken en daar gaat het allemaal goed mee. Ik moet dit doen.'

'Geloof me, Oxana, ze is niks goeds van plan.'

'Ik snap niet waarom je het zo somber inziet. Iedereen hier kent jou en je familie, dus Marianna heeft heus het lef niet om iets te doen wat jou niet zint. Het is echt in orde. Ik wil het doen.'

Zhenya werd opeens woedend. 'Nee, het is helemaal niet zo eenvoudig. Je moet niet gaan, Oxana, alsjeblieft. Ik vertrouw haar niet. Ze heeft iets over zich wat me niet bevalt.'

'En hoe lang moet ik dan in Turkije blijven, hè?' vroeg ik boos. 'Nog eens tien jaar, totdat mijn kinderen volwassen zijn? Ik moet dit gewoon zes maanden lang doen zodat ik weer naar hen toe kan. Begrijp je dan niet dat dit voor mij de enige manier is om weer met mijn kinderen samen te zijn? Met elke dag die verstrijkt vervaagt hun herinnering aan mij. Ik moet weer bij hen wonen. Ik kan niet terug naar Turkije! Ik kan het gewoon niet!'

Ik rende naar buiten, terug naar het café waar Marianna nog steeds zat. Ik gaf haar mijn laatste driehonderd dollar, zodat zij de kaartjes kon kopen waarmee wij vanuit Moldavië via Roemenië naar Bosnië konden reizen.

'Je hebt de juiste beslissing genomen,' zei ze met een warme glimlach. Ik voelde me opgelucht, omdat ik eindelijk een manier had gevonden om weer samen te kunnen zijn met mijn kinderen.

De volgende dag was ik nog steeds boos op Zhenya en dus ging ik niet nog een keer bij haar langs. Maar toen ik in de bus stapte, kwam ze naar me toe gerend.

'Ik moest je gedag zeggen,' fluisterde ze toen ze me omhelsde. 'Zorg goed voor jezelf.'

Maar ik kon het niet opbrengen om sorry te zeggen. Ondanks alles wat ik had gezegd, voelde ik de twijfel knagen. Op de een of andere manier leek dit te gemakkelijk allemaal. Misschien had Zhenya toch gelijk? Maar wat kon er misgaan dat ik niet weer recht kon breien?

Daar zou ik al heel snel achter komen.

13

Marianna en ik zaten vrolijk te lachen en te kletsen tijdens de busrit door Moldavië. Uren later stopte de bus bij het station. Daarvandaan zouden we per trein naar Roemenië doorreizen.

Marianna liet me even alleen en zag er ellendig uit toen ze terugkwam. 'Ik kan niet met je mee de grens over,' zei ze. 'Ik ben net bij het loket geweest en er is een probleem met mijn paspoort. Ik kan niet doorreizen tot dat is opgelost.'

Ik zei verbaasd: 'O nee! En wat doen we nu?'

'Jij moet maar zonder me gaan. Mijn vriend Leo zal je daar oppikken. Hij zorgt wel voor je en ik kom dan over een paar dagen.'

Ik wist niet wat ik moest zeggen. We stonden in een koud station en de mensen krioelden langs ons heen, zich haastend om hun trein te halen.

'Maar ik wil niet zonder jou gaan,' zei ik toen. 'Ik zou samen met jou gaan werken. Ik kan toch niet alleen gaan.'

'Hé, maar we zullen ook samen werken,' zei Marianna vriendelijk. 'Zodra ik dit probleem heb opgelost. Maar de treinkaartjes zijn al geregeld en het zou zonde zijn dat van jou niet te gebruiken. Anders moet je later nog een nieuw kaartje kopen.'

Ik aarzelde even. Ik wilde niet in mijn eentje gaan, maar kon het me ook niet veroorloven om te wachten.

'Waarom maak je je zorgen?' vroeg ze. 'Vertrouw je me niet?'

Ik keek haar aan en dacht aan wat Zhenya had gezegd. Nu kon ik nog terug als ik haar niet vertrouwde. Maar Marianna keek me aan met een heldere, open blik en ik duwde mijn wantrouwen weg. 'Ja hoor,' zei ik. 'Ik vertrouw je wel.'

'Mooi zo!' zei ze met die grote glimlach van haar. 'We gaan zoveel lol hebben samen! Ze zullen in Bosnië niet weten wat hun overkomt. Goed, dan zie ik je later. Je kunt maar beter instappen. Dag, liefje!' Ze gaf me een zoen.

Ik stapte in de trein.

Na een lange, saaie treinreis kwam ik eindelijk in Roemenië aan. Marianna's vriendje stond op het station op me te wachten. Hij zag me meteen.

'Oxana? Hi! Marianna zei al dat je zou komen. Ze komt zo vlug ze kan. Goed, we kunnen maar beter opschieten, anders missen we onze aansluiting.'

Hij nam me mee naar een bus die in een paar uur naar het treinstation van Boekarest reed. Toen stapten we in de nachttrein naar Timisoara vlak bij de Tsjechische grens. We zeiden niet veel, omdat het al laat was en ik was moe. Tegen de tijd dat we in de stad aankwamen, kon ik mijn ogen amper openhouden en wilde ik alleen maar slapen. Marianna's vriend regelde een taxi voor ons en na een korte rit stopten we bij een appartement waar een oude man op ons wachtte. Ik had geen idee waar ik was, maar ik was te moe om me daar iets van aan te trekken en viel in slaap zodra ze me een slaapkamer hadden gewezen. Het zou niet lang meer duren voordat we in Bosnië zouden zijn en deze afschuwelijke reis ten einde was.

Toen ik wakker werd, was het al licht. Ik liep mijn slaapkamer uit en ontdekte dat Marianna's vriendje verdwenen was. Ik was alleen met de oude man.

'Pak je spullen,' zei hij in het Russisch. 'We moeten gaan.'

Opeens werd ik bang, maar ik drukte dat gevoel weg. Marianna zou hier ook al snel zijn, maar ik wilde dat haar vriendje hier was in plaats van die oude man. Iets in zijn blik – hij had de ogen van een vos – beviel me niet.

De oude man zei niets toen we een flatgebouw dat midden tussen de bomen stond binnenliepen. Hij klopte op een deur en de grootste vrouw die ik ooit had gezien deed open – ze was bijna twee meter lang, droeg een legergroene rok en bloes en had donker golvend haar en een babyhuidje.

Ze begon snel tegen de oude man te praten, tot hij haar in de rede viel. 'Zij is Russische, je kunt tegen haar praten.'

De vrouw wendde zich tot mij. 'Hi,' zei ze met een lage stem. 'Ik ben Sveta. Wij moeten even met elkaar praten. Kun jij ondertussen even wachten?'

'Tuurlijk,' zei ik. Ze duwde me de flat binnen in de richting van een deur.

'Wacht hier maar even,' zei Sveta. Ze opende de deur en deed hem achter me dicht.

Ik hoorde de klik van een sleutel in het slot en probeerde niet in paniek te raken. Ik keek om me heen. Het was vrij donker in het vertrek. Er was een raam met stevige tralies ervoor en het daglicht werd tegengehouden door drie dikke bomen. Overal om me heen voelde ik viezigheid – in de lucht, in het versleten vloerkleed en in de smerige deken die op het bed lag. Er lagen drie tienermeisjes op die me zwijgend aankeken en een sigaret rookten. De een was blond en had blauwe ogen, de tweede had kort, donker haar en een prachtig barbiegezichtje, en de derde had lang zwart haar en een smal gezicht. Ze leken allemaal heel jong. Opeens begonnen ze te praten in een taal die ik niet verstond.

Trillend pakte ik een sigaret omdat ik de gedachten die in mijn hoofd rondtolden, wilde kalmeren.

Dit klopt niet, zei een stemmetje in mijn hoofd. Kijk toch eens naar deze meisjes.

Nee, nee, nee, zei een andere stem. Je kent Marianna, vertrouw haar, het kan niet zijn wat jij denkt. Maar ik was bang en begon te huilen zodra ik aan thuis dacht. Wat gebeurde hier?

Terwijl ik stond te snikken, stond het blonde meisje op en kwam naar me toe. Ze sloeg haar armen om me heen en toen ik bleef huilen, maakte ze troostende geluidjes.

'Engels? Engels?' vroeg ze.

'Nee, beetje...' zei ik en ik probeerde met gebaren duidelijk te maken dat ik maar één of twee Engelse woorden kende.

De meisjes kwamen zwijgend om me heen staan toen ik bleef huilen en ze depten mijn gezicht droog met een zakdoekje.

'Bosnië?' vroeg ik in het Russisch en ik maakte met mijn wijs- en middelvinger een lopende beweging. 'Gaan jullie naar Bosnië?'

Misschien waren ze net als ik op weg naar Bosnië en hielp Sveta heel veel mensen om dat land binnen te komen, met visa en paspoorten.

'Nee, nee, Italië,' zei het blonde meisje.

Italië? Waar had ze het over? Ik rookte de ene sigaret na de andere en probeerde de paniek die in me opsteeg weg te drukken. Terwijl ik daar zo zat, hoorde ik in de gang een zacht gemompel van stemmen. Het leek eeuwen te duren voordat de deur openging en Sveta gebaarde dat ik mee moest komen.

We liepen de gang in waar een tafeltje en stoelen stonden. Nadat Sveta even in de keuken was verdwenen, kwam ze terug met twee kopjes koffie. Haar handen waarmee ze de bekers vasthield, zaten vol gouden ringen en ze had een dikke gouden halsketting om.

'Waar ben ik?' vroeg ik snel. 'Wanneer ga ik naar Bosnië?'

'Neem een sigaret, drink je koffie,' antwoordde Sveta met een heel lief stemmetje. 'Weet je waar je bent?'

'Nee.'

'In een *halfway house.*'

Ze klonk zo aardig, zo vriendelijk, maar ik begreep niet wat ze zei. 'En wanneer zal ik in Bosnië aankomen?' vroeg ik.

'Bosnië?'

'Ja, daar ga ik in een nachtclub werken,' zei ik gehaast. 'Ik heb Marianna driehonderd dollar gegeven om mijn papieren in orde te maken. Daar gaan we allebei werken.'

Er gleed een glimlach over Sveta's gezicht en toen keek ze naar haar koffie. 'Je gaat niet naar Bosnië,' zei ze en ze schoof haar stoel dichter bij de tafel. 'Je gaat helemaal nergens heen.'

Ik keek haar aan. De harde blik in haar ogen waarschuwde me om niet ongehoorzaam te zijn. Ik begreep niet wat ze zei.

'Jawel,' fluisterde ik. 'Dat heeft Marianna geregeld.'

'Nee, dat heeft ze niet.' Sveta bleef glimlachen, zelfs al zei ze iets afschuwelijks. 'Begrijp je het niet? Je bent verkocht. Je bent nu van mij.'

Toen ik dat hoorde, werd ik overvallen door angst, wanhoop en afschuw. Ik had het gevoel dat ik aan de rand van een afgrond stond en dat mijn voeten in het niets gleden, of dat ik in de loop van een geweer keek en wist dat ik op het punt stond dood te gaan. Inwendig begon ik te gillen, maar ik kon niet praten, ik kon geen woord uitbrengen terwijl mijn leven in gedachten aan me voorbijging – alles wat me tot dit punt had gebracht, de gezichten van mijn kinderen – terwijl Sveta me glimlachend aankeek alsof het een heel gewone dag was.

'Hoe kan ik verkocht zijn?' fluisterde ik ten slotte. 'Ik heb geld betaald om in Bosnië te komen. Daar ga ik werken.'

'Ach, kom nou toch... hoe oud ben je?' vroeg Sveta honend en ze leunde achterover in haar stoel.

'Vijfentwintig.'

'Nou dan, hoe kun je dan zo stom zijn?'

'Maar waarom zegt u dit?' Er sprongen tranen in mijn ogen en ik begon te huilen. 'Mijn vriendin zal me helpen. Ik vertrouwde haar.'

'In deze business kun je niemand vertrouwen.'

'Maar kan ik dan niet naar huis? Ik zal u mijn adres geven en dan betaal ik u het geld terug dat u voor me hebt betaald.'

'Niks d'r van. En je hoeft me je adres helemaal niet te geven, want dat heb ik al. Net als je paspoort en ik heb ook de foto's van je kinderen gezien die erin staan. De mensen die je hiernaartoe hebben gebracht hebben geld uitgegeven, ik heb geld uitgegeven en nu zal ik het terugkrijgen ook. Ik heb zevenhonderd dollar voor je betaald en ik ga je aan iemand anders door-verkopen – misschien in Italië, Albanië of Duitsland. Mij maakt het niet uit, zolang ik mijn geld maar krijg.' Ze leunde achterover in haar stoel en slaakte een zucht. 'Hoe dan ook, misschien is het maar goed dat je hier bent, want je kunt heel veel geld verdienen om die kindertjes van je te hel-pen. Denk maar aan al dat geld dat je op je rug kunt verdienen.' Ze stond op en keek me aan. 'Wil je iets eten?'

Ik schudde mijn hoofd toen Sveta me een sigaret gaf en me terugbracht naar de slaapkamer. Toen ik hoorde dat de deur weer op slot werd ge-draaid, keerde ik me om en keek naar de tralies voor het raam.

Ik heb geen idee hoe lang ik die dag heb gehuild. Ik huilde tot mijn li-chaam helemaal uitgedroogd was, maar ik bleef maar snikken. Het enige wat ik zag, was Luda die me een paar dagen geleden had gesmeekt om niet weg te gaan. Daarna zag ik mijzelf die haar vertelde dat ik geld moest ver-dienen om ons leven te verbeteren en haar beloofde om snel weer vanuit Turkije op bezoek te komen. Luda had zich aan me vastgeklampt en ik had me van haar los moeten maken. Waarom was ik zo stom geweest? Waarom had ik niet naar Zhenya geluisterd? Ik was zo dom geweest om mijn eigen angsten te negeren, om mezelf wijs te maken dat als er iets gebeurde ik net als de vorige keer wel kon ontsnappen.

Maar moest je me nu eens zien, opgesloten in een kamer en geen moge-lijkheid om te ontsnappen.

Toen ik in die smerige kamer zat, werd ik overspoeld door herinnerin-gen aan thuis. De meisjes probeerden me te troosten, ze knuffelden me, droogden mijn tranen, praatten tegen me met woorden die ik niet ver-stond. Uiteindelijk haalde ik een paar fotomapjes tevoorschijn die ik had ingepakt en ik staarde naar de foto's en hoopte dat ik door te wensen dat ik weer thuis was daar als door een wonder ook zou terechtkomen.

Maar toen het donker werd, kon ik alleen maar naar de foto's blijven staren: ik samen met de kinderen in hun goede kleren die ik vanuit Turkije had meegenomen, Sasha zingend tijdens een concert en de enige foto die ik van Pasha had – genomen vlak voordat hij naar het tehuis was gegaan, toen hij nog maar een baby was. Andere foto's van hem had ik niet. In ons land geloven we dat het ongeluk brengt als je een foto maakt van een ziek kind. Ik bleef maar naar de foto's staren. Zij waren echt – niet deze nachtmerrie.

Die avond laat mocht ik de badkamer gebruiken en ik vergeet nooit hoe ik daar onder de douche stond en naar een manier zocht om te ontsnappen. Hoog boven mijn hoofd was een raam en, terwijl het water de geluiden overstemde, probeerde ik dat open te maken. Ik trok zo hard ik kon, en trok en trok, maar ik kreeg er geen beweging in.

Blijf om je heen kijken, zei ik tegen mezelf toen ik naar de keuken liep om een kop soep te maken. Maar al snel merkte ik dat voor elk raam tralies zaten en dat de flat niet één maar twee afgesloten deuren had. Er was geen enkele manier om te ontsnappen; alles zat op slot en was vergrendeld om te voorkomen dat we ontsnapten.

Wacht maar af, zei ik tegen mezelf. Ze kunnen je hier niet eeuwig vasthouden en als je buitenkomt, kun je wegrennen.

Ik liep terug naar de slaapkamer waar de meisjes op bed lagen. Ik ging op de vloer liggen en trok een deken over me heen, maar ik kon die nacht niet slapen.

Hoe was het mogelijk dat ik van de ene dag op de andere gevangenzat? Hoe was het mogelijk dat iemand me had verkocht? Ik was geen ding, maar een mens! Ik kon toch zeker niet als een zak graan worden verhandeld, of tegen mijn wil worden vastgehouden?

Het was natuurlijk een nachtmerrie en ik zou vast en zeker gauw wakker worden en een manier vinden om uit deze verschrikkelijke plek te ontsnappen.

De volgende dag was er niets veranderd: we zaten nog altijd opgesloten in die kamer en mochten alleen naar de keuken of de badkamer. Maar nu waren er ook mannen in de flat die alles in de gaten hielden. Er was geen deur naar de keuken en dus konden ze ons zien. Wij konden alleen de deur naar de badkamer even achter ons dichtdoen tot ze erop begonnen te bonzen.

Ik zweeg weer, maar de meisjes probeerden met me te praten. Met een paar woorden en met gebaren kwam ik te weten hoe ze heetten en hoe oud ze waren. Christine, het blonde meisje, was zestien en vertelde me dat ze stripper in een nachtclub was geweest. Het meisje met het lange donkere haar heette Sabrina en was ook zestien. Later zou ik ontdekken dat ze een dievegge was die problemen had met de politie. De mooie barbie heette Vera en was vijftien.

'Ik Oxana. Vijfentwintig,' vertelde en gebaarde ik. Hun ogen werden groot. Ik was zo oud.

De tijd verstreek langzaam. Een seconde duurde een uur en een uur leek wel een dag, terwijl we daar maar zaten te wachten. Ik bleef maar aan thuis denken. Wat zou Sasha nu doen? Zou hij Tamara helpen met de afwas, zoals hij mij altijd hielp? Hij zou zich al snel zorgen maken als ik niet opbelde. Iedereen dacht dat ik in Turkije was en meestal belde ik ten minste één keer per week op.

Het was al laat in de middag van de tweede dag toen Sveta de deur opendeed en gebaarde dat ik naar de gang moest komen. Twee mannen wachtten ons op.

'Doe je topje uit,' zei Sveta.

Ik stond doodstil.

'Doe je topje uit,' herhaalde ze, met een harde klank in haar stem. 'Ze willen je lichaam zien. Ze moeten zien dat je er goed uitziet. Geen littekens, geen striae, niets. Laat zien.'

Ik keek haar aan. Ik kreeg geen adem meer. Ik was nu alleen maar een ding met een prijskaartje eraan. Meer niet. Langzaam trok ik mijn T-shirt omhoog en tilde mijn bh op. Ik ontweek hun blik. Mijn gezicht brandde van schaamte toen die twee onbekende mannen naar me keken – hoe zag ik eruit? Goeie tieten? Slappe kont? Een spoortje vet? Goed om te neuken?

'Nee, niet zo,' snauwde Sveta. 'Helemaal uit.'

Ze keek me woedend aan toen ik niets deed. Maar ze wist welke keus ze had: ofwel ze kon me dwingen waardoor ze kans liep dat de mannen me niet wilden omdat ik een lastpak was, of ze kon me deze keer laten winnen. Sveta zei zachtjes iets tegen de mannen in een taal die ik niet verstond. Ze bekeken me weer van top tot teen. Ik zag wel dat ze me niet zagen zitten.

'Ga opzij staan,' zei Sveta kortaf en ze gebaarde dat ik tegen de muur moest gaan staan. Daarna moest Christine komen. Ik keek naar haar toen ze voor hen stond. Kennelijk begreep ze wat de mannen zeiden, want ze gaf antwoord op hun vragen en gehoorzaamde Sveta. Met de andere meisjes ging het net zo. Lachend trokken ze hun kleren uit en staken hun borsten naar voren, waarna ze zich omdraaiden en hun kontje lieten zien. Het leek alsof ze helemaal niet bang waren, alsof ze het als een spelletje beschouwden. Walgend keek ik naar hen. Ik voelde me smerig. Het leek wel een slavenmarkt. Waarom deden die meisjes dat? Waarom lachten ze alsof het een spelletje was?

Op dat moment haatte ik hen, ik haatte het dat ze Sveta zo opgewekt gehoorzaamden, ik haatte hun gebrek aan zelfrespect, ik haatte hen omdat ze lachten en zichzelf op hun voordeligst lieten zien. En ik haatte de mannen omdat ze naar hen keken.

Nu denk ik dat ze nog te jong waren om te kunnen begrijpen wat hun overkwam en dat ze alle beloftes van een beter leven geloofden. Al die meisjes, dat weet ik zeker, hadden het niet gemakkelijk gehad – opgegroeid in een weeshuis, veel drinken, op straat slapen – en voor hen betekende meegaan met een man schoenen en eten. Een kwestie van overleven. Ze hadden geen idee van wat hun te wachten stond.

Denk aan Sasha, Pasha en Luda, zei ik steeds tegen mezelf. Je moet sterk zijn. Wát je ook overkomt, je moet doorgaan, wat er ook gebeurt. Je bent vast al gauw weer thuis bij je kinderen.

14

De volgende ochtend kwam Sveta me al vroeg opzoeken.

'Wil je een kopje Turkse koffie voor me maken?' vroeg ze. 'Neem er zelf ook maar eentje en kom dan even bij me zitten.'

Vijf minuten later liep ik naar haar toe met twee koppen dikke, zwarte koffie. Sveta keek me met een harde blik aan.

'Je moet er maar aan wennen, hoor,' zei ze. 'Mannen zullen naar je komen kijken en dan moet je hun je lichaam laten zien. Gisteravond ging het helemaal niet goed. Je moet glimlachen, hallo zeggen en een beetje met ze spelen zoals de andere meisjes doen.'

'Maar dat kan ik niet,' zei ik langzaam. 'Dat wil ik niet.'

'Nou, je moet het zelf weten, hoor,' zei ze losjes. 'Je kunt zolang je wilt hier blijven, maar dan zul je het niet gemakkelijk hebben. Dan blijf je in die kamer opgesloten en weet je zeker dat je nooit wegkomt. Je zou me moeten helpen. Ik moet je snel verkopen. Die mannen van gisteravond vonden je dik.'

Ik keek haar aan. Dat was zo, na drie kinderen was ik dikker dan die tieners.

'Je moet op dieet,' zei Sveta. 'Als ontbijt krijg je een kop koffie, als lunch een salade en 's avonds een appel.'

'Maar ik zal nooit zo worden als die andere meisjes,' zei ik. 'Ik heb een paar kinderen.'

'Nou, toch ben je te dik. Weet je, je hebt nu geen keus meer. Doe maar gewoon wat ik zeg.'

Inmiddels wist ik dat dit geen nachtmerrie was die ophield zodra ik wakker werd. Marianna zou niet komen om me lachend te vertellen dat het allemaal één grote grap was. Dit was echt. Ik begon mijn gevoel voor tijd kwijt te raken toen ik uur na uur in die ellendige kamer zat.

En dan kwamen er weer mannen om naar ons te kijken, soms twee, soms vier. Ik wist niet waar ze vandaan kwamen.

'Hm, zacht als kussens,' zeiden ze en ze grepen naar mijn borsten en mijn billen, knepen in mijn vlees. Voor hen was ik geen persoon, dat begreep ik wel.

'Maar kun je wel glimlachen?' vroeg er eentje terwijl hij me aankeek.

'Jawel,' antwoordde ik. En ik dwong mijn mondhoeken omhoog.

'Het lijkt wel alsof je me wilt vermoorden,' zei hij lachend en hij draaide zich om.

Hij had gelijk. Ik haatte ze allemaal. Steeds weer stond ik voor ze en ik wenste dat ik ze kon vermoorden, net zoals zij mij vermoordden. Ik werd niet verdrietig als die mannen me bekeken, maar woedend. Het was net alsof mijn hersens niet toelieten dat mijn hart zou weten wat me echt overkwam.

'Ze is dik, maar ze heeft een goed figuur en prachtige ogen,' zei Sveta als ze me bekeken. 'Ze kan een heleboel mannen plezieren.'

Het was wel duidelijk dat ze me toch wel zou verkopen, hoe boos ik ook was. Ze was een beroeps en niemand kon haar tegenwerken. Christine en Sabrina waren al vertrokken en nu waren alleen Vera en ik er nog, samen met een ander meisje dat net was aangekomen.

'Mannen zullen dol zijn op die ogen,' zei Sveta. 'Als ze die zien, willen ze niemand anders meer. Ze is op dieet en zal al gauw helemaal perfect zijn. Kijk eens naar die borsten...'

Niemand leek zich voor me te interesseren en toen de dagen zich aaneenregen, begon ik te hopen dat Sveta de moed zou opgeven en me zou laten gaan. Maar het leek wel alsof ze elke keer voelde dat ik dat dacht.

'Geloof me maar, ik zál je verkopen – wat er ook gebeurt.'

Het enige wat ik kon doen was huilen en wachten. Ik verzette me niet. Ik gilde niet. Dat had toch geen zin. Ik kon nergens naartoe, niets doen. Ik was een gevangene en ik wist dat ik niet kon ontsnappen voordat ik buiten was. Af en toe dacht ik eraan om een scheermesje uit de badkamer te pakken, een mes uit de keuken – om mezelf te verwonden, mezelf te doden om er maar een einde aan te maken. Maar dat stemmetje in me bleef fluisteren dat ik sterk moest zijn omwille van mijn kinderen.

'Hou op met huilen,' zei Sveta elke keer dat ze me opmaakte in een poging mijn rode wangen en ogen te camoufleren. 'Je zou er zo langzamer-hand aan gewend moeten zijn. Je bent hier nu lang genoeg om te weten dat je eens moet ophouden hier te zitten janken als een kind. Weet je, je kunt goed geld verdienen in deze business en er dan uit stappen.'

Na een week of zo kwam ik eindelijk buiten. Ze zeiden kortaf dat we ons moesten klaarmaken en dat we daarna zouden vertrekken. Ik begon hoop te krijgen toen ik de frisse lucht opsnoof. Sveta leek zenuwachtig toen ze ons mee naar buiten nam en ik bleef staan toen het zonlicht de donkere gang verlichtte die naar de voordeur leidde. Misschien kwam de politie er wel aan.

'Doorlopen,' siste ze en gaf me een duw.

Maar toen ik op de drempel stond, zag ik dat er een auto vlak voor de voordeur stond. Ernaast stond een man naar ons te kijken. Ik kon nergens naartoe. We werden in de auto geduwd, de portieren werden dichtgesla-gen en toen reden we weg.

Ongeveer tien minuten later kwamen we bij een ander flatgebouw aan en werden we naar een flat op de begane grond gebracht. Het was hier heel anders dan in Sveta's flat: schoon, licht, de woonkamer vol mannen en meisjes die op banken zaten en tv keken of met elkaar kletsten. Het ging er hier veel ontspannener aan toe dan bij Sveta, maar de bodyguards hier le-ken wel echte gangsters: gespierd en groot en met een kale kop. Toen een van hen zijn jasje uittrok, zag ik dat hij een pistool had.

'Hallo,' zei een blonde vrouw toen we de kamer binnenliepen. Ze droeg modieuze buitenlandse kleding, leek een jaar of veertig en rookte een lan-ge, duur uitziende sigaret. Zo te zien was ze rijk. 'Wil je iets eten?' vroeg ze en ze gebaarde naar de keuken. 'Ga daar maar naartoe en pak maar iets. Er staat eten op tafel.'

Ik ging ernaartoe.

'Niet te veel eten,' riep Sveta me achterna.

'Nee, nee, ze gaat haar gang maar,' hoorde ik de blonde vrouw zeggen. 'Het enige wat ze nodig heeft, zijn kleren en make-up.'

Toen ik gulzig in de keuken zat te eten, hoorde ik mensen met elkaar praten. Ook hoorde ik de voordeur open- en dichtgaan. Sveta was ver-trokken. Zou ik haar ooit weer terugzien? Ik raakte in paniek. Ik had ge-probeerd een soort band met haar op te bouwen in de hoop dat ze me zou laten gaan zodat ik kon proberen haar terug te betalen wat zij voor mij had betaald. Was dat nu zinloos geworden?

Even later nam de elegante blonde vrouw me mee naar haar slaapkamer. Daar hingen talloze jurken in een perfecte rij in de kledingkast en ze gaf me een witte broek en een wit topje die ik aan moest trekken. Toen er later een paar mannen kwamen, moest ik weer het bekende ritueel uitvoeren en voor hen paraderen. Deze keer hoefde ik mijn kleren niet uit te trekken, maar bleven ze praten en eten terwijl ik voor hen stond. Maar ook al was deze vrouw heel anders dan Sveta, toch wist ik dat ze een pooier was en dat we te koop waren. Zij was nu de baas.

Sveta kwam die avond terug en op een bepaalde manier was ik opgelucht toen ik haar zag. Zij was tenminste iets bekends in deze vreemde, nieuwe wereld waar ik me nu in bevond, ook al gaf ze niets om me. Toen bleek dat Sveta ons 's nachts zou bewaken en dat die blonde overdag probeerde ons te verkopen. Al snel wist ik hoe de prijzen lagen: ik zou hooguit duizend dollar opbrengen, maar een paar andere meisjes toch zeker drieduizend.

Ik hoorde ook hoe het andere meisje heette dat een paar dagen voor ons vertrek bij ons in Sveta's flat was aangekomen. Haar naam was Anna-Maria en ze was een zeventien jaar oude Roemeense. Ze was lang en slank, had kort asblond haar, een lang gezicht en een grote neus en mond.

De uren regen zich aaneen toen Vera, Anna-Maria en ik zaten te wachten, tv te kijken en te roken. Af en toe waren er ook andere meisjes, maar ik praatte niet veel met wie dan ook. In plaats daarvan sloot ik me af, net zoals ik vroeger altijd deed. Alleen 's nachts, als de anderen sliepen, bekeek ik mijn fotomapjes, ik voelde me verdrietig en liet mijn tranen de vrije loop.

'Mijn kindertjes,' fluisterde ik dan tegen de foto's van de kinderen. 'Wanneer zie ik jullie ooit weer terug?'

De derde ochtend kwam er een man die mij en Anna-Maria bekeek. Hij droeg een pak en leek een jaar of vijfendertig.

'Hoe oud is ze?' vroeg hij aan Sveta en hij knikte mijn kant op.

'Twintig,' loog Sveta.

'Hm, zo ziet ze er niet uit. Ze lijkt ouder.'

'Dat komt door het licht hier,' beweerde Sveta. 'Ze is prachtig. Kijk eens naar haar borsten, de beste van alle meiden hier. Ik geef je haar voor een koopje – wat denk je, duizend dollar?'

Ze begonnen over de prijs te ruziën en Sveta leek niets van de prijs af te willen doen. Ze had immers zevenhonderd dollar voor me betaald en ze moest er iets aan verdienen. Ze was immers een beroeps.

'Maar die wil ik wel,' zei de man en hij wees naar Vera.

Ik wist dat hij haar niet zou krijgen. Ze was al verkocht. Prachtige Vera, ze leek zo jong, zo bang – ik wilde haar wel beschermen. Ze was net een klein meisje dat geloofde dat ze een betere toekomst tegemoetging.

Later ging ik terug naar de slaapkamer en ik zat te roken toen Sveta de deur opendeed.

'Pak je spullen in,' zei ze. 'Jij en Anna-Maria moeten je klaarmaken. Je vertrekt.'

Ik was verkocht.

15

De gele gloed van de koplampen van een auto gleed over de bomen waar Anna-Maria en ik ons achter hadden verstopt. We hadden ongeveer een uur in een pikdonker bos staan wachten en hoorden kikkers kwaken en muggen zoemen. De auto stopte en er stapten twee mannen uit. Ze kwamen naar ons toe en schenen met een zaklamp in ons gezicht. Zwijgend trokken ze ons overeind en sleurden ons mee naar de auto. Ze gooiden ons op de achterbank en legden een stuk tentdoek over ons heen. De motor sloeg weer aan en toen reden we weg.

Ik werd woedend. Toen we over de snelweg reden, was de man die ons van Sveta had gekocht gestopt en in het donker verdwenen om een telefoontje te plegen. Anna-Maria en ik waren alleen. Dat was de kans waarop ik had gewacht vanaf het moment waarop ik bij Sveta was gearriveerd.

Maar toen de koplampen van de auto's op de snelweg onze auto vanbinnen verlichtten, had iets me ervan weerhouden om het portier open te doen. Ik zat doodsbenauwd naar de grendel te kijken, bang dat buiten iets engs op me wachtte. Ik voelde me verdoofd, en deed niets.

Toen ik zo onder het tentdoek lag, vochten woede en schaamte om voorrang. Wat was ik voor een moeder? Waarom was ik zo bang? Waarom was ik niet weggelopen toen ik de kans had? Het was hetzelfde liedje als vroeger: ik liet altijd maar toe dat mensen me pijn deden en deed er niets tegen.

Al gauw stopte de auto en gingen de portieren open. Het was helemaal donker toen we uitstapten, maar ik dacht dat we in een soort schuur waren. We zagen een andere man met een geweer over zijn schouder die gebaarde dat we een klein bijgebouwtje in moesten. Daar werden we naar een kamer gebracht met een eenpersoonsbed, een tafel en een kast, waarna de deur achter ons op slot ging. Zonder iets te zeggen, liet Anna-Maria zich op het bed vallen en viel in slaap. Ik was blij voor haar, maar kon mezelf niet ontspannen. Na die lange tijd van wachten was ik nu heel bang dat mijn reis echt was begonnen.

Een paar uur later kwam de man terug en smeet een trainingsjasje voor me op het bed. Ik droeg een zwarte broek en hoge hakken en hij drukte een vinger tegen zijn lippen terwijl hij gebaarde dat ik het jasje aan moest trekken en mijn spullen moest pakken. Kennelijk ging de reis weer verder. Ik pakte mijn kostbare koffer en maakte me klaar om met hem mee te gaan. De man maakte een zenuwachtige indruk toen hij ons de kamer uit leidde en mee naar buiten nam. Het was heel donker, maar toch kon ik zien dat we ergens boven in een dorp waren. Nadat we een paar huizen waren gepasseerd, liepen we langs een paar bijgebouwen en schuren vol hooi en zonnebloemen. We moesten heel vlug lopen, en af en toe hield de man stil om te luisteren. Zijn nervositeit sloeg op me over, ik rende als hij rende, rustte als hij rustte, en toen we eenmaal buiten de bebouwde kom waren, leek het wel alsof we altijd maar door zouden lopen. Mijn koffer was klein, maar voelde al snel heel zwaar. Toch kwam het niet in me op hem achter te laten. Al snel realiseerde ik me dat ik de man nooit zou kunnen bijhouden als ik mijn pumps aanhield en dus trok ik ze uit. Ik rende achter hem aan, voelde het natte, scherpe gras tegen mijn schenen en stenen en wortels onder mijn voeten. Maar ik voelde geen pijn; het enige wat ik tijdens mijn ontsnapping kon horen was mijn razende hartslag.

Het leek wel uren later toen we bij een hek met prikkeldraad kwamen. De man leek nu nog nerveuzer en ik dacht dat we bij de grens waren, misschien de grens met Servië. Hij hield het draad voor ons omhoog, zodat Anna-Maria en ik onze koffers erdoor konden schuiven en erachteraan konden kruipen. Zodra we veilig de grens over waren, liepen we nog even door en gingen toen in het donker zitten om op adem te komen. Onze bewaker zat met gekruiste benen naast ons, nog steeds op zijn hoede, met zijn pistool stevig in zijn handen, en keek aandachtig om zich heen.

Opeens hoorden we een kreet en een geluid alsof er hagel langs ons heen suisde. Ik keek omhoog om te zien wat dit onverwachte geluid had veroorzaakt, maar de man sprong op.

'Rennen!' riep hij. Hij trok ons overeind en begon te rennen.

Weer hoorde ik dat geluid en ik realiseerde me dat er op ons werd geschoten. Ik klemde mijn koffer tegen mijn borst en rende snel achter onze bewaker aan, maar ik raakte in paniek en struikelde. Anna-Maria probeerde me overeind te helpen, maar toen vlogen de kogels ons om de oren en cirkelde er een fel licht boven onze hoofden. Ik had geen idee waar dat licht vandaan kwam, maar bleef niet staan om achterom te kijken. Anna-Maria was zo snel, zo sterk, en ik strompelde achter haar aan en probeerde haar bij te houden.

Terwijl ik rende, zag ik in gedachten de gezichtjes van mijn kinderen. Ik moest in leven blijven.

We kwamen bij een akker vol zonnebloemen waar we snel op de grond gingen liggen toen het licht over ons heen zwaaide. Toen stonden we vlug weer op en begonnen weer te rennen. De zonnebloemen sloegen me in het gezicht toen ik ertussendoor rende en het gewicht van mijn koffer zorgde er steeds weer voor dat ik bijna mijn evenwicht verloor.

Geweerkogels vlogen ons om de oren, het licht cirkelde om ons heen en mijn hart ging als een razende tekeer. Ik dacht niet meer na, rende alleen maar en probeerde wanhopig de kogels te ontwijken. Toen we – uren later leek het wel – het einde van de akker bereikten, was het licht verdwenen en stierven de geluiden achter ons weg. We vertraagden onze snelheid tot we in een gewoon wandeltempo liepen en gingen zitten toen we bij een rij bomen kwamen.

Niemand zei iets toen we uitrustten. Ik had geen idee waar we waren, maar ik nam aan dat het Servië was. Het was de volgende fase van een reis waarvan ik niet wilde weten waar die zou eindigen.

16

Ik keek verbaasd op toen de bewaker onze kamer binnenkwam. Een paar minuten eerder had ik geprobeerd het raam open te krijgen en ik vroeg me af of hij iets had gehoord.

'We kunnen ontsnappen,' had ik tegen Anna-Maria gesist. 'Help me hem open te krijgen.'

Ze had me niet verstaan, maar hielp me glimlachend mee aan de grendel te trekken. Maar het had geen zin. Het raam zat op slot, net als alle ramen daarvoor. Toen ze mijn blik zag, realiseerde Anna-Maria zich wat ik had willen doen. Ze leek verbaasd. Alsof ze zelf niet eens aan ontsnappen had gedácht.

Nadat ze ons in het bos weer te pakken hadden gekregen, waren we naar een verlaten hotel gereden waar een bodyguard ons opwachtte en naar een kamer bracht. Buiten op straat hoorde ik voetstappen, auto's en stemmen, maar we zaten alweer gevangen – nu onder de hoede van alweer een onbekende man.

Ik keek hem aan toen hij de kamer binnenkwam met een kalasjnikov over zijn schouder.

'Wil je iets eten?' vroeg hij.

'Oké,' zei ik en ik keek snel even naar Anna-Maria toen hij me de kamer uit liet en haar weer opsloot.

We gingen naar beneden, naar een bar. In het midden stonden een biljart met een kleine ronde verhoging eromheen en ongeveer vijftien tafels. Het rook er naar verschaald bier en oude wijn, en de vloer plakte onder mijn schoenen. Boven de bar hing een enorme foto van vrouwen die een korset droegen, veren in hun haar hadden en om een man heen stonden.

'Zij dansen hier,' zei de bodyguard toen ik ernaar keek.

'Waar zijn ze nu dan?' vroeg ik.

'We zijn gesloten.'

Hij nam me mee naar een keuken waar het net zo smerig was als in de bar. Ik vond een theedoek en een stukje zeep en maakte een hoekje van het aanrecht schoon voordat ik naar de koelkast liep. De geur van rottend vlees knalde in mijn gezicht toen ik de deur opendeed. Ik smeet een stuk slijmerige biefstuk in de afvalbak en pakte toen twee tomaten, een komkommer en een stukje feta.

'Is dat alles?' vroeg de bodyguard toen ik zijn deel voor hem neerzette.

'Meer is er niet.'

Grommend at hij zijn karige lunch op. Ik zat tegenover hem en at mijn eigen deel. Ik at langzaam en genoot van de smaak van de tomaten en de zoute kaas op mijn tong. Sveta zou tevreden zijn, dacht ik grimmig. Ik verloor heel veel gewicht doordat ik de laatste tijd zo weinig te eten had gekregen.

Toen we klaar waren met eten, nam ik wat eten voor Anna-Maria mee naar de kamer. Ze lag op het bed in het niets te staren toen ik binnenkwam. Ze had haar armen om haar knieën geslagen. Ze had niet veel tegen me gezegd, maar ik wist dat ze voor haar oude, zieke moeder en een jong broertje moest zorgen. Hoe beter ik haar leerde kennen, hoe duidelijker ik begreep dat ze de verstandelijke vermogens had van een klein kind.

Ik ging naast haar op het bed zitten en pakte mijn fotomapjes.

'Jouw kinderen, jouw ogen,' zei Anna-Maria toen ze naast me kwam liggen. 'Prachtig.'

In het halfdonker lag ik naar de foto's te kijken en voelde dat ik tranen in mijn ogen kreeg. Ik was zo moe, zo ver bij alles wat ik kende vandaan, en begon te huilen. Ik probeerde mijn snikken in te houden en drukte het kussen tegen mijn mond om het geluid te smoren.

'Ik hou van jullie,' fluisterde ik tegen de foto's. 'Jullie zijn het enige geluk dat ik ooit heb gekend.'

Anna sloeg haar armen om me heen, maar terwijl ik probeerde in te slapen, kon ik mijn gedachten niet stilzetten. Ik wist het nog allemaal: hoe ik mijn kinderen welterusten kuste, hen knuffelde als ze sliepen, luisterde naar hun ademhaling en keek naar de glimlach op hun slapende gezichtjes, hun kleine beentjes, hun voetjes, hun vingertjes, de moedervlekjes op hun armen en de sproeten op hun gezichtjes. Elke herinnering aan hen deed pijn en in gedachten herhaalde ik steeds die ene vraag: hoe kan iemand me redden als niemand weet dat ik gevangenzit?

De slaapkamerdeur ging open en iemand zei: 'Hallooo.'
Het was onze tweede dag in dit vreemde, stille hotel. Eerder waren we bekeken door drie mannen en ik had er geen goed gevoel bij gehad. Ze waren alle drie achter in de twintig of begin dertig, en twee van hen leken wel kleine jochies: ze giechelden en maakten grapjes toen ze ons bekeken. Nu zagen we dezelfde drie mannen in de deuropening staan. Zo te zien waren ze dronken.

Een van de mannen keek me aan en zei: 'We willen dat je met ons meekomt.'

Hij was me al eerder opgevallen omdat hij het gezicht van een filmacteur had, maar ik walgde van hem omdat hij in zijn neus had zitten pulken toen hij naar me keek. Nu keek ik hem aan, onzeker. Ik zag dat hij een pistool in zijn riem had.

'Kom op,' zei hij en hij trok me met zich mee.

De mannen namen me mee de gang op en openden de deur naar een andere slaapkamer. In het midden stond het grootste bed dat ik ooit had gezien. Ik bleef in de deuropening staan. Ik wilde niet naar binnen.

'Doorlopen,' zei een stem. Ik voelde een vuist in mijn rug. Iemand duwde me naar voren.

'Ik wil met je praten,' zei de knappe man toen hij de deur achter me had gesloten. Hij had een lage stem, een knap gezicht en de manieren van een varken. 'Mijn vriend is cameraman en we willen een film maken.'

Hij opende de deur van de kledingkast en ik zag twee filmcamera's op een statief. De man haalde ze eruit en zette er een voor de deur en de andere voor het bed.

'Oké,' zei hij. 'Trek je kleren langzaam uit.'
Ik keek hem aan en voelde dat ik begon te trillen.
'We gaan je neuken en dan word je beroemd,' zei hij met een glimlach.
'Nee!' schreeuwde ik. 'Dat wil ik niet!'
Ik begon te huilen en smeekte hem me niet te dwingen, maar opeens sloeg iemand zijn armen om me heen en begon aan mijn kleren te trekken. Ik verzette me. Maar hoe hard ik ook schreeuwde en hoe hard ik ook schopte, ze lieten me niet los.

'Hou op,' zei plotseling een stem. Toen ik opkeek, zag ik de derde man in een van de stoelen zitten.

'Wil je een sigaret?' vroeg hij. Zijn vrienden lieten me los.

Ik liep naar hem toe en pakte een sigaret. Ik trilde toen hij me vuur gaf.

'Waar zijn jullie mee bezig?' vroeg hij aan zijn vrienden. 'Dat doe je niet met een vrouw. Als je wilt dat ze iets doet, moet je het haar vragen. Je kunt haar niet verkrachten; dat is niet fijn.'

Ik ging naast de rustige man zitten in de hoop dat als ik bij hem in de buurt bleef de anderen me met rust zouden laten. Ze leken naar hem te luisteren, kennelijk had hij de leiding.

De mannen begonnen snel met elkaar te praten en ik staarde naar de sigaret in mijn hand. Ik wilde dat het een mes was. Ik wilde mezelf de keel doorsnijden of uit een van de ramen springen, het donker in en op de harde zwarte stenen op de grond vallen. Ik wilde dood. Maar ik kon me niet bewegen.

De kinderen, zei een stemmetje in mijn hoofd.

De knappe man liep naar me toe. 'Kom maar, we laten je met rust, hoor,' zei hij met een glimlach om zijn lippen. 'Het was maar een grapje. We bedoelden het niet zo. Het was gewoon voor de lol.'

Zwijgend brachten ze me terug naar mijn slaapkamer en ze deden de deur weer open.

'Alsjeblieft,' zei de rustige man en hij gaf me een pakje sigaretten. Toen deden ze de deur weer op slot.

17

De volgende ochtend kwam de bodyguard naar onze kamer met de mededeling dat we gingen vertrekken. Anna had niets om in te pakken, maar ik stopte mijn weinige bezittingen in mijn koffer. Als laatste pakte ik de fotomapjes.

'Die neem ik wel,' zei de bodyguard en hij liep naar me toe.

'Nee, alsjeblieft,' riep ik. 'Ik heb ze nodig. Ik moet ze hebben.'

'Dit is jouw garantie,' zei hij. 'We hebben je paspoort en nu ook deze mapjes; dan weten we zeker dat je niet zult ontsnappen. Je krijgt ze later wel terug.'

Ik snikte toen ze ons naar buiten brachten en in een auto zetten. In de auto zat een kleine, dikke man met grijs haar en blauwe ogen te wachten. Hij keek naar Anna en mij toen we instapten, maar ik zag hem niet. Ik kon alleen maar denken aan mijn foto's. Ik had ze nodig om me eraan te herinneren dat er nog een andere wereld was, een wereld die op me wachtte en waar ik naar terug moest keren. Het enige wat me op de been had gehouden, was het idee dat ik moest ontsnappen, terug naar mijn kinderen.

Na een urenlange rit kwamen we bij een flatgebouw. De man nam ons mee naar boven, naar een appartement op de zevende verdieping. In de hoek van de woonkamer met open keuken lag een smerige matras en nog eentje in een lege kamer naast de grote hal.

Ik vroeg of ik een bad mocht nemen en de man wees me de weg. Toen ik terugkwam, lag Anna op de matras tv te kijken.

'Waar is iedereen?' vroeg ik.

'Weg,' zei ze.

Ik liep blindelings naar de voordeur; ik wist wel dat hij op slot was, maar ik wilde toch kijken of er misschien een wonder was gebeurd. Dat was niet zo. Alweer was ik omringd door afgesloten deuren en deze man had waarschijnlijk net als de anderen een pistool. En bovendien, wat moest ik doen als ik al kon ontsnappen? Ik wist niet waar ik was en ik had geen geld en geen paspoort. Ik zou nooit thuis kunnen komen en bovendien zou de politie heus niets doen voor iemand die zo stom was als ik.

Ik lag naast Anna naar het tv-scherm te staren zonder iets te zien toen de man een paar uur later terugkwam.

Hij liep naar het voeteneind van de matras en zei tegen mij: 'Kom mee.'

Ik keek naar hem op en vroeg: 'Waarom?'

'Omdat ik je leuk vind.'

Ik bleef hem aankijken.

'Ik hou niet van magere meisjes,' zei hij glimlachend. 'Ik hou van meisjes zoals jij, grote borsten, dikke kont.'

'Alsjeblieft, ik wil niet,' fluisterde ik en begon te huilen. Maar ik wist heel goed dat hij zou nemen wat hij wilde.

'Maar ik zal heel lief voor je zijn,' zei hij. Hij bukte zich en pakte mijn hand. 'Wees maar niet bang.'

Hij trok me overeind en nam me mee naar de hal. Toen duwde hij me een slaapkamer binnen en deed de deur dicht. Ik stond voor hem, ik wist niet wat ik moest doen of hoe ik weg kon komen.

'Schiet op.' Hij schreeuwde dit bijna en duwde me op de matras.

Hij torende boven me uit en trok zijn kleren uit: een vieze broek, ondergoed, T-shirt. Toen bukte hij zich en haalde een condoom uit zijn broekzak.

'Maak je maar geen zorgen, we zullen het snel doen,' zei hij en hij boog zich naar me over. 'Kleed je maar uit.'

Ik voelde me misselijk worden toen ik probeerde overeind te gaan zitten.

'Laat me alsjeblieft met rust,' smeekte ik. Ook al wist ik dat er niets aan te doen was, ik probeerde er toch onderuit te komen.

'Hou op,' riep hij. 'Schiet nou maar op.'

Hij drukte me weer neer en begon aan mijn bh en mijn slipje te trekken. Hij lag met zijn hele gewicht op me en toen ik hem van me af probeerde te duwen, voelde ik overal haar: op zijn borst, op zijn rug en op zijn armen.

'Niet doen, ik wil het niet,' smeekte ik en ik voelde de tranen langs mijn wangen stromen.

Maar hij bleef aan me trekken en plukte aan mijn broek terwijl ik onder hem vandaan probeerde te komen. Opeens voelde ik zijn vingers pijnlijk in de zachte huid rondom mijn mond prikken en hij trok me dichter tegen zich aan. Ik rook alcohol.

'Het is beter voor je als je niet beweegt,' zei hij schor. 'Als je beweegt, doe je jezelf pijn. Als je stil blijft liggen, voel je niets.'

Weer drukte hij me neer, hij trok mijn benen uit elkaar en overal voelde ik zijn tong: hij likte mijn gezicht, nek en schouders. Ik zag slierten wit speeksel uit zijn mond komen, alsof hij een hond was, en rook zijn smerige, zweterige lichaam toen hij me neerdrukte.

Opeens stond hij op en begon het condoom om te doen. Ik probeerde op mijn knieën te gaan zitten, maar door mijn half uitgetrokken slipje waren mijn bewegingen onzeker en traag.

'Ontspan je, rustig aan,' riep hij en greep me bij mijn haar. 'Je komt toch in deze business, dus je kunt er maar beter aan wennen. Iedereen gaat je neuken en niet iedereen zal zo geduldig met je zijn als ik.'

Weer rustte hij met zijn hele gewicht op me. Hij hield mijn haar stevig vast om te voorkomen dat ik me bewoog. Toen rolde hij me op mijn buik en trok me omhoog, zodat ik op handen en knieën zat. Hij knielde achter me en stootte diep bij me naar binnen. Het deed pijn, tot diep in mijn buik, en ik klemde mijn kaken op elkaar. Hij zei niets, maar hij ademde zwaar, hijgde en stonk als een beest. Toen hij klaar was, keek hij op me neer.

'Dank je wel.'

Ik voelde een kus op mijn voorhoofd. Toen stond hij op en verliet de kamer. Stilletjes stond ik op en liep naar de badkamer. Ik draaide de koudwaterkraan van de douche helemaal open en begon mijn huid te boenen. Ik wilde mijn huid er wel af wassen, hem helemaal van mijn lichaam trekken, want hoe hard ik ook boende, ik zou nooit weer schoon worden. Ik zag dat ik onder de bijtwondjes zat en zag het begin van allemaal blauwe plekken op de plaatsen waar de man me had vastgehouden. Mijn buik deed pijn doordat hij zo ruw bij me naar binnen was gedrongen. Maar toen ik eraan dacht wat er was gebeurd, voelde ik het amper, zijn handen, zijn haar, zijn lippen. Het was net als vroeger. Wat was ik toch stom geweest om te denken dat dit allemaal voorbij was toen Sergey weg was. Nu wist ik dat het nooit voorbij zou zijn.

18

Het is moeilijk om me de gezichten voor de geest te halen van alle mannen aan wie we steeds werden doorverkocht. Wat ik nog wel weet, zijn flarden van gesprekken. Ik herinner me bijvoorbeeld dat de grijsharige man die me had verkracht, ons de volgende dag aan twee andere mannen verkocht. Die mannen namen ons mee naar een station.

'Mag ik nu mijn paspoort en mijn fotomapjes terug hebben?' vroeg ik aan een van hen. Ik had gezien dat de grijsharige man mijn koffertje had overhandigd.

'Nee,' antwoordde hij. 'Dat is onze garantie dat je niet weg zult lopen, omdat je weet dat we weten waar jij en je kinderen wonen. We kunnen je niet vermoorden omdat we je moeten verkopen, maar we kunnen hen wel straffen. Begrijp je dat?'

Het voelde alsof er een kettingslot om mijn hart dichtklapte. Nu wist ik dat ik nooit weg zou kunnen lopen omdat er iets met mijn kinderen kon gebeuren als ik dat wel deed. Angst is een soort kooi die je met onzichtbare tralies gevangenhoudt en daarom durfde ik niet te gillen of weg te rennen, zelfs niet op dat treinstation waar allemaal normale mensen waren. Ik was gewoon te bang. Ik had het gevoel dat ik niet langer de baas was over mijn eigen lichaam. Mijn hele leven al hadden mensen met me gedaan wat ze wilden, en nu gebeurde dat alweer.

Niet lang daarna werden Anna-Maria en ik op een trein gezet. Toen we een grensovergang overgingen, verstopte de conducteur ons in zijn hokje. In de duisternis en op het ritme van de rijdende trein had hij seks met me en ik liet het toe. Ik kon me niet meer verzetten.

Denk aan je kinderen, bleef dat stemmetje in mijn hoofd fluisteren.

Ik had geen idee waar we vandaan kwamen of waar we naartoe gingen. Toen de trein eindelijk stopte, werden we opgewacht en naar een hotel gebracht waar een andere man ons ophaalde en naar een huis bracht. Het voelde bijna als een opluchting toen we daar aankwamen. Het was een huis in een dorp, maar er lagen kleden op de vloer en er was een oude vrouw die naar ons glimlachte. Er was ook een jongere vrouw, de zus van de man of zijn vrouw, en twee kleine kinderen – een meisje van een jaar of drie en een jongen van een jaar of acht.

Hier kan ons niets slechts overkomen. Hier woont een gezin, dacht ik toen de man ons naar een slaapkamer had gebracht en ik voor het raam naar buiten stond te kijken. Ik zag een tuin met gele bloemen en fruitbomen.

Maar later, toen Anna-Maria weg was om zich te wassen, kwam de man de kamer in en trok zijn broek uit.

'Nee,' zei ik.

Ik had geen idee wat voor taal hij sprak, maar iedereen weet wat dat woord betekent.

'Nee, nee, nee,' herhaalde ik. Maar de man trok zich er niets van aan en duwde me op het bed. Ik schreeuwde, maar hij sloeg zijn hand voor mijn mond. Ik vond het verschrikkelijk toen ik me realiseerde dat die twee vrouwen aan de andere kant van de deur niets deden toen ik begon te gillen.

Vanuit het huis in het dorp werden we naar een schuur op het platteland gebracht en kregen we gezelschap van een Roemeens zigeunermeisje. Daar werden we een paar dagen vastgehouden en kwam er een einde aan het geluk van Anna-Maria. Tot dan toe had iedereen zich voor mij geïnteresseerd, maar nu namen ze haar ook te grazen. Op een avond namen twee mannen haar mee en toen ze terugkwam, was ze stil en suf. Ze ging in elkaar gedoken en met opgetrokken knieën op bed liggen. Ze huilde niet en ik begreep wel waarom.

Toen er bijna een week verstreken was, kwamen er nog meer vreemde mannen. Deze keer in een dure auto. We kregen zwarte kleren die we moesten aantrekken. Daarna werden we in de auto gezet en reden de bergen in. Toen de auto eindelijk stopte, werden we de auto uit gejaagd en moesten we een steile berg af lopen. Inmiddels was het nacht en zo donker dat ik Anna-Maria die voor me liep amper kon zien. Het Roemeense zigeunermeisje liep achter me.

Na een lange wandeling kwamen we bij de rand van een bos. Daar zag ik een kiezelstrandje langs een rivier. Er lag een boot te wachten. We moesten erin klimmen en op de bodem gaan zitten. Ik hoorde een paar mannen praten, maar ik kon hun gezichten niet zien. Het was te donker.

Hoeveel van dit soort vreemde, verbijsterende reizen zou ik nog moeten maken? Waar gingen we nu naartoe? Ik kreeg het vreemde idee dat als we maar lang genoeg door bleven gaan, ik uiteindelijk thuis zou komen, maar dat was natuurlijk belachelijk. Pas maar op, zei ik tegen mezelf. Laat je niet gek maken door die lui. Alleen als je een helder hoofd houdt, zul je ooit weer naar je kinderen terug kunnen gaan.

Na een tocht van ongeveer een halfuur meerde de boot aan bij een pier. We stapten uit de boot en in een gereedstaande auto. Drie uur later, na een rit door de bergen en over snelwegen, stopte de auto voor een groot hotel. We waren op onze bestemming gearriveerd.

Het hotel was luxer dan welke plek hiervoor ook. Er hingen mooie schilderijen aan de muren en er lagen dikke kleden op de vloeren. Hoewel ik niemand zag toen we naar boven werden gebracht, voelde ik toch dat er andere mensen in de buurt waren. De deuren van de kamers hadden kijkgaatjes; van die gaatjes waardoor je vanuit je kamer op de gang kunt kijken. Ik wist zeker dat er mensen waren achter die deuren.

Maar wie waren er aan de andere kant? En waarom?

We werden naar een kamer gebracht en konden eindelijk gaan slapen.

19

'Opstaan,' zei iemand. Toen ik mijn ogen opsloeg, zag ik drie mannen staan bij het voeteneind van het bed waarop Anna-Maria, het Roemeense zigeunermeisje en ik hadden liggen slapen.

Twee van de mannen waren jong en hun ogen straalden die kille macht uit die ik deze reis al zo vaak had gezien. De derde man was oud, lang en slank en had kort, grijs haar en groenbruine ogen. Hij droeg een smerig overhemd en een zwarte broek die grijs was van het stof. Om zijn hals had hij een gouden ketting met een islamitische maan en sterren erop en op zijn rechterbovenarm een tatoeage van een meisje.

'Kom op,' zei hij. 'Tijd om op te staan.'

Toen Anna-Maria en het Roemeense meisje rechtop zaten en in hun ogen wreven, begon hij met hen te flirten.

'Vertel eens, hoe oud ben je? Waar kom je vandaan?'

De jongere mannen stonden naast hem te glimlachen – af en toe raakten ze de meisjes even aan, alsof ze in een winkel een artikel bekeken. Ik werd misselijk toen ik naar die drie mannen keek en ik stond op en liep naar de badkamer om mijn gezicht te wassen. Ik had een barstende koppijn en hoopte dat ik zou opknappen van het koude water.

'Hé,' zei de oude man toen ik de slaapkamer weer in liep. 'En wie ben jij?'

'Ik heet Oxana, geen hé,' zei ik koud.

Ik was doodziek van al die mannen die ons als een stelletje dorpsgekken behandelden. Het kon me niets schelen wat ze konden doen. Wat kon het mij schelen? Wat konden ze nog meer van me afpakken?

De oude man schoot in de lach. 'O, is dat zo, Oxana? Waar kom je vandaan?'

'Oekraïne.'

'Talen?'

'Russisch en Turks.'

'Nou, ik ben Serdar,' zei hij. Toen vuurde hij in het Turks een serie vragen op me af: hoe oud ik was, waar ik in Turkije had gewoond, of ik Istanbul goed kende enzovoort. Ik begreep wel dat hij me op de een of andere manier aan het testen was. Daarom gaf ik overal antwoord op en het leek wel alsof mijn antwoorden hem intrigeerden. Hij grijnsde naar me en hij keek me zo vriendelijk aan als nog niemand tijdens deze lange, gruwelijke reis had gedaan. Ik probeerde zelf ook een vraag te stellen; de vraag waarop ik dolgraag antwoord wilde hebben. Ik was ervan overtuigd dat ik, als ik hier niet snel antwoord op kreeg, helemaal door zou draaien.

'Waar zijn we?' vroeg ik.

'In Shkodra in Albanië.'

Mijn maag keerde zich om. Ik wist niet eens waar dat lag.

Serdar keek me aan. Iets in mijn gezicht leek zijn sympathie op te wekken. 'Wil je wat eten?' vroeg hij.

'Ja, graag.'

Hij vertaalde de menukaart voor ons. 'Zeg maar waar je zin in hebt.'

We bestelden wat te eten en ik kon niet wachten tot ik het lamsvlees en de rijst die ik had besteld naar binnen kon schrokken. Maar toen het eten binnen werd gebracht, lieten ze de deur naar het vertrek ernaast openstaan zodat we naar binnen konden kijken. Toen had ik opeens geen honger meer.

De kamer ernaast zat vol meisjes – dikke, dunne, lange, kleine, blonde, donkere – sommige meisjes zaten op een bed en aten fruit terwijl andere rookten en praatten. Het leek wel alsof ze allemaal dezelfde taal spraken, elkaar konden verstaan. Toen ik naar hen keek, voelde ik me opeens bang en eenzaam. Daar waren die kijkgaatjes dus voor: om de goederen te kunnen uitkiezen.

Ik werd bang toen ik naar die meisjes keek, maar ik verlangde er tegelijkertijd naar om bij ze te zijn. Misschien zou ik daar een vriendin vinden. Ik bleef maar naar die kamer kijken in de hoop dat iemand van hen zou opkijken en mijn blik zou vangen, naar me zou glimlachen en me zou zeggen dat ik niet alleen was. Maar niemand deed dat.

We aten ons eten op, de eerste echte maaltijd sinds dagen, en ik merkte dat mijn krachten terugkwamen.

'Goed zo, je eet goed,' zei Serdar glimlachend. Hij stond op om te vertrekken en de beide jongemannen gingen beschermend naast hem staan. Hij keek naar me, hij keek me recht aan. 'Ik kom terug,' zei hij.

De deur ging dicht en toen kon ik niet langer in de kamer ernaast kijken. Ik kon alleen maar op het bed gaan liggen en me afvragen wat er nu zou gaan gebeuren.

Een paar uur later kwam Serdar terug. Hij droeg schone kleren en rook naar zeep. 'Kom,' zei hij.

Ik liep met hem mee naar beneden, naar een bar waar twee bodyguards, gewapend met pistolen, op ons stonden te wachten. Het was een prachtig vertrek, waar zwarte tafels stonden met rode kleden eroverheen. Ernaast was een restaurant vol met mannen. We gingen aan een tafel zitten en Serdar bestelde koffie en sigaretten voor me. Ik was zenuwachtig omdat hij mij had uitgekozen. Hij zou wel uit honderden vrouwen kunnen kiezen. Waarom zou hij mij uitkiezen?

'Ik zie wel dat je hier niet wilt zijn,' zei hij zacht. De bodyguards zaten een eindje bij ons vandaan en konden ons niet horen. 'Dat zag ik aan je blik, meteen toen ik je zag.'

'Ja,' zei ik langzaam. Ik moest oppassen met wat ik zei. Ik zag wel dat Serdar een belangrijke man was en ik wilde hem niet beledigen.

'Maar je bent anders dan de anderen,' zei hij. 'Die anderen willen hier allemaal zijn, weten waar ze naartoe gaan, niemand heeft hen ergens toe gedwongen. Ze hebben allemaal problemen die ze moeten oplossen.'

Ik keek hem aan. Ik kon niet geloven wat hij zei. Zelfs al dachten een paar van deze vrouwen dat ze wisten wat ze gingen doen, dan hadden ze nog niet kunnen weten dat er pistolen waren, sloten op de deuren of kijkgaatjes waardoor ze werden bekeken. Ze waren gevangenen. Wie zou daar zelf voor kiezen?

'Jij komt uit Turkije,' zei hij. 'Daar wonen vrienden van me en familieleden. Laten we over Turkije praten.'

Was dat de reden waarom hij een band met me voelde? Dacht hij door mij aan een beter leven, waarin niemand wist wat voor werk hij deed? Was hij misschien een heel klein beetje bang dat ik ooit een keer een kopje koffie had gedronken met een tante of een nichtje van hem? En realiseerde hij zich heel even dat ook zij vrouwen waren, net als de vrouwen waar hij in handelde? Moest hij me misschien apart zetten van de kudde, zodat hij net kon doen alsof hij helemaal geen slechte dingen deed?

Een tijdje praatten we over Turkije en toen riep Serdar er een paar mannen bij. Terwijl hij met hen praatte, bleef ik zwijgen, ik dronk mijn koffie en rookte een sigaret. Heel even was het net alsof het leven weer normaal was: een avondje uit in een leuke bar met een paar vrienden. Alsof ik een gewone vrouw was met een gewoon leven.

Een uur later ongeveer stond Serdar op om te vertrekken. 'Dank je wel, Oxana. Ik vond het een prettige avond. Wil je iets hebben? Kleren, toiletartikelen?'

Ik glimlachte. 'Dat zou fijn zijn.'

'Dan regel ik iets voor je.' Een bodyguard kwam naar ons toe om me naar boven te brengen. Hij droeg een pistool in een holster. 'Goedenacht, Oxana. Ik zie je morgen.'

'Je hebt heel veel geluk, weet je,' zei mijn bewaker toen hij de deur naar een nieuwe kamer opende.

'Waarom zijn we hier?' vroeg ik. 'Waar is Anna-Maria en hoe zit het met mijn oude kamer?'

'Dat bedoel ik dus. Je hebt een eigen kamer gekregen. Omdat Serdar je aardig vindt en dat is goed.'

'Maar waarom...?'

'Begrijp je het dan niet? Hij is een maffia-papa, onze baas, de baas van alles hier in dit hotel.'

Een kille rilling kroop door mijn lichaam. Ik wilde niet alleen zijn in deze kamer, uitgezocht door Serdar en gescheiden van de andere meisjes. Ik wilde onzichtbaar zijn, zoals zij.

De volgende dag bracht ik alleen op mijn kamer door. Die dag kreeg ik één bezoeker, een bodyguard die me een tas vol toiletartikelen, zeepjes en shampoos bracht, plus nog wat schoenen en kleren. De meeste kleren en één paar schoenen pasten me.

'Serdar komt straks,' zei de bodyguard met een grijns. 'Maak je dus alvast maar klaar.'

Het voelde vreemd om mezelf klaar en mooi te maken. Binnen een paar minuten – zo voelde het tenminste – was ik uit een smerige schuur, zonder eten, met smerige kleren en pijnlijke voeten terechtgekomen in een comfortabele hotelkamer met een bad en een bed voor mezelf en nu maakte ik me klaar om een avond door te brengen met een maffiabaas.

Serdar kwam samen met zijn bodyguards, die nooit van zijn zijde leken te wijken.

Hij bekeek me en zei: 'Heel aardig. Nu gaan we iets eten.'

We reden naar een restaurant niet ver van het hotel en dineerden als een gewoon stel, behalve dan dat de beide bodyguards ons vanaf een tafeltje in de buurt in de gaten hielden. Serdar liet me van alles over mezelf vertellen en ik begon me te ontspannen door zijn warme aandacht en het plezier dat hij kennelijk aan mijn gezelschap beleefde. Het drong al snel tot me door dat het een goed idee was om aardig tegen hem te zijn. Hij had duidelijk macht – misschien was hij in staat om me te helpen naar huis te komen, naar mijn kinderen, als hij me aardig genoeg vond.

Die avond gingen we pas laat terug naar het hotel. Eindelijk mochten de bodyguards vertrekken en daarna ging hij met me mee naar mijn slaapkamer. Toen hij me tegen zich aan trok en me begon te kussen, sloot ik me af, zoals ik al zo vaak had gedaan. Hij mocht alles met me doen wat hij wilde; liever op deze manier dan met kracht en geweld. Ik wist dat het hem genoegen zou doen als het leek alsof ik het fijn vond, en als ik hem een genoegen deed, was hij misschien wel mijn ticket naar huis.

Toen ik de volgende ochtend wakker werd, was Serdar verdwenen. Nadat ik me had gewassen en aangekleed, ontdekte ik dat de deur niet op slot zat. Ik stapte de gang op.

Waar is Anna-Maria? vroeg ik me af. Ik wilde haar zoeken, maar ik wist niet meer waar die andere kamer was.

Toen hoorde ik de bodyguards aan het andere eind van de gang en wilde hen niet tegen het lijf lopen. Ik ontdekte een deur die niet op slot zat en zag andere vrouwen in die kamer. Ze leken op de vrouwen die ik had gezien op de avond waarop we waren gearriveerd. Ik liep omzichtig naar binnen. Er waren een stuk of zes meisjes, eentje lag op een van de bedden, half in slaap. Een paar andere zaten rustig met elkaar te kletsen en te roken en weer een andere zat een verfrommeld tijdschrift door te bladeren. Niemand keek op toen ik binnenkwam.

Ik ging zitten. De kamer hing vol rook en niemand leek me te zien, laat staan dat iemand iets tegen me zei, maar ik vond het prettig om weer onder de mensen te zijn. Al snel ontdekte ik een vrouw die in haar eentje zat. Ze had rode ogen en rookte een sigaret en ik voelde medelijden met haar toen ik zag dat ze zwanger was. Ze keek op en ving mijn blik. Ik glimlachte.

'Hoeveel maanden?' gebaarde ik.

'Vier,' antwoordde ze in het Russisch.

Ik probeerde iets aardigs te zeggen. 'Ik weet hoe je je voelt; ik heb zelf drie kinderen. De eerste weken zijn het ergst, vind je niet?'

Ze glimlachte zwakjes naar me en legde haar hand op haar buik. 'Ik ben verschrikkelijk misselijk geweest, gruwelijk gewoon! Nu gaat het een stuk beter.'

We zaten een tijdje te kletsen en ze vertelde me dat ze een paar maanden geleden in Serdars hotel was gekomen en heel goed begreep dat ze als prostituee moest gaan werken.

'Mijn familie is heel arm,' zei ze. 'Mijn moeder is ziek. We hebben het geld dringend nodig. En dus besloot ik dat dit de beste manier was om geld te verdienen. Ze wilden me naar Italië sturen om te werken, maar toen werd ik zwanger van Vlad. Hij is een van de bewakers, ken je hem? En nu kan Serdar me niet verkopen.' Haar ogen vulden zich met tranen. 'Ik ben doodsbang dat hij me naar huis zal sturen. Mijn familie zou zich doodschamen. Ik ben ongetrouwd en zwanger, en dat is een afschuwelijke schande. Maar ik kan er niets aan doen.'

'Hoe oud ben je?' vroeg ik vriendelijk.

'Negentien.' Ze begon te snikken. Ik sloeg mijn arm om haar heen en wist niet wat ik moest zeggen om haar te troosten. Wat was er toch veel ellende in de wereld. Elke vrouw hier kon waarschijnlijk wel een verhaal vertellen over armoede en mishandeling.

'Hé, hallo. Ik ben Tasha. Hoe heet jij?'

Het was een van de vrouwen die ik bij de bodyguards had gezien. Ze leek anders dan de anderen, ze leek zich bij hen op haar gemak te voelen, niet zo verdoofd als de andere meisjes met hun jonge gezichtjes en lege blik.

'Oxana.'

'Nou, ik ben naar je toe gekomen om vriendschap te sluiten. Volgens mij zullen jij en ik het goed met elkaar kunnen vinden.' Ze glimlachte naar me. Ze was zwaar opgemaakt en leek ontspannen.

'Waarom denk je dat?' vroeg ik voorzichtig. Was dit een nieuwe aanwijzing voor mijn lot?

'De bewakers vertelden me dat je Serdars vrouw bent. Ik heb gehoord dat hij dol op je is. Fijn voor je! Mij is het net zo vergaan. Toen ik hier een tijdje geleden kwam, kreeg een van Serdars zoons een oogje op me. En dus claimde hij me voor zichzelf en ben ik nooit verkocht.'

'Hoe lang ben je hier dan al?'

'Twee jaar. Volgens mij ga ik hier nooit weg. Ik blijf altijd bij hem.'

Ik keek haar zwijgend aan. Is dat ook wat er met mij gaat gebeuren? Ben ik voorbestemd om hier de rest van mijn leven te wonen, een gast in een onbekend hotel, de vrouw van een maffiabaas?

Maar mijn leven zou alweer veranderen.

20

'De bussen in!' riepen de bewakers. 'Schiet op!'

Ze duwden alle vrouwen naar buiten en stopten ze in een minibusje en twee jeeps. Ik werd naar de voorstoel van een van de jeeps gedirigeerd en een paar minuten later klom Serdar achter het stuur.

'Waar gaan we naartoe?' vroeg ik toen we bij het hotel wegscheurden.

'Naar het platteland,' zei Serdar. 'Vannacht was er in de buurt een politie-inval. We willen ervandoor, tot alles weer wat rustiger is geworden. Hier.' Hij haalde een pistool uit zijn zak en gaf hem aan mij. 'Kun je die even voor me vasthouden?'

Ik keek naar het wapen in mijn hand, voelde het koude metaal in mijn handpalm. Serdar vertrouwde me genoeg om me zijn pistool te geven, ook al kende hij me nog maar een paar weken. Zal ik hem doodschieten? dacht ik. Ik stelde me voor hoe ik de loop tegen zijn slaap zou houden en de trekker zou overhalen, de terugslag zou voelen als de kogel in Serdars hersens zou ontploffen. Maar hij reed heel snel, we zouden het geen van allen overleven tijdens het ongeluk dat dan zou volgen. Hoe dan ook, ik wist wel dat ik nooit iemand zou kunnen doden, het was een zonde om iemands leven te nemen. Bovendien had ik een ander plan. Ik zou doen wat ik kon om Serdars liefde en vertrouwen te winnen. Dan zou hij me meer vrijheid geven en zou ik uiteindelijk kunnen ontsnappen.

Ik dacht aan Sasha, Pasha en Luda. Ik kon hen zien als ik mijn ogen sloot, als ik naar het eten op mijn bord staarde of als Serdar me naar zich toe trok. Ik dacht alweer aan hen nu ik naast hem zat en we naar het platteland reden. Mijn plannetje moest slagen en ik moest zorgen dat ik thuiskwam.

Al snel stopten de auto's op een onverharde weg. Serdar stapte uit.

'We moeten lopen,' riep hij en de bodyguards en de vrouwen liepen achter hem aan een diep ravijn in.

Hij liep voor ons uit naar de bodem van het ravijn, langs een steile wand en toen er weer uit, naar een plek waar een groot huis stond. Het huis bestond uit een grote woonkamer, drie slaapkamers en een keuken. Beneden was een grote kelder.

'Het is allemaal heel basic hier. Er is geen stromend water, geen badkamer. Je moet water uit de rivier halen,' zei Serdar toen we naar binnen liepen. 'Zorg dat de meisjes begrijpen dat ze niet in hun eentje kunnen gaan. Ik wil dat jij de leiding over hen neemt, begrepen?'

Ik knikte. 'Je kunt op me rekenen.'

Serdar glimlachte. 'Goed. En daarna moet je zorgen dat er wordt gekookt en schoongemaakt. Zeg maar gewoon tegen de bewakers wat je nodig hebt.'

We waren de hele dag bezig om ons te installeren. Iedereen kreeg meer energie door de andere omgeving, de frisse buitenlucht en het nieuwe oude huis, en we stoften, sopten en zetten alles op een plek. Serdar zei dat we hier misschien wel weken moesten blijven en dus moest alles in orde zijn.

Later die avond kwam Serdar naar me toe en zei: 'Ik wil je iets laten zien.'

We gingen naar buiten, liepen de trap af en gingen de enorme deuren door die naar de kelder leidden. Serdar deed de deuren open en gebaarde dat ik binnen moest kijken. Ik keek om het hoekje en zag rijen geweren en dozen vol kogels liggen. Ik was verbijsterd, maar probeerde dat niet te laten merken.

'Verkoop je die?' vroeg ik ontspannen.

'Nee, die zijn voor mijn jongens,' antwoordde hij. 'We moeten onszelf kunnen verdedigen.'

'Waartegen?'

'Onze rivalen.'

'Waarvoor?'

'Voor jou en vrouwen zoals jij. Soms brengen mannen me vrouwen en die worden dan goedkoop aan me verkocht en dan verkoop ik ze aan mensen aan de andere kant van de grens. Maar af en toe is het wel eens moeilijk. Dan hebben de vrouwen geen geld om de grens over te komen, maar ze willen er wel naartoe om veel geld te verdienen en ik kan dat niet voor niets doen.'

Aha, dus dat was het wat Serdar zichzelf wijsmaakte: die vrouwen wilden zelf. Ze kozen er allemaal zelf voor om als prostituee te gaan werken. Er was geen sprake van geweld of gevangenschap. Maar waarom waren al die bewakers er dan? Waarom dreigden ze ons dood te schieten als we probeerden te ontsnappen? Ik keek zwijgend toe terwijl Serdar een groot driehoekig frame oppakte en naar de deur liep.

'Kom, we gaan naar buiten.'

Het werd al donker toen hij het frame opstelde en er een geweer in klemde.

'Het hotel waar je woonde, is van mij,' zei hij. 'Ik heb veel geld verdiend, weet je, maar ik heb niemand met wie ik dat kan delen. Mijn vrouw en dochter zijn jaren geleden bij een auto-ongeluk om het leven gekomen en sinds die tijd ben ik alleen.'

Er gleed een verdrietige trek over Serdars gezicht. Toen pakte hij het geweer en staarde in de verte. Opeens werd de stilte van de nacht verscheurd door het scherpe geluid van de schoten. Hij begon te lachen.

'Zie je?' riep hij. 'Dit land is allemaal van mij en ik kan ermee doen wat ik wil.'

Ik zei niets toen hij maar bleef schieten. Serdar liet me zien hoe sterk hij was en dat hij, met een geweer in zijn handen, alles kon doen wat hij wilde.

Er waren een stuk of twaalf meisjes in het huis, inclusief Anna-Maria en ik, en al snel ontwikkelde zich een bepaalde routine. Omdat ik de vrouw van Serdar was, was ik de baas en iedere ochtend gaf ik elk meisje een taak: twee gingen water halen uit de rivier, twee anderen maakten schoon en nog weer twee anderen hielpen me met koken. Terwijl de bewakers toekeken, leerde ik de meisjes Russische liedjes en zij mij Roemeense. Ik was zoveel ouder dan zij dat het hun kennelijk niets uitmaakte dat ik het huishouden regelde. Het lukte me om het huis op orde te houden en redelijke maaltijden op tafel te krijgen.

Serdar en zijn mannen kwamen meestal om een uur of zes 's avonds en dan aten we allemaal samen. Daarna trokken Serdar en ik ons terug in een van de slaapkamers, terwijl de anderen zich discreet verwijderden. De slaapkamer was heel warm en bedompt, en ik werd vaak misselijk van Serdars zweterige zware lichaam, maar ik liet nooit iets merken.

'Dat was heerlijk!' loog ik altijd als hij eindelijk van me af rolde.

Dan glimlachte hij van plezier, hij hield me even stevig vast en vertelde me iets over zichzelf en zijn leven.

'Ik vind je leuk,' zei hij een keer. 'Sinds mijn vrouw is overleden, mis ik de aanraking van een vrouw. Ik heb mijn zoons natuurlijk wel en ik ben ook wel trots op hen, maar het is heerlijk om weer zachte huid tegen mijn huid te voelen.'

Mijn plannetje leek te werken.

Na afloop gingen we weer terug naar de anderen. Meestal zaten we 's avonds buiten, te praten en te roken, en we zagen hoe de lange zomeravond zwart werd boven de bomen. Om een uur of tien gingen Serdar en zijn mannen weer naar het hotel. Elke nacht bleven er een paar andere mannen achter, die ons de volgende dag moesten bewaken. Voordat hij vertrok, vroeg Serdar me altijd of ik iets nodig had en dan gaf ik hem een lijstje, zoals slipjes, shampoo en de lange, dunne sigaretten die ik rookte. Die spulletjes bracht hij dan de volgende avond voor me mee.

De meeste luxe dingen die hij me gaf, gaf ik op mijn beurt weer aan de meisjes. Al snel noemden ze me mama. Ik haatte dat woord, omdat mijn eigen kinderen zo ver weg waren terwijl ik een soort madam in een hoerenkast was. Maar de meisjes waren jong en bang voor me, omdat ik van Serdar was en daarom zei ik maar niet te veel. Toen twee meisjes een keer ruzie maakten en ik zei dat ze moesten ophouden, kwamen ze later naar me toe en smeekten me om hem niets te zeggen. Dat beloofde ik.

Soms kwamen er mannen om ons te bekijken en op een keer werden we naar het bos gereden om bekeken te worden. De prijs die ze voor ons vroegen was nu in Duitse marken en we werden voor een bedrag tussen de vier- en elfduizend mark verkocht. Als je jong, slank en onervaren was in het werk, dan was je duur; als je zwanger was, een tatoeage had en al ervaren of oud, dan was je goedkoper.

Eerst dacht ik dat het de meisjes niets kon schelen, maar op de vierde dag kwamen er een paar naar me toe en begonnen me mee te trekken. Ze namen me mee een gang in waar het zo donker was dat we een kaars moesten aansteken om de deur naar een ander vertrek te vinden.

'Hierbinnen is iets leuks,' giechelden ze. Ik keek om me heen en zag blokken bruine hars in plastic zakken gewikkeld en grote zeven met kranten eronder om een soort groen poeder op te vangen. Er waren ook klaprozen waarvan de blaadjes waren geplukt en de meisjes giechelden toen ze een paar groene blaadjes van de tafel stalen.

'Pas maar op,' zei ik. 'Serdar vermoordt je als hij hierachter komt.'

Maar ik vond het fijn voor hen toen ze die groene blaadjes hadden gerookt en glimlachend en gelukkig terugkwamen. Maar zelf probeerde ik het niet. Ik was te oud voor drugs, ik had gezien welke schade drugs kunnen aanrichten. Ik zocht geen uitweg, hoe graag ik ook wilde vergeten wat me overkwam.

21

Een paar dagen later kwam Serdar thuis. Hij leek woedend.

'Wat is er aan de hand, lieverd?' vroeg ik vriendelijk.

'Die stomme vriendin van je! Hoe heet ze ook alweer? Anna of zo?'

'Anna-Maria?' Ik schrok. Anna-Maria was eerder die week verkocht en toen we afscheid namen had ik haar gekust. Ik had me verdrietig gevoeld omdat ze wegging, maar zij had bijna blij geleken.

'Ja, Anna-Maria. Waarom heeft die stomme trut me niet verteld dat ze zwanger was?'

'Zwanger?' Ik was verbijsterd. Daar had ik geen idee van gehad.

'Ja! De mannen die haar van me hebben gekocht, willen hun geld terug. Ze is nu onverkoopbaar.' Hij begon woedend heen en weer te lopen. 'Verdomde trut!' riep hij. 'Probeer ik die achterlijke tiener te helpen en moet je zien wat ze me flikt! Als ze het me had verteld, had ik dat probleem kunnen oplossen.'

'Waar is ze? In Italië?'

'Nee, ze is teruggestuurd naar Roemenië.'

Ik keek hem bang aan. Vertelde hij me de waarheid? Ik had anderen horen vertellen dat hij een meisje had doodgeschoten en nu had ik er geen idee van of hij loog of niet. Hij vertelde me wel eens dat hij een meisje had 'geholpen', maar ik wist dat hij geen genade kende. Hij zou zich niet laten dwarsbomen door één arm, doodsbang meisje dat hem had getergd.

De meisjes kwamen en gingen zoals gebruikelijk, als onderdeel van de geheimzinnige handel waar we nooit het fijne van te horen kregen. Soms was een meisje zomaar verdwenen en dan vertelde een bodyguard ons dat ze was vertrokken en nu onderweg was naar Italië of naar Duitsland.

Op een ochtend ontdekten we dat er een nieuw meisje was gearriveerd. Ze zat voor het raam en staarde naar buiten. Omdat ze niets zei en niets vroeg, hadden we geen idee waar ze vandaan kwam. Ze at wel iets bij het ontbijt, maar verder zat ze de hele dag bij het raam naar de lucht te staren. Ik zag wel dat ze heel bang was, ze leek een angstig muisje. Nadat Serdar haar die avond mee naar het hotel nam, heb ik haar nooit weer teruggezien.

Een andere keer kwam er een ouder meisje bij ons. Ze viel me meteen op omdat ze ongeveer even oud leek als ik. Al snel vertelde ze me dat ze Claudia heette en achtentwintig was. Ze kwam uit Roemenië, maar we konden wel met elkaar praten omdat ze op school Russisch had geleerd. Ik kon zien dat ze slim was. Claudia was opgegroeid in een weeshuis waar ze was mishandeld en nadat ze het tehuis had verlaten, had ze geen werk kunnen vinden. In die tijd had ze een poosje in de kelder van een flatgebouw gewoond, maar toen ze dat ontdekten, was ze eruit geschopt.

'Ik had geen andere keus dan deze,' zei ze. 'Ooit wil ik kinderen en een eigen huis, en op deze manier kan ik tenminste geld verdienen.'

Ze klonk heel moedig, maar ze leek zo gebroken, verdrietig en zwak. Ik kon me niet voorstellen dat ze dit eenzame en zware leven zou kunnen overleven.

Tegenwoordig denk ik vaak aan vrouwen zoals zij. Wat is er gebeurd met Claudia, Anna-Maria en dat kleine muisje? Je hebt goede mensen om je heen nodig om te kunnen overleven en zij hadden niemand.

Na verloop van tijd kreeg ik steeds meer hoop dat mijn plannetje met Serdar zou slagen. Inmiddels mocht ik water halen zonder dat er een bodyguard met me meeging en Serdar vertelde me soms hoe eenzaam hij zich voelde en hoe moe hij was van zijn werk.

'Op een dag zullen mijn zoons het werk van me overnemen en dan koop ik een huis heel ver hiervandaan,' zei hij een keer.

'Nou, maar dat verdien je ook hoor. Je werkt altijd zó hard,' zei ik. Inwendig glimlachte ik, want ik was ervan overtuigd dat ik Serdar kon laten doen wat ik wilde. Ik wilde wel eens weten hoever ik kon gaan. Op een avond vroeg ik hem of ik met hem mee mocht naar het hotel.

'Ik ben moe van het leven hier in the middle of nowhere,' zei ik en ik knuffelde hem even. 'Mag ik met jou mee? De politie houdt de boel vast niet meer in de gaten en we zijn hier nu al meer dan twee weken.'

Serdar gaf me een kusje op mijn voorhoofd. 'Je hebt hier goed werk gedaan, dus misschien verdien je wel een beloning.'

'Ik wil alleen met je zijn,' zei ik. 'Kunnen we niet een keer echt samen zijn?'

'Goed dan,' zei Serdar glimlachend. 'Morgenavond mag je met me mee. Zorg maar dat je spulletjes klaarstaan en dat je mooie kleren draagt. Dan neem ik je mee naar een leuke gelegenheid.'

De volgende avond had ik opgewonden op hem gewacht. Hoe dichter we bij het hotel kwamen, hoe blijer ik werd. Serdar had gedaan wat ik hem had gevraagd. Ik zou vast al snel de kans krijgen die ik nodig had.

Mijn beloning was een bezoekje aan een ijssalon en ik keek verbaasd om me heen. Er waren wel vijftig verschillende soorten ijs, in alle kleuren van de regenboog. Zoiets had ik nog nooit gezien.

'Vind je het leuk?' vroeg Serdar, grijnzend omdat ik zo blij was.

'Het is geweldig!' riep ik. Ik dacht eraan hoe geweldig mijn kinderen dit zouden vinden. Serdar kocht aardbeienijs, vanille-ijs en chocolade-ijs voor me en ik keek hem glimlachend aan toen ik het opat. Terwijl ik naar hem keek, zag ik in gedachten de gezichtjes van Sasha, Pasha en Luda. Het zou niet lang meer duren voordat ik bij hen was. Ik had bijna medelijden met Serdar omdat hij zo stom was, maar hij moest denken dat ik van hem hield en dus was ik blij dat hij zo lichtgelovig was.

Onder het toeziend oog van de eeuwige lijfwachten aten we giechelend en blij ons ijs op. Ik voelde me zelfverzekerd en sterk, en dat was een vreemd maar prettig gevoel.

'Ik ben van je gaan houden,' vertelde ik Serdar die avond. 'Ik wil niet meer bij je weg.'

'Je gaat ook helemaal nergens naartoe, hoor,' zei hij en hij sloeg zijn armen om me heen.

Die nacht liet hij zijn broek naast het bed op de grond liggen en ik lag in het donker te denken aan het geld en de sleutels in zijn zakken. Die zouden algauw van mij zijn.

De volgende dag zaten Serdar en ik tv te kijken, toen er een missverkiezing vertoond werd. Ik schoot in de lach toen ik naar die vrouwen keek; ze waren zwaar opgemaakt en hadden een bobbelige huid. Het leken wel rare vogels met hun lange neus en grove gezicht.

'In Rusland heb je massa's mooie meisjes,' giechelde ik. 'Maar is dit echt het beste wat jullie in Albanië hebben?'

'Hoe bedoel je?' vroeg Serdar zacht.

'Ze zijn lelijk, die arme schapen! Misschien geven jullie ze niet goed te eten in dit land!' zei ik plagend.

Serdar keek me aan. 'Maar iedereen weet wat die Russische meisjes zijn!'

'Wat dan?'

'Hoeren. Er zijn zoveel landen en welke meisjes verkopen zichzelf? De Russische!'

Ik begon kwaad te worden. 'Waar héb je het over?' snauwde ik. 'Hier zijn alleen maar Roemeense en Albanese meisjes. Als Russische vrouwen zo gewillig zijn, waarom ben ik dan de enige Russische in dit hotel?'

Meteen begreep ik dat ik mijn mond had moeten houden. De uitdrukking op Serdars gezicht veranderde en hij leek opeens een vreemde.

'Ik maakte maar een grapje, lieverd...' zei ik en ik probeerde hem te knuffelen, maar hij weerde me af en stond op.

'Hou verdomme je kop,' zei hij. 'Geen woord meer.' Hij liep de kamer uit en sloeg de deur achter zich dicht.

Ik zat hem verstijfd na te kijken, terwijl de Albanese vrouwen nog steeds op het scherm paradeerden. Wat had ik gedaan? De tranen sprongen me in de ogen en ik begon te huilen. Serdar had me met een kille blik aangekeken, alsof mijn woorden een betovering hadden verbroken. Had ik nu echt alles vernietigd wat ik zo zorgvuldig had opgebouwd? Hoe had ik zo stom kunnen zijn?

Ik moest het weer goedmaken met hem. Ik zou lief zijn, teder en gewillig. Dan zou hij mijn stomme opmerkingen snel vergeten zijn.

Hij bleef uren weg en uiteindelijk wachtte ik niet langer op hem en ging naar bed. Veel later voelde ik dat hij naast me in bed kroop. Ik deed net alsof ik sliep, maar ik was opgelucht. Hij was terug en morgen zou ik een manier vinden om hem weer gunstig te stemmen. Hij zou dit alles alweer snel vergeten zijn.

De volgende ochtend vroeg schudde hij me wakker. 'Pak je spullen,' zei hij. 'Ik wil dat je over een kwartier beneden bent.'

'Waarom? Waar gaan we naartoe?'

'Iemand wil je leren kennen.'

Met een bang gevoel stapte ik uit bed. Ik trok een wit t-shirt en een zwarte lange broek aan. Was Serdar nog steeds boos op me?

Toen ik beneden kwam, zat hij naast een jonge man met kort lichtblond haar en blauwe ogen. Hij was slank, als een jongen, en leek niet ouder dan zestien.

'Dit is je nieuwe baas,' zei Serdar rustig. 'Hij heet Ardy.'

Ik keek de jongen geschokt aan. Het kon niet dat hij me kocht! Hij was veel te jong! Ik keek naar Serdar en vroeg me af waarom hij zo'n stomme grap met me uithaalde. Maar hij keek me uitdrukkingsloos aan. Het leek wel alsof hij me helemaal niet kende, mijn lichaam niet had genomen, niet met me had gepraat en me niet in vertrouwen had genomen.

'Je gaat naar Italië,' snauwde hij. 'Ga naar boven nu en trek een andere trui aan. Je kunt niet op reis als je tieten er half uit hangen. Dan ziet iedereen meteen dat je een hoer bent!'

Op dat moment zag ik wat ik allang had moeten zien. Serdar voelde niets voor me. Ik had hem gisteravond boos gemaakt en nu was hij op me uitgekeken. Hij had de hele tijd een spelletje met me gespeeld, net als ik met hem, en ik – net zoals alle anderen – betekende niets meer voor hem dan iets wat verkocht kon worden.

Ik had nooit een echte kans gehad.

22

'Je dochter is heel mooi, hè. Ik heb haar foto gezien en volgens mij wordt ze heel knap als ze ouder is.'

Ardy praatte zacht tegen me terwijl we in zijn slaapkamer waren. Ik was nu al een paar weken bij hem en we wachtten op een boot die ons naar Italië zou brengen. Hoewel hij me niets had verteld, wist ik dat ik daar zou beginnen met werken. Ik zat nu al meer dan twee maanden gevangen in deze nachtmerrie. Het was nog maar zo kort, maar het voelde als een heel leven, als een gevangenschap zonder einde. Mijn verlangen om mijn kinderen te zien en met hen te praten, was overweldigend. Ik miste hen ontzettend.

Ik had me vergist toen ik dacht dat Ardy te jong was om me te kunnen kopen. Hij was tweeëntwintig en ik was nu van hem, precies zoals Serdar had gezegd. Hij had me met de auto van het hotel naar het huis van zijn ouders gebracht. Er was geen stromend water en ook geen echte keuken, maar in de tuin groeiden druiven, perziken en vijgen en op de planken in de woonkamer stonden kristallen accessoires; hier woonde een gezin.

'Hallo,' had een goedgevulde vrouw tegen me gezegd toen ze naar me toe kwam en me een hand gaf. 'Wil je iets eten?'

Dit was Ardy's moeder en ik zag meteen dat ze heel goed wist waar haar zoon mee bezig was. Voor haar was ik geen mens, maar een zak met geld. Ardy, die een beetje Russisch en Engels sprak, vertelde me dat ze vijfendertig jaar lerares was geweest. Maar hoewel zij eten voor me klaarmaakte, me Albanese woordjes leerde en kleren voor me kocht voor de reis die we binnenkort zouden gaan maken, heeft haar man nooit ook maar één woord tegen me gezegd. Hij keek zelfs amper naar me, alsof hij de aanblik van zo'n smerig schepsel in zijn huis niet kon verdragen.

In de weken nadat ik Serdar had verlaten, was ik opgehouden met denken aan weglopen. Vroeger hielden ze me gevangen met pistolen, maar Ardy hoefde niet met geweld te dreigen. In plaats daarvan plantte hij elke dag nieuwe zaadjes van angst in mijn hoofd. Het begon tot me door te dringen dat ik, hoe flink ik ook probeerde te zijn, nu nooit meer zou proberen te ontsnappen.

'We vinden je wel, hoor, als je wegloopt,' zei Ardy. 'Wij kennen iedereen in dit stadje en je zou nog geen kilometer ver komen. Er werken ook familieleden van ons bij de politie en in de politiek, en je dacht toch zeker niet dat zij niet hoeven te eten? Iedereen heeft eten nodig, iedereen heeft geld nodig. Denk dus maar aan je dochter en gedraag je.'

Dat soort woorden hield me gevangen. Ik wist dat Ardy veel geld voor me had betaald en dat hij mijn kinderen ervoor zou laten boeten als ik wegliep en ik geloofde hem toen hij zei dat ik niet ver zou komen. Ardy's tante en neven waren naar me komen kijken, zelfs een van zijn familieleden die bij de politie was kwam langs. Hoe kon ik ooit denken dat ik weg kon komen als zelfs hij wist dat ik hier was? En dus deed ik geen enkele poging om te ontsnappen als ik wel eens een paar uur alleen in het afgesloten huis werd gelaten. Dat zou op dat moment geen enkele zin hebben. Ik moest mijn tijd uitzitten, accepteren wat me overkwam en afwachten wat de toekomst voor me in petto had.

In de uren dat ik alleen was, kon ik tenminste in alle rust aan mijn kinderen denken. Ik vreesde het geluid van de voordeur als Ardy overdag thuiskwam en seks met me wilde. Dat was verschrikkelijk. 's Nachts kon ik hem niet zien en kon hij mij niet zien en dan lag ik in het donker te staren als hij nam wat hij wilde. Maar overdag kon ik zijn gezicht wel zien en als ik zag hoe zijn lichaam en mijn lichaam verstrengeld waren, werd ik misselijk.

Een paar keer ging ik tegen hem in als hij me vroeg om iets te doen wat ik nog nooit eerder had gedaan, zoals hem in mijn mond stoppen, maar dan drukte hij mijn gezicht in een kussen. 's Ochtends als zijn moeder de slaapkamer binnenkwam om het raam open te zetten en de hele kamer naar seks rook, schaamde ik me. Ik leerde om me niet meer te verzetten maar ik smeekte hem een condoom te gebruiken, wat hij weigerde.

Ik had het gevoel dat er twee mensen in mijn lichaam woonden. De ene die zichzelf haatte op die ochtenden na zulke nachten. Zij verdiende wat er gebeurde. Want ze hoorde niet toe te staan dat Ardy nam wat hij wilde, ze had moeten schreeuwen en hem krabben, en alles moeten doen om zichzelf te verdedigen. Maar er was ook een andere persoon, degene die wist dat ze alleen was en die – zelfs toen ze heel erg honger leed – nog nooit zoiets slechts had gedaan als wat haar nu werd aangedaan.

Zo kan het niet blijven, zei ik tegen mezelf en ik bad tot God. Na slechte tijden komen goede tijden. Je moet gewoon geduld hebben.

Ik weet niet precies hoe lang ik in dat huis was, maar ik schat dat het ongeveer een maand is geweest. Er hing wel een kalender aan de muur, maar ik kon er niet tegen om daarop te kijken. Het was augustus en Luda's eerste schooldag kwam steeds dichterbij. Daar wilde ik niet aan denken. Ik wilde me niet voorstellen dat ze een jurk en pennen kocht, en zich afvroeg wanneer mama thuis zou komen om haar de eerste keer naar school te brengen, net als Sasha op zijn eerste schooldag. Mijn lichaam herinnerde me eraan dat de tijd verstreek doordat ik elke maand op de dertiende ongesteld werd, maar ik probeerde er niet bij stil te staan. Ik wist zeker dat Ira en Tamara nu wel wisten dat er iets met me was gebeurd, omdat ik al zo lang niet naar huis had gebeld. Ze wisten hoeveel ik van mijn kinderen hield en dat ik hen nooit in de steek zou laten, tenzij ik daartoe werd gedwongen.

Laat op een avond kwam er een man bij Ardy op bezoek. Toen zijn moeder onze kleren in plastic tassen begon te stoppen, begreep ik dat het weer eindelijk goed was voor de boot en dat we konden vertrekken. Ze zeiden dat ik een zwart jasje, een trainingsbroek en gympen aan moest trekken. Toen namen ze me mee naar buiten waar Ardy's familielid dat bij de politie was met zijn auto stond te wachten.

Hij nam ons mee naar zijn eigen huis, waar we die nacht bleven. De volgende ochtend nam Ardy me mee naar een strand in de buurt.

'Ik wil zien dat je kunt zwemmen,' zei hij. 'Het water in.'

Het was een ontzettend warme augustusdag en zo heet dat de zon op mijn huid brandde toen ik het water in liep. Het was heerlijk om het koude water te voelen en ik kon heel goed zwemmen, dankzij de zomerse uitstapjes naar de Zwarte Zee in mijn jeugd. Ardy leek tevreden toen hij dit zag. Al snel gingen we terug naar het huis waar het wachten weer begon. We aten, we zaten, we rookten.

De tweede dag rond middernacht kwam de politieman ons halen en reed ons naar het strand. Ardy wees naar een lange, stenige pier en zei: 'Hierlangs.' Ik liep achter hem aan.

Ergens halverwege de pier lag een boot op ons te wachten, een grote reddingsboot leek het wel. In het midden zag ik een man die achter het stuurwiel stond. Naast hem brandde een grote lamp.

'Stap in,' zei Ardy toen ik naar beneden keek.

Er waren heel veel mensen, jong en oud, die zwijgend op hun hurken op de bodem van de boot zaten. Er leek niet veel ruimte meer voor ons te zijn.

'Schiet op,' siste Ardy en hij gaf me een por. Ik klom over de reling en ging net als de anderen op mijn hurken zitten. Naast me zag ik een vrouw met een meisje van een jaar of vijf.

'Wanneer vertrekken we, mama?' vroeg ze, maar de vrouw bleef zwijgen.

Opeens hoorde ik een kreet en daarna een schot. Ik keek op en zag iemand met een witte sjerp om langs het strand rennen. Politie! Nog een schot en de scherpe geur van angst.

'Laten we gaan,' schreeuwde iemand.

'Schiet op, vlug,' smeekte een ander.

Het meisje begon te huilen en Ardy drukte mijn hoofd naar beneden. Mijn hart ging tekeer en het lage gebrom van de motoren vibreerde in mijn borstkas. Wat we deden was verkeerd. Zou de politie ons te pakken krijgen en ons doden?

Opeens schoot de boot naar voren en zodra we op open zee waren, stierf het geluid van de schoten al snel weg. Het enige wat ik kon horen, was het gedreun van de motor. Elke keer dat de boot met een harde klap op het water neerkwam, kreeg ik een bak water over me heen en ik raakte helemaal doorweekt. Ik was bang dat ik overboord zou slaan, probeerde me ergens aan vast te klampen, kreeg een elleboog in mijn rug, hoorde het meisje gillen en naast me iemand overgeven. Later ontdekte ik dat mijn nagels waren gescheurd en bloedden doordat ik me zo stevig aan de boot had vastgeklampt. Maar nu voelde ik helemaal niets; mijn lichaam was gevoelloos geworden door de kou en mijn angst.

Ik weet niet hoe lang de boottocht heeft geduurd – een uur misschien of een paar uur – omdat het leek alsof de tijd stilstond. Ik bleef op mijn hurken zitten en hield me krampachtig vast, net als alle anderen. Ik kon amper iets zien in het donker en ik begon te bidden dat ik in leven bleef.

Maar opeens werd alles rustig en kwam de boot stil te liggen. Niemand zei iets. In de stilte hoorde ik eerst het geluid van de golven om ons heen en daarna het geluid van een andere motor in de verte. Het geluid kwam steeds dichterbij. Iemand was naar ons op zoek.

Opeens kantelde onze boot scherp opzij toen de motor opnieuw aansprong en onze boot weer in beweging kwam.

'Stop! Politie!' riep een stem door een microfoon. Boven ons hoofd flitsten lampen aan.

Zonder iets te zeggen, kwamen de mensen om me heen in beweging. Ze bewogen zich als een golf over me heen en sprongen van de boot af het water in. Ardy probeerde me overeind te trekken, maar er klauterden mensen over me heen. Ik voelde een voet op mijn hoofd en probeerde me overeind te vechten. Maar het lukte niet.

Plotseling werd ik opgetild en in zee gesmeten. Een fractie van een seconde voordat ik het water raakte, hield ik mijn adem in voordat het zich boven me zou sluiten. Daarna deed ik mijn ogen open. Alles was zwart. Ik voelde dat ik begon te zinken. Ik probeerde naar boven te zwemmen, maar mijn kleren, mijn schoenen en de tas op mijn rug waren te zwaar. Een voet raakte mijn schouder en ik voelde mezelf nog dieper zinken. Ik mocht niet sterven, ik mocht niet toelaten dat het water me naar beneden sleurde en me voor altijd zou omsluiten. Ik mocht nu niet sterven. Nee. Nee. Nee! Ik trok aan mijn kleren en rukte aan mijn tas, ik probeerde ze van me af te trekken terwijl ik het gevoel had dat mijn longen zouden knappen. Ik ging dood.

Een hand greep me bij mijn nek beet en toen ik aan de oppervlakte kwam, explodeerde de lucht in mijn longen.

'Zet je voeten op de grond,' zei een stem. 'Het is hier niet zo diep.'

Maar ik was te klein om de bodem te kunnen raken. Ik moest mezelf met mijn handen naar voren trekken en hapte naar adem. Het water was vol mensen. Ik hoorde honden blaffen en zag felle lampen over het water schijnen. Ik zwom naar voren tot ik zand onder mijn voeten voelde en begon door het water te kruipen. Ik keek niet achterom. Ik moest in beweging blijven. De politie mocht me niet te pakken krijgen.

Ardy was al voor me uit, op het strand. Toen de lampen boven ons heen en weer flitsten, pakte hij een handvol zand en smeerde dit over zijn lichte trui zodat die in het donker minder zou opvallen. Mijn adem ging met horten en stoten, en er zat zand in mijn mond. Ik kroop het strand op. Mensen renden de struiken in die langs het strand stonden en ik volgde Ardy die daar ook naartoe kroop. We leken wel mieren. De mensen verdwenen in de nacht terwijl de politie ons op de hielen zat.

Ik kroop door de struiken. Toen ik er aan de andere kant weer uit kroop, zag ik een weggetje met bomen erachter. Ardy greep mijn hand terwijl hij zachtjes iets tegen een andere man zei. Zo te horen overlegden ze welke kant ze op moesten. Om ons heen renden de mensen alle kanten op. Al gauw liepen we met een man of negen tussen de bomen en de struiken door, waarna de paniekgeluiden al snel wegebden. Toen het helemaal stil was, bleven we staan zodat iedereen zich kon omkleden. Nu begreep ik waarom Ardy's moeder onze kleren in plastic zakken had gestopt.

We waren in een soort bos. Ik dacht dat overal om ons heen bomen stonden, maar het was zo donker dat ik het niet goed kon zien. Zwijgend liepen we weer door. Toen wezen de mannen naar een sloot, waar we allemaal in kropen. De tijd verstreek, de zon kwam op en nog steeds zweeg iedereen. In de verte blafte een hond, waarop we allemaal nog meer in elkaar doken. We bleven daar de hele dag en niemand zei iets of bewoog. We hadden niets te eten of te drinken, en niemand deed zijn behoefte. Ik voelde me net een standbeeld en was zo bang dat ik nergens aan kon denken. Ik herinnerde me de duisternis tijdens de boottocht en het koude water toen ik erin viel. Hoe zou ik dit allemaal kunnen overleven?

De mensen kwamen pas weer in beweging toen het donker werd. Ardy fluisterde dat ik moest opschieten. We liepen met een klein groepje tussen bomen, struiken en gras door. Al gauw kwamen we bij een snelweg waar auto's overheen raasden. Ardy gebaarde dat we de struiken in moesten en liep zelf naar een wegrestaurant in de verte. Hij sprak Italiaans en kwam een paar minuten later terug.

'Ik heb een taxi gebeld,' zei hij en ging naast me zitten.

Hij had een krant bij zich en ik voelde me koud worden toen ik de datum zag: 1 september 2001. Luda's eerste schooldag. In gedachten zag ik handen die vlechten in haar haar maakten en haar hielpen haar bruine schooluniform, witte schort, witte kniekousen en sandalen aan te trekken. Het zou nog warm genoeg zijn voor zomerschoenen en Luda zou, net als elk ander kind in Oekraïne op zijn eerste schooldag, bloemen in haar handje hebben voor haar lerares. Herinneringen aan Sasha's eerste schooldag kwamen naar boven. Ik kwam toen speciaal terug uit Turkije om hem naar school te brengen en ik was apetrots toen ik hem zijn donkerrode schoolblazer, zwarte broek en schoenen en witte sokken aantrok. Ik wist dat ik de jongste moeder van de hele school was en wilde dat hij trots op me kon zijn. Dus zorgde ik ervoor dat zijn haar was geknipt en ik trok die dag mijn beste lange zilverkleurige jurk aan. Toen liep ik samen met hem naar de school waar alle andere kinderen bij elkaar stonden en keek toe hoe alle oudere kinderen elk een jonger kind bij de hand namen en vervolgens een alfabetboekje gaven. Ik sloot mijn ogen en zag Sasha weer voor me staan: hij keek me met een bange blik aan, draaide zich om en liep dat nieuwe, vreemde gebouw binnen dat ze school noemden.

Vandaag was Luda aan de beurt en ik was er niet, haar eigen moeder was er niet. Ik verlangde naar haar. De tranen stroomden over mijn wangen terwijl ik in het struikgewas zat.

Ardy stond op en zei: 'Kom mee. Daar komt een auto aan. We moeten door.'

23

Drie dagen later werd ik voor het eerst aan het werk gezet in een stadje dat Venezia Mestre heette, een buitenwijk van de beroemde stad Venetië waar ik op dat moment zelfs nog nooit van had gehoord. We woonden in een kamer in een klein, shabby hotel, en daarvoor had Ardy naar me gekeken toen ik de kleren aantrok die hij voor me had gekocht: een broek en een kort leren jasje. Hij had ook een minirokje gekocht, maar dat wilde ik niet aantrekken. Ik wilde er niet zo uitzien als die meisjes die ik in Amerikaanse films had gezien. Het jasje was maat 36. Ik was afgevallen. Sveta zou tevreden zijn geweest.

'Maar wat moet ik tegen die mannen zeggen?' vroeg ik.

'Je hoeft maar een paar dingen te weten,' vertelde Ardy. '*Mi chiamo Oxana* betekent "Ik ben Oxana" en *Io sono Russa* betekent "Ik kom uit Rusland". Een wip is *una scoppa* en dat kost *cinquanta milla lire*; pijpen is *boccino* en kost *trenta milla*. "Niet van achteren" is *no culo* en "sodemieter op" is *vaffanculo*.'

'En als ze me geen geld geven?'

'Je moet zorgen dat je eerst geld krijgt. Jij hebt iets wat zij willen.'

'En als ze me slaan?'

'Ik hou je in de gaten. Als je bij iemand in de auto stapt, rij ik erachteraan en als je probeert weg te rennen, dan ben ik in de buurt. Je zult nooit alleen zijn, dus er overkomt je niets.'

Ardy had op elke vraag een antwoord. Er was geen ontsnappen mogelijk. Maar hoewel ik bang was, voelde ik me ook vreemd verdoofd vanbinnen toen ik me klaarmaakte om eropuit te gaan. Alleen mijn lichaam vertelde het echte verhaal van hoe ik me voelde: ik was koud, gespannen, als een robot. Ardy leek bijna opgewonden, alsof hij een volwassen man werd nu hij een vrouw had die geld voor hem ging verdienen.

Een neef van hem die in de buurt woonde, zou ons brengen. Eerder die dag had ik hem tegen Ardy horen zeggen dat hij, als ik goed was, binnen een jaar rijk zou zijn.

'We doen fiftyfifty,' zei hij steeds tegen me.

Ik geloofde er niets van. Hij zei ook dat de elfduizend mark die hij voor me had betaald een schuld was die ik terug moest betalen met mijn verdiensten. Maar ook dat ik moest betalen voor mijn reis, mijn deel van het hotel waar we woonden en geld voor zijn neef voor de benzine en zijn tijd. Ik nam aan dat het heel lang zou duren voordat ik een cent zou zien van het geld dat ik verdiende; het zou allemaal opgaan aan mijn eindeloze schuld aan hem.

Al snel verlieten we het hotel en reden naar een lange vierbaansweg met een zandpad aan weerszijden en een bar een eind verderop. Er stonden allemaal meisjes langs de weg, maar ik zei niets tegen hen.

Ardy gaf me een mobiele telefoon en zei: 'Die moet je bij je houden.'

Ik kreeg geen enkele klant die avond. Er reden wel heel veel auto's langs. Een paar mannen stopten en draaiden hun raampje omlaag om me te bekijken. Maar ze zagen wel hoe bang ik was toen ik hun in mijn gebroken Italiaans vroeg: 'Wil je neuken?'

'Wat ben je verdomme aan het doen?' riep Ardy in de telefoon toen er weer een auto was doorgereden. 'Op deze manier verdien je geen cent en dan moet ik je verkopen en denk maar niet dat je volgende baas even begrijpend zal zijn als ik!'

Ik had het ijskoud zoals ik daar in het donker stond te kijken naar de koplampen die voorbij flitsten. Waar gingen al die mensen naartoe? Naar huis, naar hun gezin? Wat dachten ze als ze me langs de straat zagen staan? Dat ik gewoon weer zo'n hoertje was dat in de schaduwen leefde, waar ze thuishoorde?

Negen uur lang stond ik langs de straat en toen pikte Ardy me op. Ik voelde me bijna voldaan toen we terugreden naar het hotel. Misschien liet hij me wel gaan als dit steeds weer gebeurde.

Maar de volgende dag wilde zijn neef ons niet brengen en hij was woedend. 'Volgens hem ben je stom en zul je geen cent voor ons verdienen!' schreeuwde hij. 'Begrijp je dan niet wat je hebt gedaan? Hoe wil je het hotel nu betalen?'

Toen ik op de derde dag ongesteld werd, begon hij weer te schreeuwen. Daarna begon hij te dreigen.

'Vergeet je kinderen niet. Of wil je soms niet zoveel geld verdienen dat je weer naar hen terug kunt gaan? Kunnen je kinderen je soms niets schelen? Misschien moet ik je via hen wel een lesje leren...'

Natuurlijk zou Ardy me niet zo gemakkelijk laten gaan. Ik kon er niet voor altijd onderuit en een paar avonden bracht hij me naar een kruising in de buurt van het busstation van Venezia Mestre. Ik kwam daar om een uur of tien, stond bij een verkeerslicht en niet lang daarna stopte er een auto naast me.

'*Quanto?*' vroeg een man. 'Hoeveel?'

'*Cinquanta milla,*' antwoordde ik en hij gebaarde dat ik in moest stappen. Ik raakte in paniek toen ik het portier opende. De man was bijna kaal, had blauwe ogen, een witte huid en roze wangen. Hij zag er stom uit, als een varken, en reed zwijgend naar een braakliggend terrein in de buurt. Hij stopte, wees naar mijn kleren en begon aan zijn eigen kleren te sjorren. Ik wist wat hij wilde. Langzaam trok ik mijn jasje, mijn lange broek en mijn ondergoed uit.

De man staarde zwijgend naar me en nam toen zijn piemel in zijn hand. Ik wilde de andere kant op kijken, want zoiets had ik een man nog nooit zien doen en ik had altijd te horen gekregen dat het iets verkeerds was. Maar zijn vingers klauwden in mijn wangen en hij draaide mijn gezicht zodat ik wel naar hem moest kijken. Ik hield mijn adem in terwijl hij naar mijn lichaam keek en geluiden begon te maken, half hijgend en half grommend. Hij zei iets wat ik niet verstond en begon aan mijn benen te trekken. Ik opende ze voor hem.

Niet denken, dacht ik. Niet voelen. Je bent nu een ding waar hij mee kan doen wat hij wil. Denk niet aan je kinderen. Ze mogen nooit in je gedachten zijn als je in deze wereld bent. Ze mogen deze wereld nooit aanraken, er nooit zelfs maar bij in de buurt komen. Je bent hier omdat je hen moet beschermen.

'*Boccino. Quanto?*' vroeg de man opeens. 'Pijpen. Hoeveel?'

Ik vertelde hem hoe duur het was en hij gaf me het geld, voordat ik hem een condoom omdeed en hij mijn hoofd ruw op en neer bewoog. Ik kreeg geen adem, ik wilde overgeven, maar ik probeerde nergens aan te denken.

Toen ik klaar was en me aankleedde, realiseerde ik me dat ik bijna blij was dat Ardy in de buurt was. Het was vreemd om in het donker bij een onbekende in de auto te zitten. Mijn hart bedroog me. Hoe erg ik Ardy ook haatte, toch was ik blij dat hij in de buurt was. Nu was ik tenminste niet helemaal alleen.

Ik zag zeker vijf mannen in die acht of negen uur die ik elke nacht werkte. Er werd niet geknuffeld en niet gekust, ik raakte niemand aan zonder een condoom en ik stapte nooit in een auto met meer dan één man erin. Ik sloot mezelf steeds meer af nu ik een object was waar mannen mee konden doen wat ze wilden – ze staken hun vingers bij me naar binnen, trokken aan mijn haar, knepen me, trokken mijn ondergoed kapot, beten me. Ontzettend veel mannen waren boos en ik leerde die gevoelens herkennen. Elke man was weer anders en ik moest weten hoe ik hen moest kalmeren, anders deden ze me pijn. Maar tegen de tijd dat mijn nacht erop zat, deed mijn hele lichaam pijn en wilde ik alleen nog maar terug naar het hotel om me te wassen en de stank van seks van me af te spoelen.

'Weet je zeker dat dit alles is?' vroeg Ardy altijd als hij naar het geld keek dat ik hem had gegeven.

'Ja, dat weet ik zeker,' zei ik dan terwijl ik me uitkleedde.

Ik moest me uitkleden terwijl hij naar me keek. En hoewel hij net deed alsof het niet zo was, doorzocht hij mijn kleren als ik in bad zat. Soms vulde ik het bad met water dat zo heet was dat ik me er bijna aan brandde. Dan lag ik er uren in te roken; ik deed alles om het moment uit te stellen waarop ik naast Ardy in bed moest kruipen en hij seks wilde. Ik zei altijd nee en soms gaf hij me mijn zin, maar soms ook niet. Ik walgde van hem, ik haatte hem en dat wist hij. Het was een vreemd soort dans tussen ons, doordat ik net deed alsof ik mijn gevoelens verborg en hij net deed alsof hij dat niet merkte.

Ik moest wel. Als ik Ardy liet doen wat hij wilde, dan sloeg hij me tenminste niet. Hij had me een paar keer een tik gegeven, maar ik wilde niet dat hij me sloeg. Dat was me in mijn leven al vaak genoeg overkomen. Ardy was precies zoals alle andere mannen. Hij dacht dat seks alleen maar seks was en trok zich er niets van aan wat ik voelde. Voor hem was ik op dezelfde manier een ding als ik dat voor mijn klanten was. Het enige waar hij om gaf was geld en al snel droeg hij een nieuw leren jasje, een Dolce&Gabbana-spijkerbroek, een dikke gouden halsketting en een Valentino-horloge. Hij leek steeds meer op een rijke vent.

'Dat is goed,' zei hij toen hij alles pakte wat ik die avond had verdiend.

Ik zag nooit een cent van het geld dat ik verdiende. Overdag ging Ardy weg om te eten en sloot me dan op. Als hij terugkwam, had hij een hamburger bij zich of een pizza. Ik haatte dat eten. Maar soms wilde hij dat ik met hem meeging en dat haatte ik ook. Ik wilde niet ergens zijn waar ik gelukkige mensen zag. Maar meestal liet Ardy me alleen achter en in de weken die volgden, sloot ik mijn geest steeds meer af. Als ik sliep, tv-keek of voor me uit zat te staren en de ene sigaret na de andere rookte, kon ik niet nadenken, niet over mijn toekomst en niet over mijn verleden.

Ik leerde snel: hoe ik met de juiste woorden een klant kon kalmeren en hoe ik met mijn mond een condoom om kon doen, zodat ze snel klaarkwamen. Ik deed ook mijn best om mijn Italiaans te verbeteren en de klanten lachten om me als ik woorden die ik niet kende opschreef om ze later uit mijn hoofd te leren. Maar dat kon me niets schelen. Het was de enige manier die ik kon verzinnen om de taal te leren en hoe beter ik de taal kende, hoe meer ik kon doen wat veel mannen wilden: alleen maar praten.

Soms hadden ze een vervelende werkdag achter de rug of ze hadden geld verloren of ze hadden een partner vertrouwd die hen bedroog maar, wat de oorzaak ook was, de woorden stroomden naar buiten als ze bij me waren. Daarom was het belangrijk dat ik de taal zo goed mogelijk kende. De meesten van deze mannen waren ouder en vriendelijk, ze vroegen me iets voordat ze me aanraakten, het waren goede klanten – als zoiets tenminste kan. Maar voor elke vriendelijke man waren er veel meer mannen die me als een beest neukten voordat ze me de straat weer op schopten. Een man heeft me een keer met een pistool bedreigd voordat hij me in the middle of nowhere dumpte en een andere man probeerde eens met zijn auto over me heen te rijden. Mijn leven was nu bijna waardeloos en de mannen die me misbruikten, wisten dat.

Ik staarde naar de blauwe lijn op de stick. Even was ik bang, maar ik wist wat ik moest doen. Weer voelde ik me leeg vanbinnen.

'Het is positief,' zei ik tegen Ardy toen ik de badkamer uit kwam.

'Maar wat moeten we dan doen?' vroeg hij, als het kleine jongetje dat hij was. 'Je hebt geen papieren en dus kunnen we niet met je naar een ziekenhuis.'

Het kon me niets schelen wat hij deed. Ik wilde deze baby gewoon kwijt. Ik wist dat het kind van hem was, omdat ik bij elke klant een condoom gebruikte en hij dat weigerde. Hij was een beest, net als zijn kind zou zijn.

Ardy bracht me naar een arts die geen vragen stelde over wie ik was of waar ik vandaan kwam. Het zou een paar weken duren voordat de abortus geregeld kon worden, en de kosten ervan zouden worden opgeteld bij de schuld die ik al had. Dus ging ik weer aan het werk terwijl ik wachtte. Een paar klanten zagen dat mijn borsten en mijn buik dikker waren dan de rest van mijn lichaam, maar anderen vroegen zich helemaal niets af wanneer ik kokhalsde als ze in me zaten. Ik weigerde over de zwangerschap na te denken, ook al was ik elke ochtend misselijk. Het was geen baby die in me groeide en dit had niets te maken met mij of met mijn kinderen. Zij waren de enigen die me op de been hielden. Wanneer Ardy lag te slapen, ontsloot ik mijn gevoelens voor hen en dacht ik aan hen, voordat ik mijn emoties weer veilig achter slot en grendel stopte. Het ding dat nu in me zat, was gemaakt in haat en toen ik een paar weken later naar een kliniek werd gebracht voor de abortus, voelde ik niets.

Ik bloedde nog weken daarna en voelde me vaak dronken en duizelig. Ik wilde niet eten en nergens over nadenken. Ik was gebroken vanbinnen. Ik slaagde er niet eens in om de vrolijk gekleurde beelden van thuis toe te laten, zoals vroeger. Vroeger hadden ze me getroost, maar nu werd ik gek als ik eraan dacht. Soms had ik het gevoel dat mijn hoofd op springen stond en dan trok ik keihard aan mijn haren. Ik wilde mezelf pijn doen, mezelf verwonden, het dode gevoel vanbinnen ook aan de buitenkant zichtbaar maken. Elke avond weer nam ik een gloeiend heet bad in de hoop dat ik nog meer zou gaan bloeden en dan misschien dood zou gaan.

Maar Ardy trok me er altijd uit en twee weken na de abortus dwong hij me om weer aan het werk te gaan.

'Je bent me heel veel geld schuldig,' zei hij. 'En ik heb helemaal niets meer.'

Ik stopte een spons in me om het bloeden te stelpen terwijl ik werkte. Al snel was ik nog zwakker.

'Je ziet er goed uit nu je wat bent afgevallen,' zei Ardy op een avond bewonderend.

Maar toen ik in de spiegel keek, zag ik alleen maar een magere, verdrietige jonge vrouw met een porseleinwitte huid, donkere wallen onder haar ogen en haat in haar blik.

24

Op een avond, vrij snel nadat ik weer aan het werk was gegaan, stopte er een auto naast me. De auto zag er duur uit, net als de man die erin zat. Hij droeg een spijkerbroek en een grofgebreid vest en hij had blond haar en een rechthoekig gezicht. Hij zal een jaar of veertig zijn geweest.

'Hoeveel vraag je?'

'Vijftigduizend.'

'En pijpen?'

'Dertig.'

'Anaal?'

'Dat doe ik niet.'

'Waarom niet?'

'Omdat ik dat niet doe.'

'Oké.'

Ik stapte bij hem in de auto en hij reed weg.

'Zeg eens, hoe oud ben je?' vroeg hij en hij keek me aan. 'Waar kom je vandaan? Hoe lang ben je hier al?'

Ik nam niet de moeite antwoord te geven. Maar hij was tenminste beleefd. Al gauw stopten we op een grote parkeerplaats tussen twee vrachtwagens. De chauffeurs leken allemaal te slapen.

Ik keek hem aan en vroeg: 'Goed, wat wil je?'

'Eerst pijpen en dan seks.'

'Oké. Eerst geld.'

'Geen probleem.'

De man haalde een pak opgevouwen bankbiljetten uit zijn zak en gaf me honderdduizend lire. Twintigduizend extra. Dat was een dikke fooi.

Ik voelde me bekaf toen ik hem een condoom omdeed en me naar hem overboog. Ik bloedde niet meer, maar ik voelde me nog steeds heel slapjes. Ik moest mijn gedachten opzij drukken, zorgen dat ik deze nacht doorkwam en wachten tot het eindelijk afgelopen was.

Ik werkte snel en de man was al gauw zover dat hij kon neuken. Hij vouwde de rugleuningen naar achteren en klom boven op me. Maar ik begreep wel dat hij op deze manier nooit klaar zou komen. Opeens hield hij op.

'Kunnen we het in een andere houding doen?' vroeg hij aarzelend.

'Nee,' zei ik.

De enige manier waarop ik ooit seks had gehad, was met de man op me. Als hij iets anders wilde, moest hij ervoor betalen. Ardy zei keer op keer tegen me dat als een klant een ander standje wilde hij ervoor moest betalen, als hij wilde dat ik mijn kleren uittrok hij moest betalen en als hij mijn lichaam wilde kussen hij moest betalen.

Maar toen ik de man aankeek, herinnerde ik me dat hij me twintigduizend extra had gegeven. Hij was vriendelijk tegen me geweest.

'Goed dan,' zei ik.

We gingen achter in de auto zitten en ik ging voor hem op mijn knieën zitten, waarna hij weer in me kwam.

'En die andere manier, wat denk je daarvan?' fluisterde hij.

'Nee, ik heb je al gezegd dat ik dat niet doe.'

'Ach, toe nou!'

'Nee, ik meen het!'

Deze keer zou ik geen medelijden met hem krijgen. Dat deed ik nooit, ik zou het nooit doen en ik zou nooit van gedachten veranderen, hoeveel hij me ook wilde betalen.

De man zei niets meer, maar greep me bij mijn haar vast en trok mijn hoofd naar achteren. Opeens greep hij mijn heupen in een ijzeren greep en trok zich terug. Hij nam een iets andere houding aan en toen drong hij met geweld daar naar binnen waar hij niet naar binnen had gemogen. Ik gilde.

'Verdomde hoer!' schreeuwde de man.

Ik probeerde naar de voorstoel te kruipen. Ik moest bij hem weg, ik kon dit niet laten gebeuren. Dit was het enige plekje dat ik weigerde te verkopen, het enige plekje dat niemand ooit had aangeraakt. Maar zijn handen groeven zich steeds dieper in mijn huid en hij ramde steeds weer bij me naar binnen. Het deed ongelooflijk veel pijn.

'Jij verdomde hoer!' schreeuwde de man en hij sloeg me. 'Dit vind je heerlijk.'

Ik probeerde in zijn vingers te bijten, maar ik kon er niet bij. De man liet me los en begon me op mijn billen te slaan.

'Je hebt al eerder zo geneukt, maar je wilt gewoon meer geld, ja toch?' hijgde hij. 'Je deed net alsof je dit niet wilde, maar je speelde gewoon een spelletje met me, hè?'

Toen hij eindelijk klaar was, draaide hij me om en glimlachte naar me. 'Dat vond je lekker, hè?'

Later die nacht ging ik terug naar het hotel en ik vertelde Ardy wat er was gebeurd.

'Je had meer geld moeten vragen,' schreeuwde hij. 'Anaal kost honderdduizend.'

Ik keek hem met een kille blik aan en zei: 'Heb je wel gehoord wat ik zei? Hij heeft me verkracht!'

'Pf, je doet dit werk al maanden,' zei Ardy neerbuigend. 'Hoe kan iemand je dan verkrachten? Seks is je werk en het geld dat je nu te weinig hebt gekregen, tel ik gewoon bij je schuld op.'

Volgens mij zijn er mannen die denken dat als een vrouw nee zegt ze eigenlijk ja bedoelt en als een prostituee dat zegt dat ze dan probeert de prijs op te drijven. Ze geloven dat je alles kunt verkopen en dat niets van jou privé is. Maar ze vergissen zich. Prostituees zijn actrices en alle mannen die je geloven als je hun vertelt hoeveel je van hen houdt, zijn stomkoppen. De meeste vrouwen vinden het niet prettig om zichzelf te verkopen, ook al zijn er misschien een paar uitzonderingen. Ze doen het omdat ze moeten en ze sluiten zich er geestelijk voor af. Maar als iemand je verkracht en je slaat, dan kun je die gevoelens niet langer negeren.

Ik kan niet goed beschrijven hoe ik me die nacht voelde. Ik kon de pijn niet vergeten en ook niet dat die man me 'hoer' had genoemd. Het klinkt misschien gek, maar ik voelde me ongeveer net zoals jaren geleden, toen ik was ontmaagd. Het geweld en het schenden van dat deel van me dat niemand ooit eerder had aangeraakt. Dat had net zo gevoeld. En al die gevoelens van toen, die ik had begraven, kwamen allemaal weer boven.

De dagen daarna heb ik veel in bed gelegen omdat ik zo'n pijn had, maar mijn geest bleef actief, zelfs als ik me niet bewoog. Steeds weer dacht ik eraan dat ik Ardy wilde vermoorden, door hem in zijn slaap te smoren, door zuur over hem heen te gooien of door hem in stukjes te snijden –

waarbij elk stukje een van mijn klanten vertegenwoordigde, alle mannen aan wie ik me van hem had moeten verkopen. Alleen dan zou hij kunnen voelen wat ik voelde.

Ik probeerde deze gedachten te verbergen als ik mijn ogen open had, maar dat lukte niet altijd en dan sloeg Ardy me.

'Kijk me niet zo aan,' riep hij dan. 'Je bent gewoon een stomme hoer.'

Maar meestal bleef ik in bed liggen tot het tijd was om op te staan en aan het werk te gaan.

Als ik me klaarmaakte voor mijn werk, zei ik in gedachten steeds hetzelfde: make-up, kleren, werk, geld verdienen, terug naar het hotel, douchen en slapen. Het was net alsof ik geen hart en geen ziel meer had – ik was leeg.

'Hier knap je vast van op,' zei de oude man en hij bood me een glas aan.

Eerder die avond had hij me opgepikt en meegenomen naar zijn huis. Het was december en ik had het ontzettend koud, maar nu rook ik de warme geur van kruiden en wijn. .

'Voorzichtig, het is heet.'

De oude man was ermee akkoord gegaan me zeshonderdduizend lire te betalen om de nacht met me door te kunnen brengen. En hoewel Ardy daar niet blij mee was, moest hij toch toegeven dat het een leuk bedragje was. Ik voelde boosheid in me opwellen toen de wijn me verwarmde. De oude man had er geen idee van dat ik een pooier had – hij had de deal immers met mij gesloten – en wist dus niet dat Ardy buiten was en ons in de gaten hield. Ik begreep niet waarom. Ik was volkomen gedwee, ging nooit tegen hem in, loog hem nooit voor en hield geen geld achter. Voor zijn gevoel was ik een mak schaap en hij was er allang geleden mee opgehouden om me in de gaten te houden als ik aan het werk was.

Misschien voelde hij wel dat deze klant anders was.

De oude man had me verteld dat hij Roberto heette. Hij was lang en slank en had een slecht gebit en zijn adem rook naar wijn, maar zijn huis was warm en hij maakte een maaltijd voor me klaar. Dit was veel beter dan op straat te zijn. En als ik mijn ogen maar lang genoeg dichthield, kon ik bijna denken dat ik veilig was.

Hij stond op en zei: 'Ik ga even naar de oven kijken.' Mijn Italiaans was al een stuk beter en ik kon hem probleemloos verstaan.

Het voelde vreemd om in het huis van iemand anders te zijn en nog vreemder dat de man me als een vriendin behandelde. Maar ik zweeg toen ik de pasta en de kaas opat die hij voor me had klaargemaakt en me daarna een kop koffie gaf. Later liet hij me zijn huis zien; er waren drie slaapkamers, een woonkamer, een keuken en een kelder vol flessen wijn.

Ten slotte opende hij de deur van een andere kamer, een studeerkamer met een veldbed erin.

'Kom eens lekker bij me liggen,' zei hij vriendelijk.

Ik begreep dat hij me niet in de kamer wilde hebben die hij vroeger met zijn vrouw had gedeeld. Hij had me verteld dat ze jaren geleden was overleden. En zodra we in bed lagen, begreep ik dat we geen seks zouden hebben. Het enige wat hij wilde, was dicht bij me zijn en me even aanraken toen ik hem vertelde hoe zacht zijn huid was. Hij wilde alleen maar de troost die een nacht met mij hem kon bieden.

Toen ik de volgende ochtend wakker werd, vroeg ik me even af waar ik was. Toen wist ik het weer. Roberto sliep nog steeds. Ik kleedde me snel aan en maakte me klaar om te vertrekken. Bij de deur keek ik nog even naar hem. Hij was aardig, zijn huis was prettig en hij had me een veilig gevoel gegeven. Ik wist zeker dat hij me nooit kwaad zou doen. Hij was eenzaam en wilde het gevoel hebben dat hij iemand had in de wereld. Dat gevoel kon ik begrijpen.

Ik liep weer terug en liet het nummer achter van het mobieltje dat Ardy me had gegeven. Ik hoopte dat hij me zou bellen. Ik kon deze telefoon niet gebruiken om contact op te nemen met thuis, maar het zou fijn zijn als ik de telefoon opnam en er eens een keer iemand anders aan de lijn was dan Ardy.

'En?' snauwde Ardy toen ik bij hem in de geleende auto stapte. Hij was narrig van de koude, ongemakkelijke nacht die hij achter de rug had. 'Hoe was het?'

Ik haalde mijn schouders op. Ik ging hem heus de waarheid niet vertellen, dan zou hij alleen maar nóg achterdochtiger worden. 'Zoals altijd. Hij wilde seks.'

'Waar is het geld?'

Ardy's ergernis leek te verdwijnen toen hij het geld in handen had. 'Geweldig,' zei hij. 'Die ouwe ezel is dus toch wel ergens goed voor.'

Ik was blij toen Roberto me opbelde. We spraken af dat ik weer een nacht met hem zou doorbrengen. Deze keer vond Ardy het geen probleem om buiten te blijven wachten. Het was gemakkelijk om Roberto's eten op te eten, met hem te praten en daarna de nacht met hem door te brengen. Al gauw stelde hij voor dat ik een heel weekend zou blijven, van vrijdagavond tot maandagochtend. Hoewel Ardy het niet leuk vond dat ik dan ruim twee dagen weg zou zijn, kon hij niet nee zeggen tegen het geld dat hij ermee verdiende.

'Wat hebben jullie gedaan? Waar zijn jullie geweest?' vroeg hij, elke keer als ik weer terugkwam in het hotel.

Hij was zenuwachtig, dat voelde ik heel goed. Hij wilde niet dat hij de macht die hij over me had kwijtraakte.

'We zijn gewoon binnen gebleven. Wat dacht jij dan?'

'Als je problemen maakt, kan ik jou en hem in bed verbranden, vergeet dat nooit,' zei Ardy dan. 'Ik heb overal vrienden, dus haal je maar niets in je hoofd. We zullen erachter komen wat je hebt gedaan en we zullen je vinden, waar je ook maar naartoe vlucht.'

Het drong tot me door dat hij zich bezorgd afvroeg of ik bevriend zou raken met iemand die me zou kunnen helpen om bij hem weg te gaan. Ik was niet op het idee gekomen dat Roberto een uitweg kon zijn. Ik had hem alleen maar beschouwd als iemand die vriendelijk voor me was in een leven zonder enige tederheid.

'Ik loop heus niet weg,' zei ik. 'Ik vind het fijn bij jou, Ardy. Dat weet je best.'

Ik wist dat het belangrijk was dat Ardy dacht dat ik loyaal was naar hem toe.

De tijd die ik met Roberto doorbracht, maakte me niet gelukkig. Ik voelde me alleen maar minder ellendig. Ik was al blij dat ik nu niet op de koude straat stond en dat Roberto respect voor me had. Hij zei dankjewel nadat hij me had aangeraakt, maakte eten voor me klaar en liet me nog geen bord afwassen. Na een paar weken begon hij me mee uit te nemen. Soms nam hij me mee om kleren voor me te kopen of hij nam me mee naar een restaurant. Een keer nam hij me zelfs een dagje mee naar Venetië. Het was zo prachtig: het grote plein met de enorme kerk die erop neerkeek, de winkels waar ze maskers verkochten, de boten op het water. Het was een betoverende plaats en terwijl ik naar andere jonge vrouwen in de menigte keek, vroeg ik me af of er meer vrouwen waren zoals ik. Ik kon me bijna niet voorstellen dat er iemand was die zich even eenzaam voelde als ik.

Een paar weken later begon Roberto me vragen te stellen. 'Voor wie werk je eigenlijk? Veel buitenlandse meisjes werken voor een Albanees.'

'Voor niemand,' zei ik dan, maar ik wist zeker dat hij ervan uitging dat ik loog.

Maar Roberto oefende nooit enige druk op me uit en misschien was dat wel de reden dat ik hem een beetje over mezelf vertelde toen we een keer na het diner zaten te kletsen.

Roberto leek helemaal niet verbaasd. Volgens mij had hij wel eerder meisjes zoals ik ontmoet. 'Je hoeft niet bang te zijn,' zei hij. 'Je zou bij mij kunnen wonen, ik kan je helpen.'

'Nee,' zei ik. 'Dat kan niet. Ardy weet wie je bent, waar je woont. Hij heeft veel vrienden; die zouden je nooit met rust laten en hij zal me nooit laten gaan. Hij vermoordt me liever dan dat hij me laat gaan. Dat weet ik zeker. Bovendien ben ik hem nog geld schuldig en hij heeft gedreigd mijn kinderen iets aan te doen als ik hem dat geld niet terugbetaal.'

Roberto keek me vriendelijk aan. 'Ik wist niet dat je kinderen had. Waar wonen ze?'

Ik vertelde hem een beetje over Sasha, Pasha en Luda.

'Je zult hen wel heel erg missen. Hoeveel geld ben je hem schuldig?'

'Vierduizend pond.' Toen ik dat zei, leek het een onmogelijk bedrag. Meer geld dan ik ooit zou kunnen verdienen.

Roberto zuchtte. 'Zoveel heb ik niet. Maar laat me wat geld naar je kinderen sturen. Hoe lang is het geleden dat je met hen hebt gepraat? Je mag mijn telefoon wel gebruiken om hen op te bellen.'

Ik hapte naar adem, wist niet wat ik moest zeggen.

Hij glimlachte naar me. 'Laat me je een beetje helpen, Oxana. Je hebt me heel gelukkig gemaakt en ik voel me prettig sinds ik je heb leren kennen. Daar heb je geen idee van. Ik zou iets terug willen doen. Oké?'

Ik keek hem aan. Geld voor de kinderen zou prachtig zijn, maar Ardy zou me vermoorden als hij er ooit achter kwam. Ik zou Ira moeten bellen om haar te vertellen dat het geld eraan kwam. Het was al vijf maanden geleden dat ik Oekraïne had verlaten. Wat moest ik haar vertellen?

'Mag ik dat voor je doen?' vroeg Roberto zacht.

'Ja, dank je wel,' kon ik ten slotte uitbrengen. Daar kon ik toch geen nee tegen zeggen?

'Goed. Dan doen we dat morgen.'

De volgende dag nam Roberto me mee naar het station. Daar was een winkel waar je geld naar het buitenland kon overmaken. Ik durfde niet met hem mee naar binnen te gaan, maar bleef in een hamburgertent op hem wachten. Als Ardy me in de gaten hield en me later zou vragen wat we hadden gedaan, dan zou ik zeggen dat we hadden geluncht en dat Roberto even naar het toilet was gegaan.

'Dit is de kwitantie,' zei Roberto toen hij terugkwam.

Ik keek ernaar. Hij had gedaan wat hij had gezegd. Hij had tweehonderd dollar naar Ira gestuurd. Genoeg om mijn kinderen twee maanden lang te eten te geven.

'Dank je wel. Ik ben je zo dankbaar.' Ik gaf hem de kwitantie terug en zei: 'Maar jij moet deze zelf houden, want anders vindt Ardy hem.'

Voor het eerst sinds maanden voelde ik me gelukkig. Maar ik was ook bang. Ik was niet alleen bang dat Ardy zou ontdekken wat ik had gedaan, maar nu moest ik Ira ook bellen en haar vertellen dat het geld onderweg was. Wat zou ze zeggen?

Mijn handen trilden een beetje toen ik de telefoon oppakte en het nummer intoetste. Het was eerst stil, maar daarna hoorde ik geruis en even later een lange, lage zoemtoon. De telefoon ging over.

'Hallo?' zei iemand.

Ira.

'Ik ben het,' fluisterde ik, maar zo zacht dat mijn stem bijna niet te horen was.

'Hallo?' zei Ira weer.

'Ik ben het, Oxana.'

Stilte.

'Waar heb je gezeten?' vroeg Ira na een tijdje. Haar stem had een ijskoude klank. 'Waarom heb je niet gebeld? De kinderen bleven maar naar je vragen. Wat is er gebeurd? We hebben al maanden niets van je gehoord. We waren zo bezorgd!'

Even hield ik mijn adem in. Toen slikte ik. Mijn mond was droog. 'Het spijt me,' zei ik. 'Ik heb wat problemen gehad. Ik kan nu niet veel zeggen, maar ik ben niet meer in Turkije en ik had tot nu toe geen geld om te bellen.'

'Maar waar ben je dan, Oxana? Wat is er gebeurd?'

'In Italië.'

'Waar?'

'Italië.'

'O, mijn god!'

Ik slikte weer. 'Ik heb een baantje gevonden als schoonmaakster. Nu verdien ik veel geld. Ik zal je vandaag wat sturen.'

'Je lijkt wel een reizende kikker, je springt van de ene plek naar de andere,' zei Ira. Haar stem had nu een zachtere klank. 'Maar waarom heb je niet gebeld? We hebben ons zoveel zorgen gemaakt. We missen je. Sasha vraagt bijna elke dag naar je.'

De tranen sprongen me in de ogen toen ik aan hem dacht. 'Hoe is het met hem?'

'Goed. Met allebei. Luda doet het goed en Sasha houdt niet van rekenen. Maar ik wist niet wat ik hun moest vertellen als ze naar je vroegen.'

Ik wilde iets zeggen, maar ik kon het niet. Diep vanbinnen huilde ik.

'Gaat het echt wel goed met je?' vroeg Ira zacht.

Ik kon nog steeds geen woord uitbrengen. Ik probeerde mezelf te kalmeren.

'Niet huilen,' fluisterde ze.

Ik haalde diep adem en zei toen snel: 'Het gaat goed met me. Ik kan het niet allemaal uitleggen, maar ik zal je vanaf nu geld sturen. Dat beloof ik je, Ira.'

'Doe maar wat je kunt,' zei ze en ze zweeg even. 'Ik moet je iets vertellen, Oxana.'

'Wat dan?'

'Sergey is weer uit de gevangenis. Hij kwam vragen waar je was. De kinderen waren er niet en dus heeft hij hen niet gezien en ik wilde hem niets vertellen, maar hij stelde heel veel vragen.'

Ik werd bang. Ik rilde toen ik aan Sergey dacht en aan zijn belofte dat hij me ooit zou weten te vinden.

'Hij mag Sasha en Luda niet zien, hoor! Houd ze alsjeblieft bij hem weg.'

'Dat doe ik, dat beloof ik. Maar volgens mij wil hij hen helemaal niet zien. Hij wil jou zien!'

'Dat weet ik. Vertel hem niets.'

'Maak je maar geen zorgen. Ik heb hem verteld dat jij weg bent gegaan en de kinderen hebt meegenomen. Ik denk niet dat hij terugkomt.'

De tijd verstreek heel snel.

'Ira, ik moet nu ophangen, maar ik bel zo snel mogelijk weer. Geef de kinderen een kusje van me. Zeg ze dat ik van ze hou.'

'Ze zijn nu bij Tamara. Je kunt hen daar bellen als je wat meer geld hebt.'

Ze gaf me het telefoonnummer en ik legde de telefoon neer. Toen pakte ik hem weer op. Ik kon Pasha niet op zijn school bellen, maar als er een kansje was dat ik met Sasha of met Luda kon praten, dan moest ik het proberen. Ook al zou het een kort gesprekje worden.

'Hallo?' zei een kinderstem.

'Sasha?'

'Ja.'

Opeens kwam ik tot leven. Nadat ik al die maanden dood was geweest, begon mijn hart weer te kloppen en ik dacht dat ik zou breken. Ik wilde mijn zoon vastpakken, hem tegen me aan drukken, mezelf eraan herinneren dat ik echt bestond, dat ik Sasha's moeder was en niet slechts een naamloze hoer.

'Dit is mama,' zei ik.

'Mama?'

'Ja, lieverd. Ik ben het.' Ik hoorde kreten op de achtergrond. 'Is dat Luda?'

'Ja, ze is buiten aan het spelen. Waar ben je geweest, mama?'

'Ik heb gewerkt, lieverd. Het spijt me dat ik je niet heb gebeld. Maar ik heb het heel druk gehad.'

'Wanneer kom je thuis? Ben je hier met oud en nieuw?'

'Dat weet ik niet, Sasha. Ik heb net een nieuwe baan en ik moet werken om jou warm te houden en om eten en cadeautjes voor je te kopen.'

'Maar ik wil dat je naar huis komt, mama.'

'Dat doe ik ook, hoor, lieverd. Zo snel mogelijk.' Ik balde mijn vuist. Ik moest niet gaan huilen. 'Lieverd, ik moet nu ophangen. Ik heb niet genoeg geld om lang met je te praten.'

'Maar zul je weer een keertje bellen?'

'Natuurlijk. Volgend weekend.'

'Ik hou van je, mama.'

'Ik hou ook van jou.'

De verbinding werd verbroken en ik kon wel gillen. Overal om me heen waren de geesten van Roberto's leven – zijn vrouw en de liefde voor haar die hij weer opriep met een hoer – en ook al leefden mijn kinderen wél, toch waren ze net zo onbereikbaar.

Ik voelde een hand op mijn schouder.

'Als je de volgende keer hier bent, mag je weer bellen, hoor,' zei Roberto zacht. 'En dan sturen we ook weer wat geld.'

'Dank je wel,' zei ik en ik probeerde niet te huilen.

Met een zwaar gemoed liep ik naar de woonkamer om mijn jas te pakken. Roberto's huis was zo warm. Hij was de enige die me in deze lange maanden als een echt mens had behandeld. Ik werd misselijk toen ik aan Ardy dacht die buiten zat te wachten en aan de straten waar ik al snel weer zou moeten werken.

Maar toen ik de voordeur van Roberto's huis achter me dichtdeed, dwong ik mezelf om me vast te klampen aan het sprankje hoop dat ik nu voelde. Roberto had gezegd dat hij me weer wilde helpen. Zijn belofte voelde als een warme vlam die in me gloeide toen ik in de auto stapte.

'Waar is het geld?' snauwde Ardy toen ik naast hem zat.

'Hier,' zei ik.

Zwijgend telde hij het geld en stopte het in zijn zak. Toen reed hij weg.

Ik sloot mijn ogen en liet mijn hoofd tegen de hoofdsteun rusten. Ik wilde me elk moment van Sasha's stem en de geluiden van de spelende Luda herinneren. Nog maar een paar dagen, dan zou ik dat weer horen. Roberto had gezegd dat hij me wilde helpen en ik wist dat hij zich aan zijn belofte zou houden. Ik kreeg iets meer hoop. Ik had nu een geheim, iets wat Ardy nooit te weten zou komen. Ik zou de uren aftellen tot Roberto me weer zou bellen.

Toen we weer in ons hotel waren, gingen we de trap op naar onze kamer. Ik wilde in het donker gaan liggen, zodat ik nog een tijdje van mijn herinneringen kon genieten. Maar toen ik de kamerdeur opendeed, zag ik dat de kamer leeg was. Onze koffers stonden naast het bed. Ik voelde me koud worden.

'Wat is er aan de hand?' vroeg ik aan Ardy.

'We gaan weg,' snauwde hij. 'De politie heeft een razzia gehouden. Het is hier nu te gevaarlijk voor ons.'

Ik werd bang. Ik had nog maar één keer agenten gezien, niet lang nadat ik hier was aangekomen. Ze hadden me gevraagd waarom ik op straat stond. Ik had gezegd dat ik op een vriendin stond te wachten en toen hadden ze me met rust gelaten. Ardy vertelde me later dat ik jaren de gevangenis in zou moeten als ze me betrapten.

'Weet je niet wat ze in rijke landen doen met illegalen?' had hij gevraagd. 'Als de politie je betrapt, dan zal ik zeggen dat je een hoer bent en dan ga je de gevangenis in. Wil je soms te boek staan als een prostituee? Zodat iedereen thuis weet wat je echt bent?'

Dat was mijn grootste angst.

Maar ik wist ook dat ik moest proberen hier te blijven, in de buurt van Roberto en de hulp die hij had aangeboden.

'Daar kun je toch wel iets op verzinnen?' zei ik snel. 'Het werk hier verdient goed.'

'Hou verdomme je kop en doe wat ik je zeg,' riep Ardy. 'Hup, schiet op!'

Ik moest me beheersen om niet te gaan schreeuwen en ik pakte mijn koffer.

Weer had ik mijn kinderen een belofte gedaan die ik niet kon houden. En Sasha zou zitten wachten bij de telefoon die niet over zou gaan.

25

Ardy had de hele avond in een koffiebar gezeten, tegenover de plek waar ik in de sneeuw stond. Het was inmiddels elf uur 's avonds en sluitingstijd. Ardy keek me strak aan toen hij naar buiten kwam. Hij liep naar het einde van de straat en sloeg de hoek om. Ik wist dat hij snel terug zou komen zodat hij me in de gaten kon houden.

Mijn benen waren bijna gevoelloos en ik stampte een paar keer met mijn voeten. Ik droeg een rode broek, een jasje en laarzen met hoge hakken, maar de zolen waren dun en het was heel koud buiten.

Een auto begon langzamer te rijden en ik keek naar binnen.

Een tiener schreeuwde tegen me: 'Smerige hoer! Hoeveel kost een beurt?'

De jongen zat samen met een paar vrienden in de auto en ze begonnen allemaal te lachen. Ze genoten van de manier waarop die jongen tegen me schreeuwde.

'Smerige slet!' riep hij en hij gaf gas.

Dat gebeurde tegenwoordig regelmatig nu we in Cavalese woonden, een stad in de Dolomieten. We logeerden bij twee vrienden van Ardy die een klein huis hadden. Ardy, een van de mannen en ik deelden het bed en de andere man sliep op de bank. Dat was niet het enige wat veranderd was. Ardy had, als er andere mensen bij waren, nog meer het gevoel dan anders dat hij moest laten zien wie de baas was. Hij stak zijn borst naar voren, deed alsof hij een echte macho was en behandelde me als een stuk vuil, gaf me af en toe een restje eten of negeerde me helemaal.

Als we alleen waren, gedroeg hij zich volkomen anders. Dan was hij jaloers en bezitterig, alsof hij bang was dat ik er met een van de andere mannen vandoor zou gaan.

'Vergeet niet dat je mijn vrouw bent,' zei hij steeds en hij zei zelfs af en toe dat hij van me hield. 'Als we niet meer hoeven te werken, gaan we samenwonen en dan zal ik voor jou en je kinderen zorgen,' zei hij dan.

Dan glimlachte ik en probeerde ik mijn haatgevoelens niet te laten blijken. Waarom zei hij zulke dingen? Wilde hij soms dat ik hem vertrouwde, dat ik hem geloofde? Of dacht hij echt dat ik met hem samen wilde zijn na alles wat hij me had aangedaan? Ik werd al beroerd bij het idee dat deze man zelfs maar in de buurt van mijn kinderen zou komen. Maar ook al wilde ik hem dolgraag voor pooier uitschelden, toch deed ik het niet. Ik wist heel goed dat ik hem nodig had, totdat ik een manier vond om uit deze situatie te ontsnappen.

Hij boezemde me nog meer afkeer in dan eerst. Ik zag heel goed hoe pathetisch hij was en ik walgde van de manier waarop hij 'de man' speelde door mij slecht te behandelen. Dan dacht ik aan Roberto, een heer die me netjes had behandeld. Ik wist dat Ardy een verachtelijk mens was, een wreed klein jongetje zonder ook maar één enkele goede eigenschap. Als hij tegenwoordig om seks vroeg, zei ik altijd dat hij achter me moest gaan liggen; ik wilde zijn gezicht niet zien als ik in het donker lag te huilen.

'Wat ben je goed, zeg!' zei ik dan en daardoor kwam hij nog sneller klaar.

Ik heb er nooit van genoten als we seks hadden. Ik wist niet eens wat een orgasme was, maar ook Ardy wist dat niet. En omdat ik hem vaak vertelde dat hij zo geweldig was, begon hij te denken dat ik echt om hem gaf. Maar ik deed dat alleen omdat het beter voor me was. Ik had gedacht dat Roberto me zou kunnen helpen, maar nu wist ik wel dat niemand dat ooit zou kunnen.

Cavalese bleek een foute keus.

Het was geen stad waar een vrouw op straat geld kon verdienen en daarom waren er dus niet genoeg klanten. Ik had elke avond maar twee of drie klanten en de rest van de tijd moest ik de scheldpartijen van die tieners over me heen laten gaan.

Ik probeerde niet te luisteren, maar dat was heel moeilijk. Als mensen je maar lang genoeg haten, dan ga je vanzelf geloven dat ze gelijk hebben. Ardy, de mannen en zelfs de gewone mensen die langs me liepen, zeiden met hun blik allemaal hetzelfde: het is je eigen schuld dat je hier bent en van niemand anders. Je bent stom, walgelijk en nog lelijk ook, vanbinnen en vanbuiten.

Hier in dit kleine stadje kreeg ik het gevoel dat ik gek begon te worden. Al vanaf het moment dat ik was verkracht, had ik het gevoel dat ik elke dag twee levens leidde: een leven ín mijn lichaam en een leven erbuiten; de storm die ik verborg en de kalmte die ik de wereld liet zien; de vrouw en de robot.

Het grootste deel van de tijd stopte ik mijn gevoelens weg, zo ver weg als ik kon, waar ze me geen pijn konden doen. Maar als ik alleen was, werd ik overspoeld door schuldgevoelens en door verdriet. Hoe had ik dit kunnen laten gebeuren? Wanneer zou ik mijn lieve kinderen ooit weer zien? Strafte God me voor iets wat ik had gedaan? Was ik echt zo'n afschuwelijk mens dat ik dit leven verdiende?

Als ik alleen in de badkamer was, deed ik de douche aan en propte een handdoek in mijn mond en dan begon ik te schreeuwen en te schreeuwen. Ik keek vol afschuw naar mijn lichaam en dacht aan alle mannen die er bezit van hadden genomen. Elke keer weer ging ik onder de douche staan en probeerde het vuil van me af te wassen, maar dat lukte nooit. Dit was mijn straf.

Ik werd ook af en toe bang van mezelf. Ik had het gevoel dat ik gek werd en dan draaide ik de douchekraan dicht, ik ging op de vloer zitten en staarde in het niets.

Ik begon tegen mezelf te praten om te proberen mezelf weer terug te vinden. Je moet sterk zijn. Je bent een volwassen vrouw. Nog één stapje, nog één dag en dan is het algauw voorbij. Je moet volhouden, want als het zover is, moet je er klaar voor zijn.

En soms staarde ik zwijgend in de spiegel, ik vertrok mijn mond, sloeg mezelf in het gezicht zodat ik blauwe plekken kreeg, trok aan mijn haar of krabde mezelf. Het voelde alsof ik aan de drugs was, ik wilde alleen nog maar slapen en overal een eind aan maken. Nooit meer wakker worden.

Ik was een keer zo wanhopig – ik vond mijn leven niet meer de moeite waard, omdat ik zoveel pijn voelde – dat ik probeerde er een einde aan te maken. Ik knoopte een panty om mijn hals en bond die aan een haak in het plafond, maar de panty hield me niet toen ik de stoel onder me vandaan had geschopt. Toen ik op de grond viel, begon ik te lachen: ik was zo smerig dat zelfs God me niet wilde.

Denk aan je kinderen, zei een stem in me als ik dat soort dingen dacht.

Je moet naar huis, naar je kinderen toe. Je moet weer een goede moeder worden voor Pasha. Hoe moeten zij het redden als jij hen in de steek laat? Je moet sterk zijn.

Dan klopte Ardy op de deur van de badkamer en wist ik dat ik er weer uit moest komen. Als ik me aankleedde, keek ik in de spiegel en probeerde mijn gezicht weer in bedwang te krijgen, tegen mezelf te glimlachen en mijn gevoelens uit te schakelen – alsof ik innerlijk een knop omdraaide waardoor ik vanbinnen weer dood was.

De weken gingen voorbij. Ik was nu al ruim zes maanden aan het werk. Toen het Kerstmis werd, begon ik steeds meer aan thuis te denken. In Oekraïne vierden we geen kerst, maar ik wist dat het een feest was voor kinderen en daar werd ik verdrietig van.

Nu was het 13 januari 2002 en ik stond in een verlaten straat. Er was niemand in de buurt en de stad was stil, op de bar na verderop in de straat. Mijn adem kwam in witte wolkjes naar buiten, ik stampte met mijn voeten om de bloedcirculatie op gang te krijgen. Zouden er nog klanten komen? Het werd al laat en iedereen lag waarschijnlijk al in bed. En het was zo koud!

Die avond kon ik alleen maar aan thuis denken. Vanavond werd in Oekraïne Nieuwjaar gevierd. Het was bij ons het grootste feest van het jaar en bovendien was ik over drie dagen jarig. Ik zou zesentwintig worden. Ik verlangde naar Ira en de kinderen. Zouden ze aan me denken als ze het glas hieven op het nieuwe jaar? Zouden ze verjaardagskaarten voor me hebben gemaakt en zich afvragen waarom ik er niet was om ze te openen?

Ik stak mijn hand in mijn zak en voelde het biljet van vijftig euro dat erin zat. Dat nieuwe geld was onlangs in gebruik genomen en mijn enige klant van die avond had me dat gegeven. In gedachten dronk ik een glas en ik staarde naar de deur van de bar. Sinds we in Cavalese woonden, had ik wijn gestolen van Ardy's vrienden. Ik genoot van de zachte, warme roes daarna en nu ik aan thuis dacht, wilde ik een glas wijn. Maar dat kon niet. Ardy zou me vermoorden als hij erachter kwam dat ik zijn geld had uitgegeven.

Maar toen de minuten verstreken, begon ik boos te worden. Waarom zou ik geen glas wijn mogen nu mijn familie feestvierde? Waarom moest Ardy me de ijskoude straat op sturen terwijl niemand me zelfs maar wilde? Ik had er genoeg van hem als een hondje achterna te lopen en alles te doen wat hij me opdroeg. Barst! Als ik snel was, zou hij er nooit achter komen.

Omdat ik zo bang was, rende ik naar de bar en duwde snel de deur open. Het was er stil en er zaten maar een paar klanten iets te drinken. De vertrouwde stem van mijn favoriete Italiaanse zanger vulde de lucht en mijn hartslag vertraagde. Sinds ik in Italië woonde, was ik fan geworden van Eros Ramazzotti; hij maakte romantische muziek, had een heerlijke stem en was heel knap. Alleen al dankzij zijn stem voelde ik me beter.

De barkeeper glimlachte naar me toen ik naar de bar liep en op een kruk ging zitten.

'Een dubbele whisky. Geen ijs,' zei ik gehaast. Ik moest vlug zijn.

De man zei niets toen hij mijn drankje inschonk. Ik dronk mijn glas in één teug leeg, de whisky brandde in mijn maag en ik wilde meteen nog een glas.

'Nog eentje, alsjeblieft,' zei ik.

Ik rookte een paar sigaretten, dronk nog een glas whisky en toen mijn hoofd begon te tollen, dacht ik al snel niet meer aan Ardy. Gelukkig nieuwjaar, zei ik tegen mezelf en ik dacht aan Sasha, Pasha en Luda. Zou ik dit jaar eindelijk mijn schuld hebben afbetaald en hen weer terug kunnen zien?

Opeens stond Ardy naast me. Hij keek woedend. 'Wat ben je verdomme aan het doen?' siste hij in mijn oor.

Ik draaide me om en keek hem aan. 'Rot op,' zei ik. 'Vannacht is het feest in mijn land. Het is Nieuwjaar en dus vier ik dat hier.'

'Kom mee naar buiten, anders zul je er nog spijt van krijgen,' zei Ardy zacht en hij pakte me bij mijn arm.

De koude lucht sloeg me in het gezicht en ik werd nog draaieriger.

'Waar haal je verdomme het lef vandaan?' riep Ardy.

Hij haalde uit en sloeg me, maar ik schoot in de lach. De whisky had me licht gemaakt in mijn hoofd en ik voelde me heel moedig. Hij mocht best weten dat ik niet altijd zo onderdanig was.

'Je moet me niet te erg toetakelen,' zei ik. 'Als ik morgen onder de blauwe plekken zit, wil niemand me hebben. Maar goed, als je dat geen probleem vindt, moet je vooral je gang gaan.'

Ardy's ogen schoten vuur en hij sloeg me opnieuw. Ik lachte weer.

'Oké, dan werk ik morgen dus niet omdat ik onder de blauwe plekken zit. Wil je dat soms?'

'Je bent dronken, stomme hoer,' siste hij. Toen zei hij niets meer, greep me bij de arm en sleurde me mee naar huis.

Toen ik de volgende dag wakker werd, had ik barstende koppijn en ik was doodsbenauwd bij de gedachte aan wat ik had gedaan. Al mijn moed was verdwenen. Inwendig trilde ik als een espenblaadje. Ik was nog nooit eerder zo ongehoorzaam geweest. Wat zou Ardy doen? Me aan zijn vrienden verkopen, zoals hij altijd dreigde?

Mijn gezicht deed pijn waar hij me had geslagen toen ik opstond om me te gaan douchen. Ik ging weer zitten en stak een sigaret aan.

'Hoe voel je je?' vroeg Ardy toen ik de woonkamer binnenkwam.

'Ik heb hoofdpijn,' zei ik.

'Zo, wat was er gisteravond aan de hand?'

'Hoe bedoel je?' ·

'Ik bedoel, waar was je verdomme mee bezig? Weet je het niet meer?'

'Nee.'

'Leugenaar.'

'Ik lieg niet.' Ik zette grote ogen op en probeerde onschuldig te kijken. 'Echt niet. Wat is er dan gebeurd?'

'Je zei dat ik op moest rotten.'

Ik keek hem aan, verbijsterd. Ik moest Ardy laten denken dat ik niet meer wist wat ik had gedaan. Hij moest niet denken dat ik me kon herinneren dat ik ongehoorzaam was geweest. 'Ardy, dat is verschrikkelijk. Het spijt me,' fluisterde ik. 'Dat had ik nooit moeten zeggen. Ik weet niet wat er is gebeurd, maar het zal nooit weer gebeuren.'

Ardy keek me met een kille blik aan. 'Meen je dat?'

'Ja.'

'Nou, zórg maar dat je het meent,' zei hij. 'Want anders zul je er nog spijt van krijgen. Denk maar aan je kinderen en de problemen die ze kunnen krijgen. Ik denk heel vaak aan die prachtige dochter van je, Oxana. Misschien zou zij ook wel voor me kunnen werken. Ik ben ervan overtuigd dat ze een geweldige hoer zal zijn als de tijd rijp is.'

Ik wendde me van hem af, misselijk, maar probeerde dat niet te laten zien. Ik mocht mezelf nooit weer laten gaan.

26

Op een ochtend gooide Ardy mijn jasje naar me toe en zei: 'Kom op, we vertrekken. Pak je spullen in.'
Ik ging rechtop in bed zitten en vroeg: 'Alweer?'
'Deze stad is waardeloos. De zaken gaan superslecht. We verdienen hier niet genoeg. We gaan ergens naartoe waar het beter is.'
'Waar dan?'
'Dat zie je wel.'

Het was eind januari en we reden door het platteland waar het koud en kaal was. We kregen een lift naar een stad in de buurt, waar we Ardy's zwager troffen. Hij nam ons mee in zijn auto en we reden uren achter elkaar. We volgden borden richting Oostenrijk en toen naar Duitsland. Zouden we daar naartoe gaan?

Niemand hield ons tegen toen we de Duitse grens passeerden. We zouden bij Ardy's zus logeren die op de vijfde verdieping van een flatgebouw woonde, in de buurt van Frankfurt. Toen ze de voordeur opendeed, leek ze niet bijzonder blij om haar broer te zien. Ze liet ons zonder iets te zeggen binnen. Het was warm en gezellig in het appartement en toen we de woonkamer binnenkwamen, zag ik speelgoed op de vloer liggen, maar ik zag geen kinderen. Toen we aan tafel gingen, zette Ardy's zuster met een klap borden met eten voor ons neer. Ze leek boos, kil en ongelukkig.

'Waarom ga je je niet even douchen?' zei Ardy toen we ons eten ophadden. Ik stond op en liep naar de badkamer.

Zonder iets te zeggen, liep de vrouw met me mee en gaf me een fles bleekwater. Zwijgend maakte ze me duidelijk dat ik alles moest schoonmaken als ik klaar was.

Ik ging onder de warme douche staan en waste de dag en de lange reis van me af. Toen hoorde ik boven het geluid van het stromende water uit geschreeuw.

'Die smerige hoer!' hoorde ik de vrouw roepen. 'Wat doet ze hier verdomme? Ik wil haar niet in mijn huis! Hoe lang zijn jullie van plan te blijven?'

Meer kon ik niet verstaan en ik bleef in de badkamer tot de stemmen zwegen. Toen ik weer in de woonkamer kwam, waren er twee kleine meisjes die naar me glimlachten toen ik ging zitten. Ze leken drie en zes en al gauw kwam het oudste meisje naar me toe en zei iets tegen me in het Duits. Ik verstond haar niet en glimlachte alleen maar, maar toen Ardy's zuster binnenkwam en zag wat haar dochter deed, nam ze de beide meisjes mee de kamer uit.

Later nam Ardy me mee naar beneden, naar de kelder van het flatgebouw. Met een sleutel maakte hij de deur open van een kleine ruimte waar allemaal dozen stonden met kleren, gereedschap en gewichten erin.

'Hier slaap je,' zei hij en hij wees naar een veldbed. 'Daarop. In de zak ernaast vind je een deken en een kussen.'

Ik keek naar de vochtige, donkere ruimte. Het had maar één raam en het was er heel erg koud.

'Welterusten,' zei Ardy.

Ik liep naar binnen en ademde de geur van vochtige stenen in. De deur ging achter me dicht en Ardy deed hem op slot. Die nacht op het veldbed kon ik niet slapen. De deken was zo dun dat ik het koud had. Ik heb de hele nacht liggen huilen. Ik wist dat ik moest ophouden met gevoelens toe te laten. Ik moest mezelf nog meer van alles afsluiten, zorgen dat ik vanbinnen van ijs werd en niets meer voelde. Alleen dan zou het geen pijn meer doen.

Ik wist dat Ardy's zuster me niet in haar appartement wilde hebben en dus was het geen verrassing dat Ardy me de volgende avond in een auto zette.

'Nu we moeten wachten, kun je net zo goed wat geld verdienen,' zei hij kortaf, ook al vertelde hij niet waar we op wachtten.

Hij nam me mee naar een pub. Toen ik binnenkwam, zag ik een toneel met een paal erop en allemaal spiegels eromheen. Er was ook een bar, ernaast was een trap naar boven en aan het plafond hing een glitterbal. Voor het toneel zaten meisjes op leren banken. Het was ongeveer acht uur 's avonds en omdat er nog geen klanten waren, zaten ze te kletsen en te roken. Ze droegen allemaal sexy japonnen – sommige met bandjes over hun borsten en andere met een diepe v-hals, een open rug en een met diamantjes versierd tangaslipje dat eronderuit piepte. De muziek stond zo hard dat ik niet kon horen wat ze zeiden. Ardy praatte met een vrouw die de baas leek te zijn en wendde zich toen tot mij.

'Hier blijf je een tijdje. Marya zal je wel vertellen wat je moet doen. Ze weet dat je niet naar buiten mag, dus haal je maar niets in je hoofd, oké? Over een paar dagen ben ik weer terug.'

Toen liep hij weg. Ik keek hem na. Hoezeer ik hem ook haatte, toch was hij de enige constante factor in mijn wereldje. Daarom was ik doodsbang toen ik hem zag verdwijnen.

'Kom mee,' zei de vrouw in het Russisch. Ik liep achter haar aan.

Ze nam me mee naar boven naar een overloop met allemaal deuren.

Ze deed een deur open en zei: 'Dit wordt jouw kamer. Die deel je met een ander meisje. Als het druk is, moet je een andere gebruiken.'

De kamer was klein en schoon en had roze muren, een groot bed en foto's van naakte vrouwen aan de muren.

'Heb je wel kleren?' vroeg de vrouw.

'Alleen deze,' zei ik en ik wees naar mijn broek en jas. Ardy had mijn koffer in de flat gelaten.

'Ik haal wel iets voor je.' De vrouw verdween en kwam een paar minuten later terug met een rode japon. 'Trek deze maar aan,' zei ze. 'Heb je condooms?'

'Nee.'

Ze zuchtte en liep weer weg.

Toen ik alleen was, trok ik mijn kleren uit en de japon aan. Toen ging ik zitten wachten. Ik begreep heel goed dat ik in een bordeel was en dat ik de klanten hier moest bedienen. Ik was een beetje zenuwachtig. Dit was allemaal nieuw voor me. De vrouw had niets gezegd over geld. Misschien konden we wel vragen wat we wilden en kregen we het geld van de klant zodra we alleen waren. Even flakkerde er een sprankje hoop in me op. Misschien mocht ik zelf wel wat geld houden.

De vrouw kwam terug en gaf me een paar condooms.

'Ga maar naar beneden en stel je voor aan de anderen,' zei ze. Weer liep ik achter haar aan.

Ik was zenuwachtig toen ik me bij de vrouwen voegde die op de banken zaten. Ik had nog nooit echt gepraat met vrouwen die net zo waren als ik. In Venezia Mestre had ik me afzijdig gehouden van de andere vrouwen en op straat in Cavalese waren geen vrouwen geweest. Ik vroeg me af wat voor vrouwen het waren, maar al snel zag ik dat ze net zo waren als de vrouwen die ik bij Serdar had gezien: jong, Oost-Europees en aardig. Ik ontspande me een beetje toen we in een gemengd taaltje met elkaar praatten en in onze kamerjassen zaten te wachten.

Ik zag ontzettend op tegen mijn eerste klant, maar die eerste avond kreeg ik er geen. Het was zo rustig dat maar een of twee van de meisjes een klant kregen. De volgende avond ging het net zo. Ardy was woedend toen hij tot de ontdekking kwam dat ik die twee avonden dat ik daar was niets had verdiend. Overdag wachtte ik alleen maar op de avond. Ik mocht niet naar buiten zoals een paar andere meisjes, maar moest in mijn kamer blijven.

De avonden waren niet heel erg. Er was één ding dat ik prettig vond aan de pub: we mochten drinken en dansen tijdens de uren waarin we op klanten wachtten. En terwijl de muziek in mijn hoofd speelde en de wodka mijn aderen vulde, kon ik bijna vergeten waar ik was. Heel even kon ik, als ik mijn ogen sloot, me voorstellen dat ik vrij was en bij Zhenya. Maar als de muziek stopte en ik naar boven liep naar mijn smerige kamer, dan wist ik weer dat ik gevangen was.

De zaken liepen niet best en ik had maar een paar klanten. Ardy werd steeds bozer elke keer dat hij mijn verdiensten kwam halen en ontdekte dat hij maar heel weinig mee kon nemen.

'Wat doe je hier eigenlijk, vette koe?' riep hij als hij me opwachtte in de bar. 'Het enige wat je hoeft te doen, is jezelf verkopen en zelfs dat kun je niet. Je bent niks waard.'

Toen ik er nog maar een paar dagen was, kwam er een nieuw meisje met twee mannen die in het Turks met de bazin over haar praatten. Ik verstond hen en begreep dat zij zich in dezelfde situatie bevond als ik.

'Ze mag niet naar buiten,' zei de ene man. 'Ze mag geen telefoontjes plegen. En al haar geld is voor ons.'

Later die dag vond ik het meisje, huilend op het toilet.

'Wat is er?' vroeg ik in het Russisch, maar ze begreep me niet en dus probeerde ik het in het Italiaans. Die taal sprak ze wel een beetje en ze vertelde me dat ze Anna heette en uit Roemenië kwam.

'Ik wil niet praten,' zei ze en ze begroef haar gezichtje in een papieren handdoekje. Maar ze bleef snikken.

'Waarom huil je?' vroeg ik. 'Misschien kan ik je helpen.' Ik wist wel wat er aan de hand was. Ik zag wel hoe bang ze was, dat ze zich gevangen voelde. Ze leek wel een diertje in een kooi. 'Jij bent niet de enige in deze situatie, weet je,' zei ik zacht.

Anna keek me met een bange blik aan.

'Ik hoorde je pooier over je praten. Ik weet dat ze je gevangenhouden.'

'Hij is mijn pooier niet,' zei ze snel.

'Je hoeft voor mij niet net te doen alsof, hoor. Ik weet wat er aan de hand is.'

'Niet doen,' siste ze en ze leek doodsbang. 'Je krijgt problemen als je met me praat. En ik krijg straf als ze ontdekken dat ik je iets heb verteld.'

'Er is hier niemand, dus dan kan toch niemand te weten komen wat we tegen elkaar hebben gezegd? Ik zeg alleen maar dat ik net zo ben als jij. Ik vertrouwde een vriendin en nu ben ik hier en ik kan niet ontsnappen omdat ik kinderen heb en ik hen dan ook in gevaar breng. Ik weet dat je je ongelukkig voelt, maar je moet volhouden. Probeer maar met de andere meisjes te praten, zoek een vriendin. Je zult het hier niet redden zonder vrienden en het is beter dan op straat te werken. Hier is het tenminste warm en veilig.'

'Kunnen we niet ontsnappen?' vroeg ze, met grote ogen en een hoopvolle blik.

Ik schoot bijna in de lach. Ze was nog niet zo vaak en hard geslagen dat ze willoos was geworden, zoals ik. 'We hebben een pooier,' zei ik. 'En die zal ons nergens naartoe laten gaan. Begrijp je dat nog steeds niet? Het heeft geen zin om te vechten. Je moet gewoon accepteren wat je bent en hopen dat er ooit een keer een einde aan komt.'

Die avond kwam Ardy zijn geld halen. Hij kwam naar me toe, vouwde de bankbiljetten op en zei: 'Dit is je laatste nacht hier. We zijn klaar voor de volgende fase.'

'De volgende fase?' echode ik. 'Wat is dat? Waar gaan we naartoe?' Ik vroeg me af welke kwellingen Ardy voor me in gedachten had.

'Heb ik je dat niet verteld?' Hij glimlachte blij. 'We gaan naar Engeland.'

Ik was sprakeloos en kon hem alleen maar verbijsterd aankijken.

Hij knikte, kennelijk heel tevreden over zichzelf. 'Jep. Daar gaan we rijk worden. Ik heb met mensen daar gepraat en die zeggen dat het er stikt van de illegalen. Daar kun je veel geld verdienen. Iedereen zegt dat dat de gemakkelijkste manier is.'

Engeland. Ik had er wel over gehoord, maar niet heel veel, en het kon me ook niet zoveel schelen waar ik nu naartoe zou gaan. Ik zou het land waar ik woonde toch niet zien. Ik zou weer in een kamer worden opgesloten of op straat worden gezet waar Ardy me in de gaten hield. Het enige wat ik ervan zou zien, waren de mannen die voor me betaalden. Het was alleen maar een andere plek waar ik gevangen zou zijn.

'Wanneer vertrekken we?' vroeg ik. Er liep een rilling over mijn rug, maar ik probeerde het niet te laten merken. De meeste reizen die ik in het afgelopen jaar had gemaakt, waren verschrikkelijk geweest. Ik was bang voor weer een gevaarlijke reis, dat ik zou worden opgejaagd door de politie, gevangen in het licht van schijnwerpers en een kogelregen, of overboord gesmeten in ijskoud water.

'Rustig maar,' zei Ardy toen hij mijn gezicht zag. 'We vertrekken morgen. Het komt wel goed, het is allemaal al geregeld.'

Toen hij vertrokken was, kwam Anna naar me toe. 'Was dat je pooier?'

Ik knikte. 'Hij neemt me morgen mee naar Engeland.'

Anna leek van slag. Ik was haar enige vriendin hier en nu zou ze me kwijtraken. 'Mag ik niet met je mee?' smeekte ze. 'Kun je dat niet aan Ardy vragen? Ik wil hier niet blijven zonder jou. Ik ben bang.'

'Onmogelijk,' riep ik uit. 'Als je met mij meekomt, ruil je alleen maar de ene pooier in voor de andere.'

'Maar ik kan hier niet in m'n eentje blijven. Dan pleeg ik zelfmoord. Hij slaat me. Ik kan er niet meer tegen.'

Ik keek naar Anna. Ze was zo jong en bang en, ook al haatte ik Ardy, hij sloeg me tenminste niet al te vaak. 'Goed, ik zal kijken wat ik kan doen.'

De volgende dag stond ik al klaar toen Ardy kwam. Anna stond bij me, ook klaar om te vertrekken.

'Wie is dit?' vroeg Ardy wantrouwend.

'Mijn vriendin Anna. Ze wil met ons mee.'

Hij keek naar haar. Anna glimlachte en probeerde hem gunstig te stemmen. 'Waarom?'

'Ze haat haar baas. Ze wil bij hem weg.'

Ardy fronste zijn wenkbrauwen. Het was gevaarlijk om de vrouw van een ander te nemen, maar ik zag dat hij het overwoog. We zouden meteen vertrekken, niemand zou ons kunnen opsporen. Hij zou haar in Engeland waarschijnlijk kunnen verkopen en zodoende wat extra geld kunnen verdienen. Ik wist wel dat zijn zucht naar geld sterker zou zijn dan zijn angst. Hij glimlachte, natuurlijk. 'Oké, Anna. Natuurlijk mag je met ons meekomen. Je kunt me de reiskosten terugbetalen als we in Engeland zijn.'

'Dank je wel,' zei Anna opgewonden.

Wat een wereld, dacht ik. Waarin een vrouw dankbaar is dat ze wordt meegenomen naar een onbekend land waar ze gedwongen zal worden tot prostitutie.

'Kom op,' grijnsde Ardy. 'De volgende halte is Engeland.'

27

Het was stil op de parkeerplaats toen we naar de vrachtauto liepen. We hadden ons urenlang verscholen in een sloot vlak bij een benzinestation langs een snelweg even buiten Brussel en Anna noch ik had iets bij ons. We hadden alles achter moeten laten. Ongeveer vijftig mensen hadden in het donker gewacht, terwijl twee mannen groepjes van zes wegbrachten. Toen waren wij aan de beurt.

'Geld,' zei de man die naar ons toe kwam en de andere mannen in ons groepje gaven hem allemaal vijfhonderd euro.

'Het is duizend voor hen samen,' zei de man en hij wees naar Anna en mij. Ardy gaf hem geld.

Hij bracht ons naar een gigantische parkeerplaats waar allemaal vrachtauto's geparkeerd stonden. Het was er heel rustig en stil. Toen tilde de man het dekkleed aan de zijkant van een van de vrachtauto's op en sprong erin.

'Hup,' zei Ardy en hij gaf me een por in de rug.

Ik keek op en zag dat een van de mannen zijn handen naar me uitstak. Ik greep ze en hij trok me omhoog. Toen ik binnen was, zag ik allemaal houten kratten. Ze kwamen tot aan mijn taille. Daarna werd Anna naar binnen getrokken.

'Kom mee,' zei een man die naast ons naar binnen was geklommen. Hij liep tussen de kratten door naar voren.

We volgden hem zonder iets te zeggen tot hij bleef staan. Hij haalde het deksel van een krat en begon het uit te pakken. In het halfduister zag ik dat het wieldoppen waren.

'Erin,' zei de man.

Mijn hart sloeg een slag over, maar Anna leek zich geen zorgen te maken en klom erin. Ik klauterde haar achterna. De man gebaarde dat we moesten gaan liggen en we krulden ons op als een tweeling in de baarmoeder: neus aan neus, voorhoofd tegen voorhoofd. Daarna begon hij het krat weer in te pakken.

Ik raakte in paniek toen we werden ingepakt. Het was heel stoffig. Ik kreeg geen adem en bewoog mijn hoofd een beetje om mijn neus en mond tegen mijn jasje te kunnen drukken. Maar ik werd steeds banger toen het gewicht van de wieldoppen op ons begon te drukken. Ik voelde Anna's adem op mijn gezicht en was ervan overtuigd dat we zuurstofgebrek zouden krijgen in die kleine ruimte. Hier zou ik dus sterven. Het bloed klopte steeds luider in mijn oren en ik begon te huilen. Ik zou hier vast niet meer levend uit komen.

Even later hoorde ik dat de motor van de vrachtauto aansloeg. Toen waren we op weg. We gingen naar Engeland. Maar zou iemand ons ooit vinden in onze houten doodskisten?

Deze reis was de ergste die ik tot dan toe had meegemaakt. Er leek geen einde aan te komen. Er was niets te eten of te drinken en we konden niet naar het toilet. Het enige wat we konden doen, was in onze kleine gevangenis liggen en hopen dat ze ons eruit zouden laten voordat we dood waren. Ik werd misselijk van het gebrom van de motor en de stank van diesel en metaal, en de enige manier om dit te verdragen was door me weg te laten zakken in een soort halve bewusteloosheid, een soort halfslaap. Er flitsten levendige droombeelden door mijn hoofd, nare verhalen over horror en verwarring waar ik opeens uit ontwaakte. Dan realiseerde ik me waar we waren en verzonk ik weer in die vreemde gedachtewereld. Het enige wat ik zeker wist, was dat ik op deze manier nog verder bij mijn kinderen vandaan ging.

Op een bepaald moment werd ik opeens wakker en toen drong het tot me door dat de motor niet meer draaide. Ik hoorde gedempte stemmen en ik hoorde het geluid van water dichtbij. Ik begon me af te vragen of we overboord waren geslagen en in onze kleine doodskist zouden verdrinken. Hoe lang was ik hier al? Zou ik ooit weer daglicht zien?

Anna en ik zaten tegen elkaar aan gedrukt, zonder een centimeter tussenruimte. De lucht stonk en was muf. Onze kleren waren heet en plakkerig van het zweet. We zeiden niets tegen elkaar. Ik wist niet eens of ze wakker was, maar ik voelde wel haar adem op mijn gezicht. Wat konden we zeggen? Een tijdje later hoorde ik een ander motorgeluid, wel iets verder weg, een paar uur achter elkaar. Opeens sloeg de motor van de vrachtwagen aan en gingen we weer rijden.

Ik was alle gevoel voor tijd en richting kwijt. Ik geloofde zelfs niet meer dat er ooit een einde aan deze reis zou komen. Maar toen hield het geluid van de motor op. Ik hoorde stemmen en harde geluiden die steeds dichterbij kwamen. Het deksel van het krat werd opgetild en de wieldoppen werden eruit gehaald. Nadat we uit het krat waren geklommen, klommen we door een gat in het zeildoek van de vrachtauto naar buiten. We bevonden ons alweer midden in de nacht op een parkeerplaats van een benzinestation langs een snelweg.

'We gaan naar Birmingham,' zei Ardy.

Toen we bij een verkeerslicht stonden te wachten, zag ik een meisje dat in de etalage van een winkel stond. Ze had een ring in haar lip, droeg zwarte oogmake-up en haar armen zaten vol tatoeages. Haar haar was blauw, rood, geel en groen geverfd.

'Wat voor winkel is dat?' vroeg ik aan Ardy.

'Een tatoeëerder.'

'Een hele winkel, alleen daarvoor?'

'Ja, natuurlijk. Dit is Engeland!'

Ik kon er geen genoeg van krijgen om naar deze nieuwe wereld te kijken. De auto reed langs huizen die stijf tegen elkaar aan stonden, zonder open ruimte ertussen, langs oude mannen met een wandelstok, vrouwen achter een kinderwagen en mensen die eruitzagen alsof ze uit een Bollywoodfilm waren gestapt. En natuurlijk langs dat meisje in de etalage; ze leek wel een jonge haan met haar veelkleurige haar. Ik keek naar de hoge rode bussen, naar supermarkten die zo groot waren dat er een heel leger in zou kunnen en naar prachtige gebouwen, zoals een kerk, en een restaurant met een rood-gouden dak.

Anna zat naast me, even stil als ze de hele reis naar Engeland was geweest.

We waren twee dagen eerder aangekomen en logeerden bij drie Albanese vrienden van Ardy. Valdrim was aannemer, Florm werkte in een garage en de derde was Defrim, de man die de baas was. Ik mocht hem meteen al niet; hij had een boze blik in zijn ogen.

'Meiden, jullie gaan shoppen,' had hij kortaf tegen ons gezegd. 'Jullie beginnen vanavond te werken en moeten wat kleren hebben.' Hij keek naar Anna. 'Vanaf nu ben ik je baas, begrepen? Doe wat ik je zeg.'

De moed zonk me in de schoenen. Ik wist dat Ardy Anna zo snel mogelijk had willen verkopen, om geld in handen te krijgen. Ik had het gevoel dat hij geld had geleend voor onze reis naar Engeland. Daarom moesten we waarschijnlijk meteen aan het werk, zonder dat we de tijd kregen even bij te komen van de nachtmerrieachtige reis die we achter de rug hadden.

Defrim bracht ons naar een heel grote parkeergarage. We stapten uit en kwamen in een winkelcentrum. Mijn mond zakte open van verbazing, zoiets had ik nog nooit gezien, het was er zo groot en zo helder verlicht. Overal waren lichten en geluiden, terwijl we langs winkels liepen die van alles verkochten: kleren, schoenen, cosmetica, boeken, eten, televisies, ijsjes en snoepgoed. Ik kon mijn ogen gewoon niet geloven, zoveel luxeartikelen en overvloed had ik nog nooit bij elkaar gezien. De mensen in Engeland moesten wel heel rijk zijn, dacht ik, als ze hier elke dag naartoe konden om dingen te kopen. Want het zou wel heel duur zijn! Maar er liepen heel gewone mensen rond, beladen met tassen vol boodschappen.

Nu begreep ik waarom Ardy hiernaartoe had willen komen.

Ik kon mijn ogen niet afhouden van die honderden prachtige dingen die ik zag. Er was zelfs een winkel die alleen maar parfum verkocht en ik wilde dolgraag naar binnen om al die heerlijke geurtjes te ruiken, maar Defrim joeg ons voort. Hij leidde ons naar een helder verlichte kledingwinkel.

Toen ik eenmaal binnen was, hapte ik naar adem. Het leek wel een kleedkamer in een theater: allemaal pruiken, veren boa's, jurken met lovertjes en steentjes. Het was prachtig. Anna en ik bleven in de paskamers, terwijl de mannen ons jurken brachten die we aan moesten trekken en ons kritisch bekeken. Ik wist dat deze kleren een investering voor hen waren, waarmee ze ons aantrekkelijker voor de klanten wilden maken, maar toch genoot ik ervan om ze te passen. Heel even kon ik net doen alsof ik een gewone jonge vrouw was die samen met haar vriendje aan het shoppen was, die een mooie jurk cadeau kreeg omdat ze er zo prachtig uitzag als ze die droeg.

De jurken waren prachtig, net als de schoenen die Defrim voor me kocht. Ze leken wel van glas en hadden hoge hakken en plateauzolen en bandjes om de enkels die waren versierd met bloemen. Later hoorde ik dat ze vijfennegentig pond kostten – meer dan veel mensen in Oekraïne in vier maanden verdienen.

'Nu zijn jullie klaar om te gaan werken,' zei Ardy toen we de winkel uit liepen.

Mijn plezier verdween. Toen ik in deze winkel vol kleur en licht had rondgelopen, was ik heel even vergeten wat ik hier aan het doen was.

'Spreek je Engels?' vroeg de vrouw.

Ik was in een sauna, ergens in het centrum van Birmingham, samen met Ardy en Defrim. Ze hadden even gepraat met de vrouw bij de receptie en waren daarna vertrokken. Nu keek de vrouw me aan.

'Klein,' zei ik. Ik had tijdens mijn reizen een paar Engelse woorden opgepikt, maar ik vond het moeilijk om te begrijpen wat deze vrouw tegen me zei.

'Hoe heet je?'

'Alexandra,' zei ik.

'Dit zijn de prijzen,' zei ze en ze gaf me een vel papier.

Daarop stond: dertig minuten vijfenveertig pond; zestig minuten tachtig pond.

'Jacuzzi?' vroeg de vrouw en ze liet een brede glimlach zien.

Ik knikte ten teken dat ik het begreep. 'Oké.'

'Luister, dit moet je doen in de tijd waarvoor ze je betalen,' zei ze. 'Schoudermassage.' Ze bewoog haar handen heen en weer en lachte. 'Pijpen.' Ze bewoog haar hoofd op en neer. 'Seks.' Ze klemde haar ellebogen tegen haar taille aan. 'Altijd condoom. Geld vóór seks.'

'Oké.'

Nadat ze me de drie kamertjes had laten zien waar ik de klanten mee naartoe zou nemen en een boek waarin ik elke keer dat ik dat deed moest noteren, nam de vrouw me mee terug naar de receptie. Nu waren er allemaal meisjes die Engels met elkaar spraken. Vijf waren blank, twee donker en eentje leek Aziatisch. Later hoorde ik dat ze van de Filippijnen kwam, maar nu zag ik alleen maar dat zij dacht dat zij de baas was. Ze lachte te luid als ze iets tegen een klant zei, bekeek alle meisjes vanuit haar ooghoeken en ook al verstond ik geen Engels, toch wist ik dat ze over me praatte terwijl ik zat te wachten tot iemand mij zou uitkiezen.

'Freak,' zei ze.

Ik wist niet wat dat woord betekende, maar het klonk net zoals het Albanese woord voor bang. Ik werd woedend. Ik was helemaal niet bang. Hoezo dacht ze dat ze dat over mij kon zeggen? Ze kende me niet eens.

'No freak,' zei ik en ik keek haar strak aan.

De vrouw draaide zich om en keek me aan. 'O ja?' Ze begon te lachen en wendde zich tot de man die naast haar zat. 'Ze is echt een freak, hoor.'

Twintig minuten later kwam er een man en dat was het begin van mijn nieuwe werk. Ik begreep heel goed dat dit heel ander werk was dan mijn werk op straat. De mannen hier wilden iets meer dan de mannen in de auto's die vijf minuten uittrokken voor datgene wat ze wilden. Mijn eerste klant was een Amerikaan die een pak droeg.

'Je hebt geen idee wat je aan het doen bent,' snauwde hij toen ik hem in mijn mond nam.

Ik leerde al gauw hoe ik hun het gevoel moest geven dat ze waar voor hun geld kregen, ook al hadden mannen zoals hij meestal te veel drugs genomen om af te kunnen maken wat ik voor hen begon.

Anna kwam die eerste avond niet met me mee naar de sauna omdat ze ongesteld was, maar niet lang daarna was dat voorbij en werkten we daar allebei. Onze dienst duurde ongeveer twaalf uur en Ardy en Defrim zaten altijd in de auto op ons te wachten als we tegen de ochtend naar buiten kwamen. Anna was veel populairder dan ik, omdat ze jonger, knapper en slanker was dan ik. Ik begreep dat wel, maar Ardy niet en hij belde zeker drie keer per avond naar de receptie om te kijken hoeveel klanten ik al had gehad en aan het einde van mijn dienst nog een keer om uit te vinden hoeveel geld ik had verdiend. Na een rustige nacht wist ik altijd dat hij boos op me zou zijn.

Ik wist wel dat klanten mijn houding niet op prijs stelden. Langzaam maar zeker kwam er diep vanuit mijn binnenste een emotie naar boven, een woede die zo hevig was dat ik alles om me heen vergat. Ik haatte alle mannen die me kwamen kopen. Elke avond weer kwamen ze de sauna binnen – jong, oud, dik, dun, rijk, arm – en dan voelde ik een hete, vloeibare woede in me opborrelen. Eerst was het alleen maar een stukje opstandigheid, maar dat stukje werd al snel groter en al heel gauw waren er niet veel klanten meer die me wilden. Een paar mannen liepen zelfs al na een · paar seconden de kamer uit waar ik hen mee naartoe had genomen.

'Ze spreekt geen Engels en bovendien is ze een stomme trut,' riepen ze dan als de andere meisjes begonnen te lachen.

Ik had natuurlijk wel een paar vaste klanten – een jonge Pakistaanse man die naar rook stonk en een man die zo dik was dat hij niet eens op me kon liggen tijdens de seks – maar ik verdiende lang niet zoveel als Anna. Ze was erg in trek bij de klanten en dat vonden de andere meisjes maar niks. Anna trok zich er niets van aan en ze probeerde zich niet aan te passen. Ik had wel behoefte aan een paar vriendinnen, want ik wist dat we op moesten passen omdat de Engelse meisjes in hun land bepaalde rechten hadden die wij niet hadden en dat ze ons in de problemen konden brengen. Maar de sfeer werd slechter toen de meisjes in groepjes weggingen om cocaïne te nemen en hasj te roken.

'Je wilt toch niet beweren dat de Koningin van Roemenië echt ongesteld is?' riepen ze dan als Anna een paar dagen vrij had, maar dan zei ik niets.

De zaak liep uit de hand toen het Filippijnse meisje me opdracht gaf de voordeur open te doen toen er was aangebeld. Ik begreep weliswaar niet veel Engels, maar ik wist wel wat ze zei.

'Nee,' zei ik. Ik was haar loopjongen niet.

'Schiet op,' riep ze. Ze kwam naar me toe en gaf me een duw.

Ik gaf een duw terug, maar een ander meisje kwam snel tussenbeide en toen ging ik weer zitten. Ik was zo boos dat mijn handen trilden toen ik een sigaret opstak, maar ik deed niets. Opeens begon het Filippijnse meisje tegen Anna te schreeuwen en niemand kwam tussenbeide toen ze elkaar begonnen te krabben en te slaan.

Maar de problemen bleven niet beperkt tot de sauna. Anna was veranderd. Als we vroeger in bed lagen, vertelde ze me fluisterend hoe de toekomst waarover ze droomde eruitzag, maar tegenwoordig praatte ze bijna niet meer tegen me. Ik wist dat ze Defrim aardig vond en ik begreep wel waarom ze zich, als een spin in een web, tot hem aangetrokken voelde. Ik maakte me zorgen, omdat ik wist dat zijn laatste meisje dood was. Ardy had me dat verteld, nadat ik tijdens het schoonmaken een keer een foto van hen tweeën had gevonden. Ardy vertelde me dat Defrim samen met die vrouw naar Engeland was gekomen en dat ze in dezelfde sauna had gewerkt als waar Anna en ik nu werkten, maar dat ze bij een auto-ongeluk om het leven was gekomen. Defrim had achter het stuur gezeten en hij was nooit over zijn verdriet en woede heen gekomen. Toen Ardy me dat vertelde kreeg ik een onrustig gevoel. Als Defrim zelfs een vrouw van wie hij echt hield verkocht, dan kon je hem nooit vertrouwen.

Maar Anna werd woedend toen ik haar waarschuwde dat Defrim haar alleen maar wilde om geld voor hem te verdienen.

'Ach, kijk eens wie dat zegt,' snauwde ze. 'Je bent zelf geen haar beter. Jij en Ardy hebben mij gebruikt om hier te komen. Jullie hebben me verkocht om in Engeland te kunnen komen.'

'Je weet heus wel dat ik daar niets mee te maken had,' riep ik. 'Hij gebruikt je gewoon, net zoals Ardy mij gebruikt. Is het soms liefde als iemand je elke avond weer verkoopt?'

Anna zei niets, maar ze liep de kamer uit en ik wist dat dit het einde was van onze vriendschap. Ik zou haar niet meer in vertrouwen kunnen nemen nu ze verliefd was geworden op haar pooier. Ze had een grens overschreden die ons voor altijd zou scheiden.

28

Ardy en ik hadden het nooit over mijn schuld, ook al gaf ik hem altijd al het geld dat ik verdiende. Ik was begonnen alles op te schrijven en ik wist dat ik hem ongeveer tweeduizend pond had betaald – bijna de helft van wat ik hem schuldig was. Maar een paar weken nadat ik in Birmingham was aangekomen, had ik in de sauna iets opgevangen wat me angst had aangejaagd. De vrouwen hadden het over andere buitenlandse meisjes die ze kenden en die in dezelfde positie verkeerden als ik. Ze dachten dat ik hen niet verstond, maar nu ik elke dag Engels hoorde praten, had ik al snel veel geleerd en ik was verbijsterd geweest toen ik hen hoorde zeggen dat een paar van die meisjes al jaren aan het werk waren. Ik bleef er maar aan denken tot ik op een ochtend na het werk naast Ardy in bed kroop.

'Het duurt nu niet lang meer voordat ik bij je weg kan,' zei ik. 'Binnenkort heb ik mijn schuld aan je immers afbetaald.'

Hij keek me wantrouwig aan. 'Hoe bedoel je?'

'Nou, ik heb je immers al heel veel geld gegeven.'

'Ja, maar van je schuld is nog niets afbetaald.'

'Hoe bedoel je?'

'Heel simpel. Het geld dat je me hebt gegeven, was voor je kamers en het eten en zo. Je hebt nog niets van je schuld afbetaald. Je hebt alleen maar de lopende kosten betaald en veiligheid voor je kinderen gekocht. Nou ja, daar hoef je ook niet echt over na te denken, want binnenkort kunnen we een huis kopen en een auto en je kinderen naar Engeland halen.'

Ik voelde me ellendig, maar hij trok me tegen zich aan. Dacht hij nou echt dat we jarenlang samen zouden blijven? Ik had dit allemaal gedaan om mijn kinderen bij hem vandaan te houden, niet om ze naar hem toe te brengen!

'Kom op, baby,' zei Ardy. Daarna begon hij me aan te raken en lag ik als een dood lichaam onder zijn handen.

Ik bleef maar denken aan wat Ardy had gezegd. Ik was alweer zo dom geweest. Hij zou me nooit laten gaan. Ik kon wel gillen als een klant me aanraakte, ik wilde Ardy wel slaan als hij naast me lag, maar ik zat net zo gevangen als altijd. Ik zat opgesloten, in het huis of in de sauna, Ardy's Albanese vrienden waren overal, in de sauna wisten ze dat hij mijn pooier was en ze vertelden hem precies wat ik verdiende, en mijn kinderen moesten beschermd worden.

Het enige goede in mijn leven was Jackie, een vrouw die daar ook werkte. De andere meisjes keken op me neer omdat ik een pooier had, maar Jackie was anders. We waren in gesprek geraakt toen ik een keer zag dat ze een foto bekeek.

'Wie is dat?' had ik gevraagd.

'Mijn zoon,' zei ze en ze liet me de foto zien. Het was een lieve baby, met blond haar, blauwe ogen en dikke wangetjes.

'Wat is hij lief,' riep ik uit. 'Wat een knappe jongen.'

Ze glimlachte. 'Heb jij ook kinderen?'

Ik wist niet wat ik moest zeggen. Ik had het nooit over hen op mijn werk. Maar ik zag wel dat Jackie gewoon een moeder was die een andere moeder iets over haar kinderen vroeg.

'Ja,' antwoordde ik. Ik vertelde haar iets over mijn kinderen en daarna over mezelf, en we raakten al snel bevriend. Jackie was een alleenstaande moeder die in de sauna was gaan werken omdat ze niet kon rondkomen van haar uitkering. Net als veel andere vrouwen die ik had leren kennen, verkocht ze zichzelf omdat ze haar kinderen een beter leven wilde geven. Ik praatte met haar over Sasha en Luda en ook een beetje over Pasha, maar ik kon haar niet alles vertellen. Dat zou ze niet begrijpen.

'Ooit zullen we weer samen zijn,' zei ik. Maar ik praatte niet al te vaak over de kinderen, want anders zou ik gek worden – net als toen in Italië.

Inmiddels was ik een expert geworden in het wegstoppen van mijn gevoelens. Ik huilde of gilde niet meer in de badkamer; dat had ik al een hele tijd niet meer gedaan.

Maar als ik nu verdrietig was, dronk ik in de sauna twee dubbele wodka's om me beter te voelen. Ik stond mezelf niet toe om aan mijn kinderen te denken en meestal lukte dat ook wel. Maar soms, als Ardy of Defrim me naar het werk brachten, zag ik vrouwen met kinderen en dan wendde ik mijn blik af en drong mijn tranen terug.

Door het gesprek met Jackie zag ik in gedachten weer de gezichtjes van mijn kinderen. Het deed ongelooflijk veel pijn als ik eraan dacht dat het al bijna een jaar geleden was dat ik hen voor het laatst had gezien. Ik verlangde ontzettend naar hen en ik moest steeds maar weer denken aan mijn belofte hen weer te bellen. De laatste keer dat ik had opgebeld was al bijna vier maanden geleden, vanuit Roberto's huis. Maar ik kon niets verzinnen om mijn belofte in te lossen.

'Weet jij hoe ik moet telefoneren?' vroeg ik een keer aan Jackie. 'Ik heb geen mobieltje.'

Niet lang nadat we Italië hadden verlaten, had Ardy mijn mobiele telefoon van me afgepakt.

'Gebruik de telefoon maar die in de lobby hangt,' zei Jackie. 'Je hebt wel een telefoonkaart nodig. Ik kan er wel eentje voor je kopen als je wilt. Geef me het geld maar.'

Het enige geld dat ik had was de vijf pond die Ardy me elke dag gaf om eten te kopen. Zou ik dat kunnen gebruiken zonder dat hij erachter kwam? Ik vond het al eng om erover na te denken, maar ik wist wel dat dit de enige manier was om contact met thuis op te nemen. Ik moest het risico dus wel nemen.

Op een avond, met de telefoonkaart die Jackie voor me had gekocht, toetste ik met trillende vingers Ira's nummer in.

'Ik ben het, Oxana,' zei ik toen ze opnam.

Ira hapte naar adem. 'Oxana! Waar heb je gezeten?'

'Het spijt me. Het is zo moeilijk allemaal. Ik ben nu in Engeland.'

'Wat? Maar waarom dan?'

'Ik werk hier.'

'Waar?'

'In een bar.'

'O,' zei Ira.

Ik wist dat ze me niet geloofde, maar ik kon haar niet de waarheid vertellen. Ik zou nooit iemand kunnen vertellen hoe stom ik was geweest. Niemand thuis mocht dat weten.

'Hoe gaat het met de kinderen?' vroeg ik.

'Goed hoor. Ze missen je allemaal. Een tijdje geleden kwamen er mensen van Pasha's school om met je te praten. Ze wilden weten waarom je hem niet was komen opzoeken en om je te vertellen dat hij naar een andere school zou gaan.'

'Wat heb je gezegd?'

'Dat je in het buitenland werkt.'

'Zeiden ze waar hij naartoe ging?'

'Nee.'

Even kon ik niets zeggen. Toen zei ik: 'Hoe gaat het met Sasha en Luda?'

'Tja, ze hebben geld nodig, zodat er voor hen gezorgd kan worden,' zei Ira. Haar stem kreeg een harde klank. 'De laatste keer dat je geld stuurde, is al maanden geleden.'

'Ik weet het,' fluisterde ik.

'Wat denk je wel niet? Ik heb geld moeten lenen om Tamara te kunnen betalen, maar ik kan niet meer betalen, hoor. Waarom stuur je geen geld? Waarom bel je niet vaker?'

'Ik kan het niet allemaal uitleggen. Ik heb problemen gehad. Wil je alsjeblieft nog wat geduld hebben, Ira? Ik zal je wat geld sturen. Binnenkort krijg ik mijn salaris.'

'Nou, tot nu toe heb ik tweehonderd dollar geleend en dat kan ik niet nog een keer doen.'

Ik schaamde me zo. Dat was heel veel geld voor iemand die maar zeventig dollar per maand verdiende. 'Dank je wel hoor, Ira, dat je dat allemaal hebt gedaan. Ik beloof je dat ik je geld zal sturen.'

'Wat moet ik tegen Tamara zeggen?'

'Zeg haar maar dat het geld gauw komt. Ik moet nu ophangen, Ira. Ik bel je zo snel mogelijk weer. Geloof me alsjeblieft, ik doe wat ik kan. Ik denk elke dag aan je. Zeg de kinderen dat ik van hen houd en geef ze maar een dikke kus van me. Daag.'

Ik hing op. Nu had ik alweer een belofte gedaan en ik had geen idee hoe ik die moest nakomen.

Toen we ongeveer twee maanden in Birmingham waren, klonk de Engelse taal niet meer zo vreemd. Ik leerde de taal snel, want dat was het enige wat ik hoefde te doen als er 's avonds weinig klanten waren. Ik was nog steeds niet erg geliefd bij de meisjes en bij de klanten, maar ik kon met Jackie praten als we allebei niet werkten en er lagen allemaal boeken en tijdschriften die we konden lezen.

Mijn dagen waren stil en rustig. Ik ging zelden naar buiten, omdat ik meestal opgesloten zat. Een enkele keer nam Defrim me mee naar de supermarkt om hem te helpen met boodschappen doen, maar ze hielden me altijd in de gaten om te voorkomen dat ik weg zou lopen. Ik voelde wel dat Ardy en Defrim in Engeland minder controle over me hadden dan elders: de stad was zo groot en zo vol mensen, dat je gemakkelijk zou kunnen verdwijnen. En dus hielden ze Anna en mij heel goed in de gaten.

Overdag maakte ik het huis schoon en kookte. Daarna bracht een van de mannen me meestal naar mijn werk. Vanaf de vroege ochtend tot even voor twaalven sliep ik. Dan begon mijn slavenarbeid weer.

Dat zou ondraaglijk zijn geweest, maar één ding hield me op de been: mijn belofte aan Ira gaf me hoop. Ik had nu iets om voor te werken. Op de een of andere manier zou ik aan het geld komen zodat er voor mijn kinderen kon worden gezorgd.

Ik luisterde scherp om te controleren of alles rustig was. Toen schoof ik het toilettafeltje van de muur. Ardy was beneden, maar hij zou naar de slaapkamer komen en dus moest ik snel zijn. Ik boog me voorover en zocht met mijn vingers naar de opening die ik tussen twee lagen behang had gemaakt. Toen ik die had gevonden, stopte ik er een biljet van vijf pond in. Het geld zou daar blijven tot ik het nodig had.

Ik voelde de opwinding opborrelen toen ik het kaptafeltje weer op zijn plek schoof. Al een paar weken lang spaarde ik mijn fooien op en ik had ongeveer zestig pond. Voor die tijd had ik de extra vijf of tien pond die ik van een klant kreeg altijd aan Ardy gegeven. Maar nu was ik stiekem begonnen iets van dat geld te verstoppen. In mijn bh of in mijn schoen. Ardy was zo zeker van me, hij was er zo van overtuigd dat ik hem geen last zou bezorgen dat hij niet eens meer toekeek als ik me uitkleedde. Na al deze maanden dacht hij dat ik had geaccepteerd wat ik was en dat ik nu getemd was. Dat mijn geest gebroken was.

Maar na mijn gesprek met Ira was iets in mij wakker geworden. Ik had hoop, er was een kans. Ik moest hem alleen wel grijpen en alles doen wat ik kon om te zorgen dat die kans ook zou komen. Ik was een moeder en ik moest doen wat ik kon om mijn kinderen te helpen. Ik wist niet waar Pasha was, maar ooit zou ik hem vinden. Ondertussen zou ik Sasha en Luda helpen. Langzaam, heel langzaam zou ik geld blijven sparen tot ik genoeg had om naar huis te sturen. Ik zou niet weer opbellen tot ik mijn belofte had ingelost. Ik zou me dat ontzeggen tot ik het geld had.

Ik was bang, maar ook opgewonden toen ik het geld verstopte. Ik had meer klanten nodig om meer fooi te krijgen en ik zou mijn uiterste best doen om het ze naar de zin te maken: hen aankijken, naar ze glimlachen als ze iets tegen me zeiden en complimentjes geven als ze me aanraakten. Ik dacht niet aan die dikke man of aan een van die andere mannen als ze zich bij me naar binnen drongen. Ik dacht alleen maar aan het geld dat ik achter het behang had verstopt.

Het was stil toen ik opstond en naar het kaptafeltje keek. Ik lachte in mezelf en liep naar de douche.

'Trek je kleren uit,' zei Ardy zacht.

Ik was net van mijn werk gekomen en hij was met me mee naar boven gelopen.

'Wat bedoel je?'

'Ik zei, trek je kleren uit.'

'Waarom dan?'

'Ik wil je gewoon bekijken.'

Ardy was boos. Ik wist niet wat ik moest doen. Ik had vijftien pond in mijn bh verstopt. Was hij op de hoogte van het geld achter het behang?

'Ik moet je iets vertellen,' zei ik snel. 'Ik heb vandaag een fooi gekregen.'

'Echt waar?'

'Ja.'

'Alleen vandaag?'

'Ja.'

'Hm,' zei hij en hij keek me recht aan. 'Zeg, weet je wat er vandaag is gebeurd? Ik heb wat geld gevonden.'

'Echt? Waar?'

'Achter het behang. Ik zag wat strepen op de vloerbedekking voor het kaptafeltje en toen wist ik dat het was verplaatst. Toen heb ik even een kijkje genomen.'

'Dat is vreemd,' zei ik. 'Waar kwam dat vandaan?'

Zonder iets te zeggen, gaf Ardy me een stomp en ik vloog achteruit. Mijn gezicht deed ongelooflijk pijn.

'Wat doe je?' schreeuwde ik.

'Vraag je waarom ik dit doe? Stomme hoer!' Hij greep me bij mijn haar en trok me naar het toilettafeltje en trok een la open. Al het geld dat ik had opgespaard lag erin.

'Daarom!' riep hij. 'Dit geld is van jou, hè? Denk je soms dat ik niet merkte hoe blij je was? Dat Defrim en Anna dat niet hebben gezien? Denk je soms dat we stom zijn?'

Hij stompte me weer en ik voelde dat ik woedend werd. Ik moest snel nadenken.

'Wat doe je?' schreeuwde ik. 'Het was voor je verjaardag. Het was voor jou!'

'Wat?'

Ardy liet me plotseling los en ik voelde bloed op mijn gezicht druppen. Ik keek hem vals aan. 'Ja, je verjaardag of heb je die soms niet! Ik weet dat je over een paar maanden jarig bent en ik wilde iets moois voor je kopen. Een verrassing.'

Hij wist niet wat hij ervan moest denken. 'Wat wilde je dan voor me kopen?'

'Ik heb iets gezien.'

'Waar dan? Je komt er nooit uit.'

'Een keer toen ik in de supermarkt was. Defrim had me toen meegenomen.'

'Wat dan?'

'Een verrassing.'

'Echt? Wat dan?'

Ik keek hem aan. Ik kon me niet goed meer herinneren wat ik had gezien. Ik wist dat ze daar kleren verkochten.

'Een jas,' zei ik snel. 'En een horloge.'

'Ik heb daar geen horloges gezien.'

'Nou, toch waren die er.' Dat wist ik niet zeker en hij was vast niet zo stom dat hij me geloofde. Ik hield mijn adem in.

'Goed dan,' zei hij onzeker. 'Maar je moet me die winkel wijzen.'

'Oké. Maar ik vertel je de waarheid, hoor. Ik lieg heus niet tegen je.'

'Nou, toch heb je geld voor me verstopt.'

'Maar dat was voor een goed doel en nu je het hebt ontdekt, kan ik je niet meer verrassen,' zei ik en begon te huilen. 'Waarom heb je niet eerst iets gevraagd voordat je me begon te stompen?'

'Ik was boos.'

'Nou, nu krijg je geen cadeautje meer,' zei ik zacht en ik liep naar de badkamer om mijn neus te snuiten.

Ik liep naar de wastafel en spatte water tegen mijn gezicht om mijn tranen weg te wassen. Hoe had ik ooit kunnen denken dat ik iets geheim zou kunnen houden? Ardy zou me van nu af aan nog beter in de gaten houden, dus ik zou dit niet nog een keer kunnen proberen. Net als Serdar was hij slimmer dan ik. Ik moest doorgaan, niets voelen en wachten op de dag waarop er een einde aan zou komen. Dat moest een keer gebeuren. Dat moest!

29

Niet lang daarna vertrokken we uit Birmingham.

'Ik hoor van iedereen dat er in Londen meer geld verdiend kan worden,' zei Ardy toen we onze spullen aan het inpakken waren. 'Daar zijn honderden sauna's en niet genoeg politie om problemen te veroorzaken. Ze zeggen dat het daar gemakkelijk is.'

Ik liet niet merken dat ik verdrietig was. Ik zou mijn enige vriendin kwijtraken, Jackie, en met haar mijn kans om naar huis te bellen. Hoe moest ik zonder haar aan een telefoonkaart komen? Ik wilde dat ik de kinderen had gebeld toen het nog kon. Nu kon het dus niet meer. Ik vond het wel fijn dat Anna en Defrim daar bleven; ik vond het vreselijk om hen samen te zien en ik wist dat ik niets kon doen om haar te redden.

We namen de nachtbus van Birmingham naar Londen. Daar troffen we een andere kennis van Ardy die ons naar een studio bracht. Daar zouden we wonen. Het hart zonk me in de schoenen toen we er binnenkwamen. Het was er klein; in de ene hoek stond een fornuis en in de andere hoek was een kast met een douche en een toilet erin. Hier zou ik nooit weg kunnen. Hier zou ik altijd met Ardy samen zijn als ik niet aan het werk was. In Birmingham was ik tenminste af en toe alleen geweest.

'Maak je geen zorgen,' zei Ardy. 'Het is maar voor een paar weken. We zullen al snel een aanbetaling kunnen doen voor een huis.'

Ik schoot bijna in de lach. Ik had kennelijk net genoeg verdiend om mijn eigen onderkomen en eten te kunnen betalen – dat ellendige goedkope eten en die walgelijke kamers waar we samen met andere mensen hadden gewoond – en nu zouden we al 'snel' genoeg geld hebben om een huis te kopen.

Later nam zijn vriend ons mee naar een massageparlour in Tottenham.

Daar vroeg ik om een baantje. Ardy kon niet met me mee naar binnen, want in deze seksclub golden drie regels: geen pooiers, geen drank en elk meisje moest een knielang uniform dragen waarin ze wel een verpleegster leek. Ardy was dolblij toen ik hem vertelde dat ik de volgende dag kon beginnen.

Op mijn eerste werkdag gaf een Russisch meisje, Nastya, me een rondleiding. Er waren vijf kamers waar we klanten konden ontvangen en in elke kamer stond een massagetafel maar geen bed.

'Op die manier houden we het legaal,' zei ze. 'Als iemand ernaar vraagt, dan geven we alleen massages, meer niet. Elke klant krijgt een halfuur. Tien minuten voor een massage, vijf minuten voor orale seks en de rest voor gewone seks. Als hij niet gemasseerd wil worden, probeer je maar iets anders te verzinnen. Anders duurt de seks een halfuur en dat is verschrikkelijk. Je krijgt hier allerlei types: Turken, Britten, zwart, blank, bruin. Een halfuur kost vijfenveertig pond en de klant geeft het geld aan jou. Daarvan geef je dertig pond aan de receptie, twintig voor je tweede klant en tien voor elke volgende. Je moet soms ook op een andere locatie werken, omdat de klanten het prettig vinden om af en toe een nieuw gezicht te zien. De Britse eigenaresse heeft nog drie andere seksclubs in Londen.'

'Waar komen de andere meisjes vandaan?' vroeg ik.

'Overal, Moldavië, Tsjechië, Slowakije, Roemenië, Slovenië, Albanië, Bosnië, Servië en een paar uit Engeland.'

We liepen terug naar de receptie. Op de leren banken daar zaten al een paar meisjes te wachten en aan een tafel zat een man.

Hij was duidelijk geen klant. Hij leek op een pooier en stelde zichzelf voor als Ali.

'Spreek je nog andere talen?' vroeg hij.

'Ja, Turks.'

'Dan noemen we je Aysel,' zei hij blij. 'Turkse mannen houden van vrouwen uit hun eigen land.'

Ali stond op, pakte zijn mobieltje en toetste een nummer in. Ik ging bij de andere meisjes zitten. Ik zei niet veel en zij ook niet terwijl we op klanten zaten te wachten. Als er mannen binnenkwamen, bekeken ze ons en kozen een meisje uit.

Om een uur of elf die avond kreeg ik mijn eerste klant: een kleine, dikke Koerd die naar kebab en zweet stonk. Met een misselijk gevoel nam ik hem mee naar een van de kamers en vertelde hem hoeveel het kostte.

'Ik geef je vijfendertig pond,' zei hij.

'Nee,' zei ik. 'Het is hier geen markt. Het kost vijfenveertig.'

'Maar dat is onmogelijk. Vijfendertig is een prima bedrag. En meer geld heb ik niet.'

Ik keek hem aan. Ik was niet van plan iemand voor niets te neuken. 'Dan ga ik even met Ali praten,' zei ik. Ik ging weg en sloeg de deur achter me dicht. Toen ik de receptieruimte binnenkwam, zei ik tegen Ali: 'Hij wil niet het volle pond betalen en ik ben niet van plan het voor minder te doen.'

Ali keek me aan. Ik zag wel dat hij precies wist wat die man van plan was geweest en wilde zien hoe ik daarop reageerde. 'Oké,' zei hij toen. 'Zeg maar gewoon dat het vijfenveertig pond is.'

Dat deed ik, maar de man was het nergens mee eens. Ik masseerde hem en hij wilde meer. Toen ik hem vroeg of hij rechtop wilde gaan zitten, draaide hij zich om en probeerde me te omhelzen. Hij stonk naar urine en hij had allemaal haar op zijn rug, op zijn borst en op zijn maag.

'Blijf van me af,' zei ik toen hij probeerde me vast te pakken.

'Maar wil je dan geen kusje?' vroeg hij.

'Nee, ik ben je vrouw niet.'

'Ach, toe nou. Dat is lekker.' Hij bleef maar aan me zitten. 'Ik wil alleen maar een kusje,' jammerde hij. 'Wil je me echt geen kusje geven?'

'Nee!' Ik schreeuwde bijna. 'Dat wil ik niet en ik doe het niet.' Ik duwde hem van me af. Hij leek wel een hond en bleef proberen me vast te pakken. 'Hier is je stomme geld terug,' zei ik. 'Ik heb er genoeg van!'

Maar dat wilde hij niet en we waren nog steeds ruzie aan het maken toen Ali na een halfuur op de deur klopte om te zeggen dat onze tijd op was.

'Wat een trut is dat, zeg!' zei de man toen we naar de receptie liepen. 'Ze wilde helemaal niets doen. Waar heb je haar vandaan? Zo dik en oud!'

Ik kon wel gillen. Ik keek Ali aan en zei zacht: 'Hij wilde een extra massage. Daarna probeerde hij me te kussen en dat wilde ik niet.'

'Goed, goed,' zei Ali. 'Ik regel het wel. Maak je maar geen zorgen. Je hebt een drukke nacht voor de boeg; er zitten nog meer klanten op je te wachten.'

Er zaten vijf mannen op de banken. Ik keek naar mijn handen en zag dat ze onder de olie en de haren zaten.

'Ernaartoe,' siste Ali.

Mijn volgende klant kwam net bij een casino vandaan, waar hij wat geld had gewonnen. Hij droeg een pak, was ergens in de twintig en heel knap.

'Je mag me niet aanraken en niet kussen, maar één standje en verder niets,' zei ik tegen hem toen we de kamer binnenliepen.

Hij moest het begrijpen. Ik was geen vrouw die hij mocht aanraken en strelen. Ik was alleen maar een gat waar hij voor betaalde. Een ding. Meer kreeg hij niet.

Die eerste nacht had ik geen tijd om me te douchen, geen tijd voor koffie, een glas water, iets te eten, een sigaret en zelfs niet om naar het toilet te gaan. Pas om zeven uur 's ochtends was ik klaar, omdat er steeds weer nieuwe klanten kwamen die dat nieuwe meisje wel eens even wilden bekijken. Ali kende heel veel mensen die graag een Turks meisje wilden en ik zag die nacht dertien mannen, de een na de ander, zeven uur achter elkaar. Eerst deed ik mijn best voor hen; als een robot masseerde ik hen, boog me over hen heen, ging voor hen op mijn rug liggen en stond op van het bed om weer opnieuw te beginnen. Maar na een paar klanten begon ik boos te worden en tegen de ochtend behandelde ik hen bijna ruw. Ik kneep in hun vel en glimlachte niet naar hen en keek hen niet aan wanneer hun lichaam boven me op en neer bewoog.

Ardy was zo ongeduldig tegen de tijd dat ik naar buiten liep dat hij me ter plekke om geld vroeg. Meestal wachtte hij daarmee tot we veilig binnen waren.

'Geweldig,' zei hij blij toen hij het geld aanpakte. 'Ze hadden dus gelijk, Londen betaalt veel beter.'

Ik zei niets. Ik had buikpijn, alsof ik net een bevalling achter de rug had en dacht dat ik om zou vallen. Ik vroeg me af of ik ooit de stank van die nacht van me af zou kunnen wassen en het enige waar ik aan kon denken was gaan slapen. Maar nadat ik me had gedoucht en in bed kroop, voelde ik Ardy's handen op mijn lichaam.

'Ben je gek geworden?' vroeg ik.

'Alleen pijpen,' zei hij.

'Nee.'

'Ah, toe nou!'

'Alsjeblieft, raak me niet aan.'

Ardy draaide zich om en liet me die nacht met rust, maar toen ik de volgende ochtend wakker werd, moest ik wel doen wat hij wilde. Daarna draaide ik me om en sloot mijn ogen weer. Ik voelde nog steeds die pijn in mijn binnenste en wist dat het al gauw weer avond zou zijn. Maar voorlopig kon ik me verstoppen in mijn slaap en me door het duister laten bedekken.

De dagen daarna waren allemaal hetzelfde. Ik had het gevoel dat ik doodging tegen de tijd dat Ardy me ophaalde. Ik wilde alleen nog maar gaan liggen, mijn ogen dichtdoen en de boosheid die door mijn aderen raasde laten wegebben. Er was iets vreemds met me gebeurd na die nacht waarin we in Londen waren aangekomen. Misschien kwam het wel doordat Ardy het geld had gevonden dat ik had verstopt en mijn hoop alweer was weggevaagd, maar het dode gevoel in me werd steeds meer verdrongen door boosheid. Ik kon dat gevoel niet van me afzetten. Ik was altijd woedend en moest mijn best doen die woede in te tomen. Als ik aan het werk was en boven op een klant zat, dan beeldde ik me in dat ik een kussen op zijn gezicht drukte of een mes in zijn hart stak. Ik werd beroerd van ze. Er kwamen rijke mannen die in het openbaar zouden neerkijken op een vrouw als ik. Anderen kon het niets schelen dat ze smerig waren, dat er bruine sporen in hun onderbroek zaten. Die namen zelfs niet eens de moeite mijn geur van zich af te spoelen voordat ze teruggingen naar hun vrouw.

Als ik hun een condoom omdeed, deed ik mijn ogen dicht en schakelde mijn gevoelens uit, zodat ik hen niet zag, proefde of rook. Maar ik ging hen steeds meer haten. Het leek wel alsof dat gevoel in me maar bleef groeien. Soms was ik bang dat het eruit zou barsten wanneer ze me een hoer noemden of naar mijn lichaam staarden als ik me aankleedde.

Al gauw nam ik na elke klant even een koude douche of gaf ik mezelf klapjes op mijn wangen om mezelf te kalmeren. Maar als ik in de spiegel keek, zag ik iemand anders: een vrouw met een harde blik, geblondeerd haar, zwarte haarwortels en te veel make-up. Je kon goed zien dat ze ongelukkig was. Ik was bang dat anderen dit ook zouden gaan zien. Ik wilde niet zijn zoals die vrouw in de spiegel. Ik wilde van mensen houden, in hen geloven, lachen en plezier maken. Maar als ik naar mijn eigen lichaam keek – naar de blauwe plekken op mijn armen, de vingerafdrukken in mijn hals en de afdrukken van een hand op mijn billen waar ze me hadden geslagen – dan wist ik dat ik dat nooit zou zijn. Elke klant legde een nieuwe smerige plek op mijn ziel.

Als ik op klanten zat te wachten, zei ik meestal niets. Ik vertrouwde de andere meisjes niet en de enige mensen met wie ik praatte, waren de drie zusters bij de receptie. Zij waren wel aardig, maar een van hen was zwanger en zat kleertjes te haken. Daar werd ik verdrietig van. Ik dacht terug aan de tijd dat ik zelf kleertjes had gemaakt toen ik in die kleine, smerige kamer woonde, dat mijn kinderen hadden gehuild van de honger, dat ze ellendig en koud waren. Ik werd verdrietig als ik terugdacht aan het leven dat we hadden geleid. Het enige wat ik ooit had gewild was hun een beter leven geven en nu was ik niet eens bij hen.

Maar de sauna had ook zijn goede kanten. Ik was blij dat niemand ooit met een van de pooiers praatte en dat Ardy dus niet wist hoeveel ik verdiende. Natuurlijk probeerde ik niet om geld achter te houden, maar ik genoot ervan dat ik iets wist – ook al was het maar heel even – wat hij niet wist als ik na werktijd de trap afliep. Ik werkte wel eens zesendertig uur achter elkaar zonder te slapen, maar ik genoot elke keer weer van die paar seconden voordat ik hem zag.

De seksclub liet ook mensen van de gezondheidsdienst binnen om ons te controleren en dat vond ik prettig. Ardy heeft me zelfs een keer op mijn verzoek naar een ziekenhuis gebracht om me op hiv te laten testen en ik was ontzettend opgelucht toen ik hoorde dat ik in orde was.

De andere meisjes probeerden wel eens met me te kletsen, maar daar had ik niet echt zin in. Ik werd elke keer weer boos, omdat ze altijd naar mijn vriendje vroegen en niet naar mijn pooier. Zagen ze het dan niet? Enkele Engelse meisjes werkten misschien wel voor zichzelf, maar de Oost-Europese meisjes niet. De enige Oost-Europese vrouw die ik ooit had leren kennen die voor zichzelf werkte, was een vrouw uit Rusland die daar als arts had gewerkt. Maar alle andere meisjes waren geen eigen baas; misschien waren ze niet allemaal verkocht zoals ik, maar er was altijd wel een man die geld verdiende door het lichaam van hun vrouw te verkopen.

Die vrouwen waren niet eens boos op hun man, maar maakten ruzie met elkaar. Degene op wie ze zich vooral afreageerden, was een jong Tsjechisch meisje. Ze zag er heel jong uit en had altijd klanten. Dus fluisterden de andere meisjes dat ze de regels overtrad door zich te laten kussen en door geen condoom te gebruiken. Ali zorgde ervoor dat ze elkaar niet aanvlogen. Hij hield iedereen in het gareel, want alle meisjes waren bang voor hem. Hij schold je uit als je te laat uit een kamer kwam of die niet netjes had opgeruimd of als je een glas dat je had gebruikt niet afwaste. Ook al werd hij niet zo genoemd, hij was in alle opzichten een pooier. Dus zorgde ik ervoor dat ik het goed met hem kon vinden. Ik kreeg elke nacht zeker zeven klanten en daarmee hield ik Ali tevreden.

Ardy was ook tevreden. Hij had een auto gekocht, een vervalst rijbewijs, een vals paspoort en dure kleren – dankzij mij.

Sinds hij in Birmingham mijn verstopte fooien had gevonden, hield hij me goed in de gaten. Hij verloor me nooit uit het oog als ik me uitkleedde. Ik wist dat hij ook mijn tas en mijn ondergoed doorzocht als ik onder de douche stond. Soms hoorde ik dat hij het deksel van het toilet optilde of mijn sokken uit elkaar haalde als ik ze samen opgerold had.

'Zul je me nooit weer proberen te bedriegen?' vroeg hij me een paar keer. 'Nee, hè?'

'Natuurlijk niet, Ardy. Je weet toch dat ik je nooit kwaad zou doen.'

'Goed. Want ik vertrouw je, Oxana.'

Maar ik wist dat dit niet zo was.

Toen het juli werd was hij zo blij met me dat hij me op een avond samen met drie Albanese mannen meenam naar de pub om zijn verjaardag te vieren. Ik zei er niets van toen ze dronken werden, want ik was blij dat er voor één avond niemand aan me zat.

30

De man keek me met rode oogjes aan en er kwam een dikke rookwolk uit zijn mond. 'Ik wil gepijpt worden en je neuken,' zei hij lui.

Ik keek hem aan. Hij was een Aziaat en rookte een hasjsigaret.

'Oké,' zei ik en ik ging in de stoel tegenover hem zitten.

'Trek je uniform uit. Ik wil je zien.'

Zuchtend stond ik op en knoopte mijn jurk los. Ik haatte het als mannen naar mijn lichaam keken en verborg het tegenwoordig in een lang mouwloos topje en kousen. Op die manier hoefde ik mijn uniform en ondergoed alleen maar uit te trekken als ik klanten had. Ik gaf ze alleen maar waar ze voor hadden betaald, niets meer.

De man had een wrede blik in zijn ogen en ik werd een beetje zenuwachtig. Maar ik schakelde mijn gedachten uit toen ik begon te werken. Het was stil, op het geluid van zijn joint na, als hij een trekje nam. Opeens hoorde ik iets en toen ik opkeek zag ik een hand vlak voor mijn gezicht. De man hield een aansteker voor mijn ogen en ik zag zwarte troep onder zijn nagels.

'Mag ik die in je poesje stoppen?' vroeg hij met een hoge stem van de opwinding.

Ik werd bang. Wilde hij me pijn doen? Ik overwoog om de kamer te verlaten en Ali erbij te halen, maar ik wist dat het beter was dat niet te doen. Ali zou ontzettend boos worden als ik alleen maar omdat ik bang was een afspraak afbrak en daardoor geld misliep. Hij zou me pas te hulp komen als er echt iets gebeurde.

'Doe dat ding weg,' zei ik zacht.

'Ach, toe nou!' zei de man en hij begon te lachen. 'Als je voor geld neukt, waarom wil je dit dan niet?'

'Omdat ik het niet wil,' zei ik. 'En als je iemand anders wilt, kun je maar beter vertrekken.'

Hij keek me met glinsterende oogjes aan, maar zweeg. Ik boog mijn hoofd weer, maar voelde dat hij naar me keek. Ik kon maar beter doorgaan en zorgen dat hij vergat wat hij wilde doen.

'Wil je gaan liggen?' vroeg ik een paar minuten later.

Hij was er nu klaar voor en ik hoopte maar dat de seks snel voorbij was.

'Nee. Ik wil dat jij gaat liggen, dan kom ik boven op je,' zei de man en hij drukte zijn joint uit in de asbak.

Ik keek naar hem. De meeste klanten wilden dat ik op hen ging zitten en ik had dat ook liever, omdat ik hen dan amper aan hoefde te raken. Wat wilde deze man?

Zonder iets te zeggen, ging ik op de massagetafel liggen en wachtte tot hij zijn broek had uitgetrokken.

'Heb je kinderen gehad?' vroeg hij toen hij naar mijn borsten in het lage topje keek. 'Volgens mij wel. Dat zie ik aan je tieten en je buik.'

'Nee, ik heb geen kinderen,' zei ik toen hij op me ging liggen.

Dat zei ik altijd, omdat ik niet wilde dat iemand iets van me wist.

'Geef het maar toe, het is wel zo. Waarom zou je liegen? Weten ze wel dat je neukt voor het geld? Ze zullen wel trots zijn op hun moeder.'

Ik sloot mijn ogen toen de man op en neer begon te bewegen, maar ik voelde dat hij met een glimlach op me neerkeek. Hij was nu de baas.

'Doe je ogen open,' snauwde hij.

Dat wilde ik niet. Ik wilde hem buitensluiten en ik wilde dat het afgelopen was.

'Ik zei, doe je ogen open!'

Hij was overal, greep me beet, probeerde me overal aan te raken. Ik duwde met mijn handen tegen zijn borst om hem zo ver mogelijk bij me vandaan te houden. Zijn lichaam rook zurig naar zweet. Maar hij maakte snelle bewegingen boven op me en misschien zou hij eerder klaarkomen als ik deed wat hij zei.

Ik deed mijn ogen open en keek hem aan.

'Raak me aan,' hijgde hij terwijl hij boven me bewoog. Zijn stem sloeg over van frustratie. 'Ik wil dat je me aanraakt, dat je me vertelt hoe goed ik ben.'

Ik deed niets. Hij betaalde me maar voor één ding, en nergens anders voor.

'Kus me,' snauwde hij.

Ik zei niets, maar draaide mijn hoofd opzij zodat hij wel moest begrijpen dat hij dat stukje van me nooit zou krijgen. Hij lag op me, bewoog zich log op en neer, en greep mijn borsten.

'Kus me,' zeurde hij.

Nog steeds hield ik mijn hoofd afgewend.

'Smerige teef,' riep hij. 'Wat denk je wel niet? Doe wat ik je zeg!'

Zijn gezicht kwam dichter bij me en zijn gewicht drukte alle lucht uit mijn longen. Ik probeerde mijn gezicht zo ver mogelijk bij hem vandaan te houden.

'Kus me!' schreeuwde hij.

Dat kon ik niet. Dat wilde ik niet. Dát zou ik hem niet geven.

Opeens voelde ik dat hij me in mijn wang beet en aan mijn haar trok.

'Vind je dat lekker?' hijgde hij. 'Wil je dat soms? Doe je daarom zo?'

Ik hield mijn adem in terwijl hij in me bewoog. Ik wilde alleen maar dat het ophield. Ik wilde dat hij me van af ging. Ik wilde dat hij en al die andere mannen zoals hij me met rust lieten.

De man huiverde en zijn lichaam stootte tegen het mijne. Hij trok nog harder aan mijn haar en hij beet me zacht in mijn lip.

'Ja, dat vind je lekker, hè?' zei hij lachend. 'Maar weet je, je bent alleen maar een hoer. Ik ben degene die zich hier vermaakt – niet jij.'

Toen ik een keer 's middags op het werk kwam, zag ik dat er een nieuw meisje bij de receptie zat. Ze heette Naz en kwam uit Turkije.

Om de een of andere reden wist ik meteen dat ik haar kon vertrouwen. Ze was vriendelijk, open en lief. Hoewel ik andere mensen op afstand hield, vond ik haar meteen aardig. Ik vond het fijn dat ze me niet van alles vroeg en me niet allemaal dingen over zichzelf vertelde. Ze vertelde alleen dat ze achter in de dertig was en vrijgezel en dat ze een jaar of zeven in Engeland woonde.

Ik probeerde vaak wat vroeger op het werk te komen zodat we samen een kopje koffie konden drinken en een sigaret roken. Ik genoot van haar gezelschap en ontspande me als ik met haar kletste, net als vroeger met Marina. Naz was aardig: ze zorgde dat ik me kon verstoppen als er een klant aankwam die ik niet mocht en ze dekte me als ik te laat kwam en Ali vragen begon te stellen. Ik had me nooit echt op mijn gemak gevoeld bij de meisjes die hetzelfde werk deden als ik, maar bij haar was dat wel het geval.

Naz vroeg nooit iets over Ardy. Dat deed ze pas een paar weken later.

'Ik zie dat hij je elke avond ophaalt,' zei ze. 'Is hij je vriendje?'

'Nee,' antwoordde ik en ik zei verder niets.

'Werk je voor hem?' vroeg ze zacht.

'Ja.'

'Waar komt hij vandaan?'

'Uit Albanië.'

Ze begreep het. Ze zweeg even en vroeg toen: 'Hoe is dat zo gekomen?'

'Dat is een heel lang verhaal. Een vriendin heeft me verkocht en ik kon niet ontsnappen.'

Er gleed een verdrietige trek over haar gezicht. Ik vond het verschrikkelijk dat ze medelijden met me had.

'Maar thuis heb je drie kinderen,' zei ze. 'Wat ga je doen?'

'Dat weet ik niet.'

Verder zei ze niets en daar was ik blij om. Ik vond het vreselijk om te praten over wat me was overkomen, ik schaamde me ervoor en ik vond mezelf stom omdat ik me zo voor de gek had laten houden. Ik moest wel de stomste vrouw ter wereld zijn om te geloven wat ik allemaal had geloofd.

Een paar dagen lang dacht ik na over iets waar ik al heel lang aan dacht. Ik had geprobeerd hier met de andere meisjes over te praten, maar ze hielden hun mond als ik iets vroeg.

'Klopt het dat de politie je in de gevangenis stopt als je illegaal in Engeland bent?' vroeg ik Naz een keer.

'Heeft je pooier je dat verteld?'

'Ja.'

Ze haalde diep adem en zei toen: 'Dat verhaal heb ik wel vaker gehoord, maar het is niet waar, Oxana,' zei ze. 'Hier in Engeland stoppen ze je daar niet voor in de gevangenis. Als ze je ontdekken, word je naar een centrum voor illegalen gebracht. Daar kun je een aanvraag indienen om in dit land te mogen blijven. Soms sturen ze mensen terug en soms mogen ze blijven. Dat hangt ervan af. Anderen worden vrijgelaten nadat ze zijn opgepakt en moeten zich één keer per week melden tot er over hun aanvraag is beslist. Er wonen heel veel mensen in Engeland die hier niet zouden moeten zijn en zij worden teruggestuurd, maar als je een goede reden hebt, dan is dit een vriendelijk land.'

Ik kon niet geloven wat ik hoorde. Waar hád ze het over? Hoe was het mogelijk dat je niet in de gevangenis werd gestopt als je de wet had overtreden? En die verhalen dan over de politie die ons achterna had gezeten tijdens onze reis in Italië? De schoten en de lichten, toen ze ons achternazaten? In Engeland kon het toch niet anders zijn?

'Ik begrijp het niet,' zei ik tegen Naz. 'Ardy zei dat ik jaren in de gevangenis moest zitten als iemand me zou vinden. Hij zei dat ik mijn kinderen dan nooit terug zou zien.'

Ze zweeg even. Toen boog ze zich naar me toe, pakte mijn hand en zei zacht: 'Het is heel eenvoudig, Oxana: Ardy liegt tegen je. Hij heeft dit allemaal verzonnen.'

De dagen daarna bleef ik maar denken aan wat Naz me had verteld. Waarom had ik domweg geloofd wat Ardy me had verteld? Weer voelde ik dat beest in me opstaan, elke keer dat ik naar Ardy keek die naast me lag te slapen. Het ene moment schaamde ik me en het andere was ik woedend. Wat een zwakkeling was ik toch. Iedereen had me zo gemakkelijk voor de gek kunnen houden!

Op een avond voordat ik aan het werk moest, zaten Naz en ik samen een sigaret te roken.

'Ik heb nagedacht over wat je me hebt verteld,' zei ik. 'Als het waar is wat je zei, dan ben ik heel stom geweest. Misschien verdien ik dit leven wel omdat ik zo stom ben. Hoe is het mogelijk dat ik me zo door Ardy voor de gek heb laten houden?'

'Je moet niet zo streng voor jezelf zijn, Oxana,' zei Naz. 'Ik heb meer meisjes zoals jij ontmoet. Je bent niet de enige. Het is heel moeilijk om te weten hoe het zit als je in een vreemd land bent.' Ze nam een trekje en keek me ernstig aan. 'En, wat ben je van plan? Blijf je voor hem werken?'

Ik vroeg fronsend: 'Wat bedoel je?'

'Precies wat ik zeg. Ben je van plan altijd zijn gevangene te blijven?'

'Maar ik kan er toch niets tegen doen?' Ik begon boos te worden. Naz begreep gewoon niet hoe het zat. Ze had geen idee, het was heus niet zo gemakkelijk als ze dacht.

'Loop weg, ga naar de politie. Doe iets, maar niet dit.'

Ik keek om me heen om te controleren of iemand ons kon horen. Ik vond het zelfs al eng om hierover te praten. 'Doe niet zo stom, Naz. Ik kan niet zomaar weglopen. Hij heeft me binnen een dag gevonden, hij heeft overal vrienden terwijl ik niemand ken en geen geld heb. En bovendien weet hij waar mijn kinderen zijn. Hij zou hun kwaad doen als ik ooit weg zou gaan. Ik moet gewoon wachten tot ik mijn schuld heb afbetaald.'

Naz boog zich naar me toe en pakte mijn handen in de hare. 'Maar begrijp je het dan niet, Oxana?' vroeg ze zacht. 'Dit zal nooit en nooit gebeuren. Ardy zal je altijd bij zich houden.'

'Hoe bedoel je?'

'Omdat hij weet dat je te bang bent om weg te lopen.'

Ik keek haar aan. Ik wilde hier niet over nadenken en er al helemaal niet over praten. Wat zij zei, was onmogelijk.

'Denk er maar eens over na,' zei ze. 'Wat kan Ardy doen als je bij hem weggaat?'

'Iemand opbellen, zijn vrienden om hulp vragen,' zei ik. 'Ik heb dat zelf meegemaakt, Naz. Ik heb het zelf gezien, de geweren, de drugs. Die gevaarlijke mensen en ze hebben foto's van mijn kinderen, hun namen, alles.'

'Maar al die mensen heb je achtergelaten en nu ben je hier, alleen met hem.'

'En?'

'Nou, denk je echt dat je zoveel waard bent voor Ardy? Weet je hoeveel geld het hem zou kosten om je kinderen op te zoeken? Hij is nieuw in deze business en hij is net zo bang voor de gangsters die jou aan hem hebben verkocht als jij. Maar toen hij je kocht was je al zo bang, dat je alles maar geloofde en sinds die tijd heeft hij je gehersenspoeld om te zorgen dat je bij hem bleef.'

Ik keek naar Naz. Ik wilde haar geloven, maar ik was heel bang en heel boos. Waarom deed ze net alsof het allemaal heel eenvoudig was? Ik had al heel lang niet meer aan ontsnappen gedacht en ik had geaccepteerd dat ik net zolang bij Ardy zou moeten blijven tot hij me liet gaan.

'Luister, Oxana,' zei Naz. 'Je kunt doen waar je zin in hebt: ontsnappen, naar de politie gaan, hiervandaan gaan. Maar je moet het wel slim aanpakken, een plan bedenken. Ik kan je helpen wat geld te verstoppen. Als je tien klanten hebt gehad, kun je er maar acht opschrijven en de rest van het geld opzijleggen. Niemand zal er ooit achter komen.'

'Maar hij komt het vast te weten.'

'Hoe dan? Wie zal het hem vertellen? De meisjes hier? Zij zullen het aan niemand vertellen, want ze zijn net zoals jij, maar dan nog veel banger.'

Ik keek haar zwijgend aan.

'Zullen we het geld langzaam opsparen?' stelde Naz voor. 'Dan schrijf ik af en toe een klant niet op, net zo lang tot je genoeg hebt om weg te lopen. Een vriendin van me werkt in een sauna hier ver vandaan. Je zou dat geld kunnen gebruiken om naar haar toe te gaan. Alsjeblieft, Oxana. Geloof me. Ik wil je helpen.'

'Maar hoe zit het dan met mijn kinderen? Hij zal hen vermoorden.'

'Weet je,' zei Naz, 'Ardy is een jongen en hij heeft alleen jou, je geld en je angst. Ik weet zeker dat hij je kinderen niets zal aandoen. Dat denk ik echt. Geloof me alsjeblieft.'

'Maar waarom zou ik? Ik kan hun leven niet op het spel zetten. Ik moet zeker weten dat hun niets kan overkomen.'

'Dat zul je nooit weten, Oxana, en daarom zal Ardy je altijd houden. Hij weet dat je kinderen alles voor je betekenen en dat je daarom bij hem blijft. Maar hij is ook bang voor bepaalde dingen. Hij is bang voor problemen, bang dat de politie hem ontdekt en bang het geld kwijt te raken dat jij voor hem verdient... Het zou heel gevaarlijk voor hem zijn om naar Oekraïne te gaan om je kinderen iets aan te doen. Hij weet dat hij dan in de problemen kan komen. Het is veel gemakkelijker voor hem om gewoon een ander meisje te kopen.'

Ik staarde naar het tafelblad en probeerde te begrijpen wat ze allemaal zei. Kon het echt zo zijn dat Ardy me gewoon zou laten gaan?

'In Engeland kan hij gewoon een ander meisje kopen,' zei Naz. 'Ik heb verhalen gehoord over vrouwen die hier wel vier keer zijn verkocht. Geloof me, elke pooier heeft een grotere pooier en die een nog grotere, en er zijn hier heel veel meisjes. Voor Ardy zou dat veel simpeler zijn dan om terug te gaan naar Albanië.'

Mijn hoofd tolde van alles wat Naz me had verteld. Het bloed gonsde in mijn oren. Ik durfde niet te geloven wat ze me verteld had. Ze deed net alsof het allemaal heel eenvoudig was. Ze had geen idee waar deze mensen allemaal toe in staat waren.

'Luister, Oxana,' zei ze zacht. 'Er zijn twee redenen waarom Ardy je kinderen nooit iets zou aandoen. Het is veel te gevaarlijk en het is veel goedkoper om hier een ander meisje te kopen. Goed dan, hoe zullen we het aanpakken?'

'Ik weet het niet. Ik moet dit eerst allemaal verwerken. Dan zal ik erover nadenken...'

31

Terwijl ik aan het werk was, bleef ik maar denken aan wat Naz tegen me had gezegd. Ook als ik met een man bezig was, hij me het geld gaf en Ardy aan het einde van de nacht het geld natelde, bleef haar stem maar door mijn hoofd klinken.

Ik vond het zelfs al eng om na te denken over de dingen die ze had gezegd. Ik kón het risico niet nemen. Als Ardy nu wel iets deed? Ik was al eerder ontzettend egoïstisch geweest en ik kón Sasha, Pasha of Luda niets laten overkomen omwille van mij. Alles bleef maar door mijn hoofd spoken. Ik kon wel tien verschillende toekomstscenario's verzinnen en uiteindelijk zou ik er eentje moeten uitkiezen.

Twee dagen later liep ik naar Naz toe en vroeg of ze een deel van mijn geld wilde verstoppen. 'Maar ik loop niet weg,' zei ik. 'Ik ga het naar huis sturen, naar mijn kinderen. Ik kan het risico gewoon niet nemen, alleen maar omdat ik vrij wil zijn.'

'Dat is goed. Het is jouw beslissing. Ik zal je zo veel mogelijk helpen, dat weet je,' zei Naz rustig, maar ze keek verdrietig.

We hielden niet elke dag geld achter uit angst dat Ardy erachter zou komen, maar een keer verstopten we twintig pond op een dag en de week daarop veertig, net zolang tot we ongeveer tweehonderd pond hadden. Nu kon ik Tamara laten weten dat ik geld voor haar had en kon ik Sasha en Luda weer opbellen. Ik moest flink zijn. Het was al maanden geleden dat ik de laatste keer met hen had gebeld en ik schaamde me. Toch kon ik niet zomaar niets van me laten horen; diezelfde fout mocht ik niet nog een keer maken. Ik moest me in gedachten een beeld vormen van mijn kinderen, van de dag waarop ik hen weer zou zien. Naz had me dat wel duidelijk gemaakt. Ik was dan misschien niet van plan weg te lopen, maar ik zou wat minder bang moeten worden.

Met trillende handen pakte ik de telefoon op. Sasha was drie maanden eerder tien jaar geworden en ik wilde weten of Luda het leuk vond op school. Ik sprak heel even met Tamara en vertelde haar dat ik haar geld zou sturen. Toen kwam Luda aan de telefoon.

'Hi, mama,' zei ze met haar heldere stemmetje.

'Hallo, liefje.' Toen ik haar stem hoorde, glimlachte ik.

'Ik heb net buiten gespeeld.'

'Wat heb je gedaan?'

'Touwtje springen. Kom je ons al gauw opzoeken?' Ze klonk hoopvol.

'Ja hoor, lieverd, maar eerst moet ik nog een tijdje werken.'

'O.' Ze geloofde me niet. Haar stem klonk hol en mijn hart sloeg een slag over. Mijn dochter wist dat ik tegen haar loog. Ik zou nooit komen. Ik had hun iets beloofd en vervolgens mijn belofte gebroken en nu zei iedereen dat ik haar in de steek liet.

'Mijn vriendinnetje is er,' zei ze opeens. 'Nu komt Sasha.'

Luda legde de telefoon neer en ik hoorde haar wegrennen en Sasha roepen.

'Mama?' vroeg Sasha toen hij de telefoon oppakte.

'Ja, ik ben het.' Ik slikte de tranen weg die mijn keel dichtsnoerden. 'Hoe is het met je?'

'Goed, hoor. Waar heb je gezeten? Ik dacht dat je met oud en nieuw hier zou zijn, maar nu is het al augustus. Het is al zo lang geleden.'

'Ja, ik weet het, lieverd. Maar ik kan nu nog niet komen. Ik moet eerst nog meer geld verdienen. Ik moet een huis voor ons kunnen kopen waar we allemaal in kunnen wonen. Jij, ik, Pasha en Luda.'

'Maar ik mis je zo! Ik vind het niet fijn hier bij Tamara.'

De tranen stroomden over mijn wangen en ik probeerde mijn stem te beheersen. Hij moest begrijpen dat het niet mijn eigen keus was om hem achter te laten.

'Ik mis jou ook, lieverd. En ik wil dat je weet dat er een goede reden voor is dat ik je in de steek heb gelaten. Dat zal ik je nog wel een keer uitleggen. Maar je moet weten dat mama van je houdt en weer naar je toe zal komen.'

'Ben je ziek?'

'Nee, hoor.'

'Wanneer kom je dan?'

'Gauw, lieverd. Wat er ook gebeurt of wat andere mensen ook zeggen, ik hou van je, ik hou van Pasha en ik hou van Luda.'

'Oké.'

'Dag, lieverd, ik moet ophangen. Wees lief voor Tamara, oké? En zorg voor je zusje. Ik hou van je. Ik kom snel naar je toe.'

'Oké. Dag, mama,' zei hij met een klein stemmetje.

Ik legde de telefoon neer en wist dat mijn zoon aan de andere kant van de wereld om mij huilde, net zoals ik nu om hem huilde. Wanneer zouden mijn kinderen mij zo erg gaan haten dat ze me niet meer wilden zien, zelfs niet als het kon? Luda kende me amper, Sasha was van slag en ik wist nog steeds niet waar Pasha was. Ik moest iets doen.

De volgende dag ging ik vroeg naar mijn werk, zodat ik eerst met Naz kon praten.

'Wil je me het telefoonnummer geven waar je het laatst over had?'

'Welk nummer?'

'Van je vriendin. Je zei een keer dat je me kon helpen om weg te lopen, dat je een vriendin had die me zou kunnen helpen. Wil je me haar telefoonnummer geven?'

Naz vroeg bijna fluisterend: 'Dus je hebt besloten weg te lopen?'

'Ja.'

'Wanneer?'

'Binnenkort.'

Het was een regenachtige ochtend, eind september 2002. Ik was al vijftien maanden van huis. Ardy lag naast me te slapen en ik lag stilletjes naar hem te kijken. Ik was al weken heel lief voor hem: ik kookte voor hem, glimlachte tegen hem, kletste met hem of had seks met hem, wanneer hij maar wilde. Maar ondertussen dacht ik eraan dat er een kleine tas achter de kledingkast verstopt was. Er zat wat ondergoed in, een topje en een gouden ring die Ardy me een keer cadeau had gedaan. Die wilde ik meenemen als herinnering aan wat ik nooit mocht vergeten. En om me eraan te herinneren dat ik hem een keer moest laten boeten voor alles wat hij me had aangedaan. In de weken hiervoor had ik nog meer geld naar huis gestuurd en nu had ik honderdvijftig pond voor mezelf. Genoeg om ver weg te komen.

Ardy was heel blij geweest toen ik hem een paar dagen geleden een cadeautje had gegeven. Soms nam hij me mee naar de winkel en gaf me dan wat geld om make-up of ondergoed van te kopen. Daarvan had ik een portemonnee voor hem gekocht om al het geld in te doen dat ik voor hem verdiende. Die zou binnenkort leeg blijven.

'Misschien ben ik nu wel echt verliefd op je geworden,' zei ik toen ik hem het cadeautje gaf.

'Ja, vast,' antwoordde hij lachend.

Ardy had geen idee wat ik zou gaan doen. Toen ik zo naar hem lag te kijken, werd ik bang. Maar ik was niet vergeten hoe ik me had gevoeld nadat ik met Luda en Sasha had gepraat en de woede die ik al maanden voelde, was veranderd in moed. Ik wist nog niet wat ik zou gaan doen, want ik bevond me nog steeds in een vreemd land, had geen geld of papieren en kon dus niet naar huis. Maar ik wist dat ik hoe dan ook vrij moest zijn.

Een paar dagen eerder had ik Lara opgebeld, de vriendin van Naz. Lara was een Russin die in Essex in een sauna werkte.

'Ik heb een plek nodig waar ik me kan schuilhouden,' zei ik. 'Ik kan je niet alles vertellen, maar er is een Albanese man die me zal gaan zoeken en omdat ik hier niemand ken, dacht Naz dat jij me kon helpen.'

Lara zei dat ik wel een paar dagen bij haar kon logeren tot ik had besloten wat ik zou doen. Ik zei dat ik haar zou bellen als ik was weggelopen.

Ik stapte het bed uit en liep naar de koelkast. Ik wilde het ontbijt klaarmaken. Ik zuchtte toen ik de deur van de koelkast opendeed, maar opeens begon mijn hart te zingen. Nu kreeg ik de kans om te ontsnappen. We hadden geen eten in huis. Ardy zou boodschappen moeten doen en me alleen thuislaten.

Ik had me al aangekleed en maakte een boodschappenlijstje voor hem: eieren, melk, suiker, salami, rijst, wortels en uien.

'Neem je ook wat chocola voor me mee?' vroeg ik.

'Ja hoor.'

Hij draaide zich om en trok zijn jas aan.

'Ik ben zo terug,' zei hij en hij deed de voordeur open.

'Tot straks,' zei ik.

Ik hield mijn adem in toen de deur dichtging en Ardy hem op slot deed. Ik moest snel zijn. De supermarkt was aan het eind van onze straat. Ik rende naar het raam en stond achter het gordijn Ardy na te kijken.

'Schiet op,' fluisterde ik toen hij langzaam de straat afliep.

Toen ik hem niet meer kon zien, rende ik naar de klerenkast, haalde mijn tas eruit en rende terug naar het raam. Er zat een soort grendel op waardoor hij niet helemaal open kon. Ik zou het glas dus kapot moeten slaan. Ons huis bevond zich op de begane grond en dus hoefde ik niet naar beneden te springen. Ik wikkelde een van Ardy's T-shirts om mijn hand en sloeg met alle kracht tegen het glas. Er sprongen barsten in, maar het glas brak niet.

Toe nou! Schiet op!

Het leek wel alsof de tijd vertraagde terwijl ik steeds opnieuw tegen het raam sloeg. Ik duwde uit alle macht tegen het glas, maar het brak niet.

Schiet toch op! Hij komt zo weer terug!

Ik trok mijn hand terug, maakte een vuist en sloeg nog één keer met alle kracht op het glas.

Alstublieft, God, laat me ontsnappen!

Opeens begon het glas te vallen. Ik kon er een gat in maken. Ik stak mijn hoofd naar buiten en keek de straat af. Geen Ardy. Ik draaide me om en pakte mijn tas. Toen wierp ik nog een laatste blik achterom en verliet eindelijk mijn gevangenis.

Hijgend sprong ik in de kleine voortuin. Mijn longen vulden zich met de frisse lucht. Ik was vrij.

32

Ik rende.

Ik durfde niet achterom te kijken. Ik wilde niet weten of Ardy me had gezien. Ik zou gewoon wachten tot hij me bij de arm greep of tot ik hem hoorde roepen, maar tot die tijd zou ik door blijven rennen. Ik kwam bij het kantoor van een minitaxi en rende naar een taxi die buiten stond te wachten. Ik liet de chauffeur het adres zien dat ik op een stukje papier had geschreven. Hij knikte en ik stapte in. Toen de auto wegreed, kon ik me niet meer beheersen. Ik keek door de achterruit. Had Ardy me gezien? Zat hij me achterna?

Het verkeerslicht voor ons sprong op rood en de auto ging langzamer rijden. Stop alsjeblieft niet. Laat me alsjeblieft ontsnappen.

Ik keek achterom naar de straat achter ons die naar de supermarkt leidde. Was Ardy een van de mensen die ik op straat zag lopen? Hij zou nu wel op de terugweg zijn. Was hij nu al thuis en had hij gezien dat ik weg was? Was hij al naar me op zoek?

Ik voelde iets langs mijn nek strijken en draaide me vliegensvlug om. Het voelde als adem op mijn huid. Maar er zat niemand naast me. Ik was alleen.

Rustig maar, zei ik tegen mezelf terwijl ik weer voor me keek, mijn ogen zoekend naar wat mijn nek gestreeld had.

Toen zag ik dat het raampje een stukje openstond. Ik had een vleugje wind gevoeld.

Je bent nu veilig, zei ik tegen mezelf. Je bent ontsnapt. Het is je gelukt.

Maar toen ik opkeek, zag ik de ogen van de taxichauffeur in de spiegel. Was hij een klant? Een van Ardy's vrienden?

Mijn hand zocht de grendel van het portier. Als hij naar me bleef kijken, zou ik uitstappen en wegrennen. Als het moest, sprong ik uit de rijdende taxi. Nu kon ik niet meer terug.

Toen ik zijn blik beantwoordde, ging mijn hart als een razende tekeer. Ofwel ik was eindelijk veilig of ik was weer een gevangene. Ik wist het niet. Zou ik weglopen of blijven zitten?

De man keek weer voor zich uit toen het licht op groen sprong.

'Eindelijk,' zei de chauffeur met een zucht en hij gaf gas.

Ik keek zwijgend naar buiten. Elke seconde werd de afstand tussen mij en mijn gevangenis groter.

'Ik wil niet nieuwsgierig klinken, maar gaat het wel?' hoorde ik opeens iemand vragen.

Toen ik opkeek, zag ik dat de chauffeur weer naar me keek. Maar nu met een vriendelijke in plaats van met een harde blik, vragend in plaats van wetend. Ik ademde diep in en langzaam weer uit.

'Ja, hoor,' zei ik. 'Prima.'

Ik voelde me helemaal niet gelukkig terwijl de minuten en kilometers verstreken, alleen maar verdoofd. Ik wist dat ik Lara moest vragen of er een baantje voor me was in de sauna waar zij werkte als receptioniste. Ik had geen geld en geen vrienden, en ik kon niet verwachten dat iemand die me niet eens kende me zou redden. Ik moest overleven. Ardy zou me in elk geval heel moeilijk kunnen vinden als ik gewoon weer een anonieme hoer was, maar ik voelde me ellendig bij het idee dat ik weer de prostitutie in moest nu ik eindelijk vrij was. God wilde me zeker straffen.

Maar ik kon niemand om hulp vragen. Naz had me verteld dat de Britse politie me terug naar Oekraïne zou sturen als ze dat wilden en dat kon ik niet riskeren. Ardy, Sveta of Serdar konden me daar vinden en me vermoorden. Bovendien was Sergey nu ook uit de gevangenis en ik wist zeker dat hij op een bepaald moment op zoek zou gaan naar mij en de kinderen.

Nadat ik voor Lara's huis uit de taxi was gestapt, belde ik aan. Een lange, blonde vrouw met een vriendelijk gezicht deed open. Ze stelde niet veel vragen, maar ik vertelde haar een beetje van wat er was gebeurd en waarom ik me moest verstoppen. Die middag nam ze me mee naar de sauna, waar ik kennismaakte met haar baas. Hij was een aardige Turkse man die ermee akkoord ging dat ik voor hem zou gaan werken. Ik kreeg een kamer in de sauna waar ik mocht wonen tot ik genoeg geld had gespaard.

'Zou u me alvast wat geld willen voorschieten?' vroeg ik. 'Het is heel dringend.'

Ik moest wat geld naar huis sturen. Ze moesten begrijpen dat ik vanaf nu een goede moeder zou zijn die haar beloftes nakwam.

'Sta jij borg voor haar?' vroeg de baas aan Lara. 'Betaal jij het terug als zij verdwijnt?'

Lara keek naar me en zei: 'Ja.'

Ik wist dat ik heel veel geluk had. Alweer had ik een goede vriendin gevonden en ik mocht haar niet teleurstellen.

Mijn nieuwe werkplek was veel mooier dan alle bedrijven waar ik tot dan toe had gewerkt. Boven waren een sauna, twee jacuzzi's en een keukentje. Beneden waren drie kamers met een eigen douche en toilet. Er was ook een zitkamer met leren stoelen en een tafel met een grote fruitschaal erop. Daar wachtten we op klanten. Er mocht geen drank worden geschonken, alles was schoon en twee bewakers hielpen ons met de boel schoonhouden, handdoeken verschonen en de koelkast bijvullen. Ze zetten ook klanten de deur uit die zich misdroegen, bijvoorbeeld als ze een meisje beten of uitscholden, of na hun halfuur beweerden dat ze geen seks hadden gehad.

Op een bepaalde manier was ik nu veiliger dan ik ooit was geweest. Er hing een bewakingscamera boven de deur naar de sauna en bovendien kon Lara bij de receptie bepaalde klanten de toegang weigeren als ze hen niet mocht. De mannen moesten allemaal tien pond entree betalen en hoewel de meesten seks wilden, waren er ook mannen die na hun werk langskwamen en alleen maar een sauna en een massage wilden. Maar dat interesseerde me niet echt, omdat ik steeds maar aan Ardy bleef denken. Ik was ervan overtuigd dat hij me zou vinden en wraak zou nemen. Het eerste wat ik deed met de vijfhonderd pond die mijn baas me had geleend, was een mobiele telefoon kopen en naar huis bellen. Ik gaf Tamara en Ira mijn nummer, maar bezwoer hun dat ze niemand iets over me mochten vertellen.

'Als er iemand bij je thuis komt of je belt, dan ken je me niet. Ik heb wat problemen gehad, dus vertel alsjeblieft niemand iets over mij of over de kinderen. En als Sergey langskomt, moet je maar zeggen dat je niet weet waar ik ben. Zeg maar dat ik wel geld stuur, maar dat je geen telefoonnummer van me hebt.'

Elke avond hield ik angstvallig de bewakingscamera in de gaten en controleerde het gezicht van iedere man die de sauna binnenkwam. Ik verstopte me als iemand zijn hoofd gebogen hield, omdat ik niet zeker kon weten of het Ardy was of niet. Er werkten ook een paar Albanese meisjes in de sauna, maar ik zei nooit veel tegen hen. Ik wilde niet meer zijn dan een schaduw die niemand zag.

Ik was zo bang dat ik de eerste weken geen stap buiten de deur van de sauna zette. Ik bleef de hele dag binnen en at het eten dat de bewakers voor ons kochten. En als ik al een keer naar buiten ging, dan maakte ik snel geld over naar huis of ik ging naar de pub aan de overkant van de straat. Daar dronk ik soms een kopje koffie en las ik de Engelse krant, omdat ik mijn Engels wilde verbeteren. Maar altijd hield ik de gezichten van de mannen om me heen in de gaten, ervan overtuigd dat er iemand op zou duiken die me terug zou slepen naar mijn oude wereldje.

Ik sliep ook steeds minder goed. De sauna ging 's ochtends om een uur of vijf dicht. Dan maakten we de kamers schoon, waarna de andere meisjes vertrokken. Ik ging dan naar bed, maar kon me niet ontspannen. Ik vond het verschrikkelijk om alleen te zijn, ik schrok van elk geluidje en terwijl er allemaal gedachten door mijn hoofd tolden, smeekte ik God om vergiffenis. Eerst was ik door anderen gedwongen mezelf te verkopen, maar nu was het mijn eigen keuze.

'Lieve God,' bad ik dan. 'Ik zal snel ophouden met dit werk. Ik weet dat het verkeerd is wat ik doe.'

Ik was heel erg in de war, ik had geld nodig maar haatte de manier waarop ik eraan moest komen, ik wilde bij mijn kinderen zijn maar was te bang om naar hen toe te gaan. Ik was natuurlijk heel blij dat ik vaker met Sasha en Luda kon praten en hun elke twee weken geld kon sturen. Meestal verdiende ik ongeveer honderd pond per week en hield maar een beetje voor mezelf. Ik wist nu tenminste dat ze goed te eten kregen en warme kleren hadden. Ik stuurde ook geld naar Ira als bijdrage in de kosten voor Vica. Toch bleef ik maar aan hen denken, aan hoe lang ik al weg was en aan Pasha. Ik wist nog altijd niet waar hij was, hij was helemaal alleen zonder zijn broer of zusje en ik kon hem niet bereiken. Hoe zou ik ooit goed kunnen maken wat hij moest doorstaan? Zou ik hem ooit kunnen uitleggen dat ik hem nooit in de steek had willen laten?

De vragen buitelden over elkaar heen in mijn hoofd. Ik bleef me maar afvragen wat ik moest doen en als ik dan eindelijk een keer in slaap viel, zag ik in mijn dromen zwarte gedaanten. Het waren geen gezichten en geen mensen die ik kende, maar ik wist dat het de duivel was die me kwam vermoorden. Dan droomde ik dat ik werd gewurgd en werd kokhalzend wakker, net als toen ik nog klein was. Mijn moeder had vroeger altijd gezegd dat die nachtmerries wegbleven als ik drie keer zou bidden, maar ik was soms zo bang dat ik niet eens de woorden kon bedenken. Dan stond ik op en dronk een kopje koffie, rookte een sigaret, zette de tv aan of las een boek – tot de zon opkwam en ik wist dat ik veilig was.

Terwijl de weken verstreken, drong het tot me door dat ik niet echt vrij was, maar dat ik de ene gevangenis voor de andere had verruild. Ik had dan wel een raam ingeslagen om aan Ardy te ontsnappen, maar het zou veel meer tijd kosten om te kunnen ontsnappen aan de ijzeren tralies van angst die nu in mijn hoofd zaten.

Ik voelde dat de tranen me in de ogen sprongen toen ik rond twee uur 's nachts in de woonkamer van de sauna zat. Ik had nog maar één klant gehad en dat betekende minder geld, en minder geld betekende minder eten voor de kinderen.

'Je moet wat vaker glimlachen,' zei Lara tegen me toen ze het vertrek binnenkwam en zag dat ik daar alleen zat. 'Als je zo doorgaat, duurt het zeker een jaar voordat je wat gaat verdienen.'

'Ik weet het, maar ik doe mijn best.'

'Niet waar. Je kijkt alsof je iemand wilt vermoorden! Geen wonder dat niemand jou wil, je jaagt de klanten weg.'

Ik keek haar na toen ze wegliep. Ze had gelijk. Ik joeg de klanten angst aan en het leek wel alsof ik mezelf niet in de hand had. Maar ik was continu zo boos en ook al had ik vroeger meestal een masker opgezet, nu had ik het gevoel dat die woede me verstikte. Het enige wat ik voelde was die woede en soms kon ik niet eens ademhalen, ook al probeerde ik me erte- gen te verzetten.

Lara zei steeds weer dat ik eens moest ophouden zo onaardig te doen te- gen de klanten. Inmiddels waren we bevriend geraakt. Soms ging ik naar haar flat en kookte voor ons beiden. Ik vond het heerlijk dat ik iemand had die ik een beetje kon vertroetelen en Lara was al snel mijn vriendin, mijn moeder, mijn dochter en mijn zuster geworden – alles in één persoon. Zij was ook degene die me van alles uitlegde over dit nieuwe land en me van alles liet zien. We waren zelfs naar een nachtclub geweest.

Ik liep haar achterna naar de receptie.

'Ik probeer het, echt waar,' zei ik toen ze ging zitten. 'Maar ze mogen me hier gewoon niet.'

'Misschien zouden ze dat wel doen als je wat vaker zou glimlachen. Ik weet wel dat het moeilijk is, maar je moet het echt proberen, Oxana.'

Ik begon boos te worden. 'Ik ga wat drinken,' zei ik en draaide me om.

Dankzij de drank kon ik mijn werk volhouden. Ik was anders als ik wodka had gedronken: ontspannen, gelukkig, onverschillig. Dan zette ik een muziekje op en begon te dansen, te lachen en gek te doen. Ik begreep niet waarom ik me zonder drank niet anders kon opstellen. De klanten waren heel anders dan die in Tottenham. De meesten waren vaste klanten en ze gedroegen zich beter, niet grof of onbeleefd. Hier schreeuwde niemand tegen me dat ik een hoer was of probeerde me dingen te laten doen die ik niet wilde. Maar ik kon mijn woede nog steeds niet intomen als ze iets verkeerds zeiden.

'En, vind je je werk leuk?' vroeg een man wel eens nadat we seks hadden gehad. 'Het is leuk werk, hè? Lekker neuken en er nog geld voor krijgen ook.'

'Waar héb je het over?' riep ik dan. 'Je denkt toch zeker niet dat het gemakkelijk is om je te neuken, tegen je te glimlachen en net te doen alsof ik je mag?'

'Ach, kom nou toch,' zei hij dan. 'Je hoeft alleen je kleren maar uit te trekken en op je rug te gaan liggen. Dat stelt toch niets voor!'

Klootzakken! Ze hadden geen idee hoe het voelde als ik de geur van alweer een andere man opsnoof: van een man uit India die naar kerrie rook, een Turk met kebabvet aan zijn kleren, een Engelsman die naar bier stonk. Ik kon mijn gevoelens gewoon niet langer verbergen en nog niet zo lang geleden had ik vijf dagen achter elkaar geen enkele klant gehad. Lara had me geld gegeven om eten van te kopen, maar ik wist niet hoe ik de woede kon verbergen als die in me opwelde.

Vannacht was het mijn taak om de klanten te voorzien van thee en koffie. Toen de deur openging, keek ik op en zag twee mannen binnenkomen. Toen ik alleen maar naar hen keek, ergerde ik me al aan hen. Ik had superhoge hakken aan en als ze een drankje wilden, moest ik de trap op naar de keuken.

Een van hen liep meteen door naar de sauna en koos geen meisje uit. Hij werkte in een restaurant of een kebabshop en wilde zich lekker ontspannen. Maar zijn vriend – die lang en slank was en een gekleurd halsdoekje droog – deed dat niet eens. Waarom kwam dat soort mannen hiernaartoe om ons te bekijken, alsof we een stelletje dieren in een dierentuin waren?

Lara vroeg hem of hij iets wilde drinken toen ze hem binnenliet.

'Koffie. Met melk.'

Met een klap sloeg ik mijn boek dicht. 'Hoeveel suikerklontjes?' vroeg ik met een zucht.

'Laat maar zitten, hoor, als het te veel moeite is.'

Lara keek me strak aan.

'Nee hoor,' zei ik met vlakke stem. 'Helemaal niet.'

'Twee graag.'

Ik keek naar de man. Duidelijk een Turk. 'Ik ben zo terug,' zei ik tegen hem in zijn eigen taal en ik ging weg.

Een paar minuten later kwam ik terug met zijn koffie. Toen pakte ik mijn boek weer op.

'Waar heb je Turks leren spreken?'

'Maakt dat wat uit?'

'Nee, maar ik probeer een praatje met je te maken.'

'Daar heb ik gewerkt.'

'Waar kom je dan vandaan?'

'Uit Rusland.'

'Hoe heet je?'

'Marilyn.' Nadat ik bij Ardy was weggelopen, had ik mijn haar geknipt, het blond geverfd en droeg ik rode lippenstift.

'Kun je lekker masseren?' vroeg de man zacht.

'Dat weet ik niet. Er zijn mensen die dat vinden.'

'Oké, kun je mij masseren?'

'Twintig minuten kost dertig pond.'

'Oké.'

'We liepen een kamer in en de man ging in een stoel zitten.

'Hoeveel klanten heb je vandaag al gehad?' vroeg hij.

'Nog niet één,' antwoordde ik.

'En hoeveel van je verdiensten moet je aan de receptie afgeven?'

'Twintig pond,' loog ik.

'Dus dan krijg jij maar tien pond.'

'Ja.'

'En hoe duur is seks?'

'Vijfenveertig pond.'

'En hoeveel moet je daarvan afstaan?'

'Vijfendertig.'

Eigenlijk gaven we de receptie vijfendertig van de vijfenveertig pond voor onze eerste klant en vijftien voor elke volgende klant. Maar dat hoefde die man niet te weten. Ik hoopte dat hij medelijden met me zou hebben. Hij gaf me vijfenveertig pond. Hij wilde dus seks. Ik liep de kamer uit en ik gaf Lara wat ik moest betalen. Toen liep ik weer terug.

'Hier,' zei de man. 'Dit is voor jou.'

Hij hield nog eens veertig pond in zijn hand.

Prima.

'Dank je wel.' Ik liep naar hem toe en maakte de knoopjes van mijn schort los.

'Mag ik me eerst even douchen?' vroeg hij.

'Natuurlijk,' antwoordde ik. Terwijl hij onder de douche stond, kleedde ik me uit, sloeg een handdoek om me heen en ging op het bed zitten. Ik staarde voor me uit. Hoe lang zou dit gaan duren? Ik had zin om te lezen.

'Kom eens hier.'

Ik keek in de richting van de douche waar hij zich stond te wassen. 'Wat?'

'Kom hier,' zei hij weer. 'Ik wil je rug wassen.'

'Nee,' zei ik bezorgd. 'Ik ga niet met klanten onder de douche. Dan wordt mijn haar nat en loopt mijn mascara uit.'

'Ik zorg er wel voor dat dit niet gebeurt. Ik wil graag dat je bij me onder de douche komt.'

Met een zucht stond ik op van het bed. Als ik dit vlug achter de rug wilde hebben, kon ik maar beter doen wat hij wilde. Als dat hem opwond, betekende dat ook dat hij sneller klaar zou komen.

De man keek naar me toen ik bij hem onder de douche stapte, maar zei niets. Ik draaide mijn rug naar hem toe. Dus dit wilde hij: hij wilde de zonden van me af wassen voordat hij me gebruikte. Ik staarde voor me uit toen hij mijn rug met een spons waste. Zeepbelletjes kriebelden op mijn hele lichaam en het water was lekker warm. Hij behandelde me tenminste voorzichtig, klauwde niet naar me zoals sommige andere mannen. We zeiden niets.

Opeens begon hij mijn schouders te masseren en ik kromp bijna in elkaar. Zijn aanraking was zacht en teder, anders dan ik ooit eerder had meegemaakt. Vanaf die dag aan het strand – van Sergey en zijn vrienden tot en met Serdar en alle andere mannen die voor me hadden betaald – had nog nooit iemand me zo teder aangeraakt, alsof ik breekbaar was. Zijn handen gleden over mijn rug naar beneden en omvatten mijn taille. Ik voelde zijn lippen op mijn schouder. Ik zei niets.

Ik had het gevoel dat ik leefde.

Ik voelde geen vlinders in mijn buik – het was meer dan dat. Golven die me optilden en over me heen buitelden. Mijn huid was gevoelig, mijn lichaam was alert. Zonder een woord deed de man de kraan uit. Toen we de douche uit kwamen, ging ik op het bed liggen.

Dit mag je niet doen, fluisterde een stemmetje in me. Dit is een klant. Meer niet.

Maar iets in me kon er niet mee ophouden. Mijn hele leven al droomde ik van de tederheid die ik in Bollywoodfilms had gezien en, om een reden die ik niet begreep, was dat precies wat deze man me gaf. Hij raakte me aan alsof ik een echte vrouw was in plaats van een hoer zonder gezicht. Misschien deed hij net alsof ik iemand anders was, misschien stond hij er niet eens bij stil, maar ik wilde niet dat het ophield – ook al was het verkeerd.

We zwegen toen hij een condoom omdeed en in me kwam. Zijn lippen raakten de mijne. Ik streelde zijn huid – hij had kippenvel – en mijn lichaam begon te trillen toen hij zich boven op me liggend bewoog. Ik kon nergens meer aan denken. Ik vergat mijn hele leven toen alles in me zich heel even spande en ik uitte een zacht kreetje. Ik begreep niet wat er was gebeurd. Zoiets had ik nog nooit gevoeld. Ik voelde me vrij, warm.

'Is alles in orde?' vroeg Lara nadat ze zachtjes op de deur had geklopt.

'Prima,' zei ik snel.

Het moment was voorbij. Ik stond op en begon me aan te kleden. Ik keek niet achterom. Ik schaamde me. Wat had ik gedaan? Hoe had ik zo stom kunnen zijn? Ik werd boos. Hoe was het mogelijk dat mijn lichaam me zo had verraden? Hoe had ik kunnen genieten van iets wat ik zo ontzettend haatte? Misschien was ik echt wat al die mannen me hadden gezegd: een smerige hoer die het zelf wilde.

De man stond op en liep naar de douche.

'We gaan naar een nachtrestaurant,' zei hij. 'Heb je zin om mee te komen?'

'Nee.'

'Waarom niet?'

'Omdat ik moet werken. Ik krijg straks nog meer klanten.'

Ik begreep niet wat hij van plan was. Hij wist wat ik was, waar ik werkte. Wilde hij me soms belachelijk maken?

De man kleedde zich aan en drukte me een briefje in de hand. 'Alsjeblieft,' zei hij en hij draaide zich om en vertrok. Er stond een telefoonnummer op.

De deur ging dicht en ik liet me op het bed zakken. Ik was bijna bang. Ik begreep niet wat ik zojuist had gedaan. Wat ik wel wist, was dat dit nooit weer mocht gebeuren.

33

Ook al wilde ik dat telefoonnummer niet echt gebruiken, toch kon ik me niet altijd beheersen. Af en toe toetste ik het nummer in, alleen maar om zijn stem te horen. Mijn hart begon altijd sneller te kloppen wanneer ik eerst zijn telefoon hoorde overgaan en daarna naar de boodschap luisterde die hij op zijn antwoordapparaat had ingesproken. Ik vond het heerlijk om zijn stem te horen, maar sprak nooit zelf iets in. In plaats daarvan hoopte ik elke dag weer dat hij terug zou komen. Maar ik was ook in de war. Hoe kon ik iets voelen voor een man die voor me had betaald?

'Vertrouw hem niet,' zei Lara. 'Hij is een klant. Wat ben je van plan? Hem gratis neuken?'

Toen de weken verstreken zonder dat hij terugkwam, wist ik dat ze gelijk had. Toen vertelde Lara me een keer dat hij terug was geweest terwijl ik er niet was en een ander meisje had genomen. Wat was ik stom geweest, ik was een hoer en hij wilde alleen maar seks. Waarom zou iemand naar me verlangen op de manier zoals een man naar een gewone vrouw kan verlangen?

Het was begin december, ongeveer een week nadat ik in een slaapkamer in Lara's flat was getrokken, toen hij eindelijk terugkwam. Ik werd bijna boos toen ik hem de zitkamer binnen zag komen.

Hij is gewoon een klant, zei ik tegen mezelf toen hij naar me glimlachte. Hij is je vergeten.

'Wil je met me meekomen?' vroeg hij.

Ik stond op, maar keek hem niet aan.

'Ik moet je eigenlijk vertellen hoe ik heet,' zei de man toen we de kamer binnenliepen.

'Als jij dat graag wilt,' zei ik en ik begon me uit te kleden.

'Ik heet Murat. En jij?'

'Oxana.'

'Niet Marilyn?'

'Nee.'

Hij begon zich uit te kleden. 'Ik ben een tijdje weg geweest.'

'O ja?'

'Naar de trouwerij van mijn broer. In Turkije. Daarom ben ik je niet komen opzoeken.'

'O.'

'Een tijdje terug ben ik hier geweest, maar toen was je er niet.'

'Nee. Zullen we beginnen?'

Ik wilde niet dat ik iets voelde, ik moest mijn gevoelens in een hoekje stoppen, ze opsluiten en ze voor altijd vergeten.

We hadden seks. Het was vlug, koel, net zoals bij alle anderen. Maar toen Murat opstond, keek hij me met een zachte blik aan. 'Wil je een keertje met me naar een restaurant?' vroeg hij.

Ik keek hem aan. Waarom deed hij dit? Nou, ik zou niet weer zo stom zijn. 'Nee.'

'Waarom niet?'

'Omdat je een klant bent.' Ik draaide me om, liep de kamer uit en ging weer in de woonkamer zitten lezen. Ik keek niet op toen Murat wegging, ik wilde niet dat hij mijn hart in mijn ogen zou kunnen zien.

Later liep ik naar de keuken en schonk mezelf een glas wodka in. Ik voelde me verward en vreemd. De alcohol zou mijn gevoelens verdoven totdat ik mezelf weer onder controle had. Maar ik dronk het ene glas na het andere, tot ik moedig en gek was. Ik pakte mijn telefoon en toetste zijn nummer in.

'Met Oxana. Ik wil je zien,' zei ik toen hij opnam.

Ik wilde hem alleen maar gebruiken en dan weggaan. Nu ik wodka had gedronken, kon ik doen wat ik wilde.

'Oké.'

Murat zei waar hij woonde en ik nam een taxi naar een benzinestation vlak bij zijn appartement. Toen belde ik hem weer en vroeg of hij me op wilde halen. Terwijl ik op hem stond te wachten, voelde ik mijn jas op mijn blote huid. Ik droeg alleen mijn ondergoed en kousen. Ik wilde dat hij me net zoals de eerste keer zou aanraken, dat hij me weer het gevoel zou geven dat ik echt iemand was en me alles zou laten vergeten.

Toen hij me kwam halen, keek ik hem strak aan. Ik wist dat hij me zou genezen, ook al was dat maar voor korte tijd. Hij nam me mee naar zijn flat en daar bedreven we de liefde net zoals de eerste keer: met een sensualiteit die ik nooit had gekend, alleen maar bij hem. Alleen hij kon mijn huid – die zo lang dood was geweest – tot leven wekken en laten genieten van de aanraking van een man. Eindelijk begreep ik hoe seks kón zijn. Ik had het altijd beschouwd als iets wat ik moest ondergaan, als iets wat vrouwen moeten verdragen en wat mannen namen. Ik had nooit gedacht dat ik ervan zou kunnen genieten.

'Je bent prachtig,' zei Murat later tegen me toen we in bed lagen. 'Ik wil weer met je afspreken.'

'Natuurlijk,' zei ik. Op dat moment had ik het gevoel alsof ik een begraven schat had ontdekt. 'Ik wil jou ook weer zien.'

Tegen de ochtend vertrok ik en inmiddels was mijn stemming omgeslagen. Nu was ik depressief. De woeste moed die de alcohol me had gegeven, was verdwenen. Ik vervloekte mezelf. Ik was zwak geweest. Waarom was ik hiernaartoe gegaan? Hoe had ik zo stom kunnen zijn om mijn hart ook maar een heel klein stukje open te stellen bij de gedachte dat een man ooit echt van me zou kunnen houden? Deze man zou me pijn gaan doen, net als alle anderen hadden gedaan.

Toen Lara me de sauna weer binnen zag komen, vroeg ze glimlachend: 'En? Hoe was het?'

Ik zei schouderophalend: 'Gaat wel.'

'En, ga je nog een keer naar hem toe?'

Mijn depressiviteit maakte plaats voor de oude woede die weer opborrelde van onder de oppervlakte, klaar om op elk moment naar buiten te spuiten. Er was niet echt iets veranderd. 'Nee. Hij is net als alle anderen. Dat weet ik zeker.'

Ik wilde niet aan Murat denken, maar dat deed ik toch. Ik bleef maar denken aan zijn stem die me het gevoel gaf dat alle woede in me was verdwenen en aan zijn aanraking die zo zacht was dat ik wilde huilen. Om de een of andere reden voelde ik dat ik hem kon vertrouwen. Misschien zag hij iets anders in me. Misschien was ik niet zo waardeloos als ik dacht.

'Trap er niet in,' zeiden de andere meisjes. 'Hij is gewoon een klant en je zou wel stom zijn om jezelf gratis weg te geven.'

Maar iets in me was weer tot leven gewekt. Vroeger had het me moeite gekost om mijn angst en schaamte onder controle te houden, maar het was me wel gelukt. Nu begreep ik dat je hart nog sterker is als het om liefde en tederheid gaat en dat ik geen enkele invloed had op mijn gevoelens.

Misschien is dit wel je kans op geluk, fluisterde een stemmetje in me. Misschien kan Murat je wel helpen om te beslissen wat je moet doen om weer bij je kinderen terug te komen.

Ik leefde nog steeds in de duisternis, maar als ik van hem droomde, bevond ik me op een verlicht plekje. Ik was dan wel aan Ardy ontsnapt – ik begon eindelijk te geloven dat Naz gelijk had gehad en dat hij me niet achterna zou komen – maar ik voelde me nog altijd eenzaam en onzeker. Ik had altijd gedacht dat ik weer bij mijn kinderen kon zijn zodra ik aan Ardy was ontsnapt. Als ik vrij was, zou ik kunnen doen wat ik wilde. Maar ik was nog altijd net zo ver bij Sasha, Pasha en Luda vandaan als altijd. Nu realiseerde ik me dat ik nog steeds klem zat: ik had geen geld, geen papieren en behalve Lara geen vrienden. Zelfs als ik al thuis kon komen zonder geld en zonder paspoort, dan was ik nog doodsbang als ik dacht aan de dingen die me daar te wachten stonden. Ik was ervan overtuigd dat Sergey me zou opzoeken en bovendien liep ik de kans dat een van de mensen wier pad ik had gekruist me zou opsporen: Sveta, Serdar of Ardy. Maar het ergste was nog dat de mensen zouden vermoeden wat er was gebeurd en wat ik had moeten doen. Dat soort vrouwen werd gehaat en ik zou mijn kinderen te schande maken. Ik zou nooit een baan kunnen krijgen of genoeg geld voor mijn gezin kunnen verdienen. Nee, nu zou ik nooit meer naar huis kunnen gaan. In Oekraïne was geen toekomst meer voor mij.

Misschien kon ik me wel altijd in Engeland blijven verschuilen en de kinderen hiernaartoe halen. Ik zou een vals paspoort kunnen kopen, net als Ardy had gedaan, een nieuwe naam aannemen en dan verdwijnen. Ik had verhalen gehoord van mensen die hun kinderen illegaal naar Engeland hadden gehaald en als ik genoeg geld had verdiend, zou ik uitzoeken hoe dat moest.

Gelukkig kon ik nu met mijn kinderen praten. Ik belde ze één keer per week op en kletste dan met Sasha en Luda over waar ze mee bezig waren en wat er op school gebeurde. Nu we regelmatig telefonisch contact hadden, voelde ik dat onze relatie weer opbloeide. Ze wisten dat ik hun mama was en dat ik van hen hield. Elke keer dat we elkaar spraken, vertelde ik hun hoeveel ik van hen hield en dat ik hen heel erg miste en dat we zo snel mogelijk weer bij elkaar zouden zijn. De kusjes die ze me over de telefoon gaven, waren het fijnste van alles.

'Hallo, Oxana.'
Ik keek op. Het was Murat. Hij keek me met een zachte, vriendelijke blik aan.
'Hallo,' zei ik en ik probeerde mijn stem koel te laten klinken. Hou afstand, zei ik tegen mezelf. 'Ben je hier voor het gewone recept?'
'Nee, ik ben hier om je te vragen of je met me uit wilt.'
Ik sloeg mijn ogen neer en keek naar de vloerbedekking. Ik herinnerde mezelf eraan dat ik me niet moest laten kwetsen en mompelde: 'Ik weet niet...'
'Luister, wanneer ben je vrij? Morgen?'
'Ja, misschien wel,' zei ik langzaam. Ik voelde mijn vastbeslotenheid wegebben.
'Goed. Dan gaan jij en ik samen uit eten. Ik bel je morgen over waar we afspreken, oké?' Hij glimlachte naar me. Ik kon met geen mogelijkheid weigeren. Dus knikte ik.
Ik was zo opgewonden voor ons afspraakje dat ik nergens anders aan kon denken. Murat nam me mee naar een restaurant dat hij kende. Daar dineerden we samen en vertelden elkaar iets over onszelf, eerst verlegen maar daarna met iets meer zelfvertrouwen. Ik kon het bijna niet geloven: daar zat ik dan, te praten en te lachen met een man die me niet wilde misbruiken en me geen pijn wilde doen, tenminste, niet voor zover ik wist. Later gingen we weer naar Murats flat en bedreven we opnieuw de liefde met elkaar.
'Je laat me toch niet weer in de kou staan, hè?' vroeg Murat.
Ik schudde mijn hoofd. Het had geen zin, ik zat er al te diep in.
Al gauw spraken we regelmatig met elkaar af. Hij werd mijn toevluchtsoord uit mijn verdriet om mijn kinderen en de schaamte voor het werk dat ik nog altijd deed. Hij werkte in de vroege ochtenduren, net als ik, maar dan in een kebabshop. We troffen elkaar altijd als de zon bijna opkwam. Ik genoot van onze tijd samen. Hij kookte voor me, maakte een bad voor me klaar of schonk een glas wijn voor me in. Dan zaten we in bed naar de lichtjes van de stad te kijken tot de zon opkwam. De tijd die ik met hem doorbracht, was heerlijk, totdat ik terug moest naar de sauna en terug naar alles wat ik haatte.

'Hoe lang blijf je dit werk nog doen?' vroeg Murat wel eens. Hij wist dat ik er een hekel aan had.

'Ik blijf dit doen tot ik genoeg geld heb voor mijn kinderen,' zei ik. Ik had hem verteld hoe ik hier was terechtgekomen en de pijn die ik voelde doordat ik niet bij hen was.

Murat vroeg fronsend: 'Kun je geen ander werk vinden?'

'Dat denk ik niet. Ik heb geen papieren. Ik vraag me dat ook vaak af, maar ik ben bang dat de politie me dan te pakken krijgt. Kan ik jou niet helpen kebabs maken?'

Murat schoot in de lach en zei: 'Nee, dat is geen werk voor een vrouw. Ik kan je niet aan werk helpen, maar je zou iets anders moeten zoeken. Het werk dat je nu doet is waardeloos.'

34

Het was kerstavond. Ik had een vrije dag en ging naar de supermarkt om wodka en vruchtensap te kopen. Ik wilde dronken worden. Ik vond dit altijd de moeilijkste tijd van het jaar, omdat om me heen allemaal gezinnen met kinderen samen feest vierden. Ik moest steeds aan thuis denken en hoe opgewonden mijn kinderen zouden zijn bij de gedachte aan oud en nieuw. Alweer was ik niet bij hen en ik wilde niet alleen zijn. Ik wilde drinken, dansen en vergeten.

Murat was aan het werk en dus besloot ik naar de sauna te gaan om te kijken wie er allemaal waren.

'Hé, het is kerst! Wie wil er wat drinken?' vroeg ik toen ik de zitkamer binnenkwam waar we altijd zaten als we geen klanten hadden.

Ik had inmiddels de gewoonte aangenomen om de pijn in mijn leven te verdoven met grote hoeveelheden wodka. Zelfs nu, nu ik niet meer Ardy's slavin was, had ik er behoefte aan om de realiteit van mijn leven en de grote afstand tussen mij en de mensen van wie ik het meest hield te verdrijven. Ik wist dat het niet goed voor me was, maar het kon me gewoon niets schelen. Zonder wodka zou ik gek worden! Ik wist zeker dat ik de wodka zou kunnen laten staan zodra mijn leven beter werd. Tot die tijd was hij mijn trooster en mijn vriend.

Lara en vijf van de vaste meisjes zaten er en waren blij me te zien.

'Ja! Waarom niet? Het is kerst,' zei Lara en dus schonk ik wodka voor hen in. Snel dronk ik zelf wat, terwijl we elkaar een fijne kerst wensten. Al snel werd ik licht in mijn hoofd en ontspande me. Nu kon ik mijn verdriet vergeten.

Er kwam een nieuw meisje binnen. Ik kende haar niet, maar ik zag dat ze Engelse was. Zonder iets te zeggen, schonk ze zichzelf een borrel in. Ik voelde dat ik boos werd.

'Is die fles van jou?' vroeg ik.

'Nee.' Ze keek me brutaal aan en nam een slok van mijn wodka.

Ik schonk haar een kille glimlach. 'Nou, dan moet je mij vragen of je wat mag. Die wodka is van mij. Dat hoor je niet zonder te vragen op te drinken.'

De vrouw zei niets en ik kletste verder met de andere meisjes. Even later schonk ze zich een tweede glas in.

'Luister,' zei ik boos. 'Ik weet niet wie je bent en jij kent mij niet, dus blijf van mijn spullen af. Misschien heb je geen enkel respect voor de andere mensen hier, maar ik vraag je om mij te respecteren.'

'Ach, sodemieter toch op,' zei ze en keek me met een kille blik aan.

Ik keek terug en werd woedend.

'Oxana,' siste Lara. 'Rustig aan.'

Ze wist hoe ik werd als ik veel te veel drank ophad: dan werd ik agressief en zocht ruzie. Ik haalde diep adem en liep de kamer uit. Die meid kon de pot op. Ik had honger. Ik wilde iets eten.

Alles om me heen was wazig toen ik de trap op liep naar de keuken boven. Ik sneed wat stukjes salami en kaas af, en legde ze op een bord zodat iedereen wat kon nemen. We zouden er een leuke avond van maken en vergeten waar we waren. Maar ondertussen bleef ik aan dat meisje denken. Dacht ze nou heus dat ze de anderen als oud vuil kon behandelen, alleen maar omdat zij Engelse was? Het was één ding als die mannen dat deden, maar als een meisje dat deed werd het een heel ander verhaal. Toen ze de keuken binnenkwam, werd ik weer woedend.

Ik draaide me snel om zodat ik vlak voor haar stond en voelde mijn boosheid oplaaien. Ik riep: 'Als jij soms denkt dat je, omdat je Engelse bent en de wet achter je hebt, kunt doen wat je wilt omdat ik hier illegaal ben, dan kun je oprotten!'

'Rot zelf maar op!' riep het meisje.

Hoe dúrfde ze? Ik had er genoeg van om als het een of andere naamloze stuk stront te worden behandeld. Deze meid moest begrijpen dat ze hier niet mee wegkwam! Ik stapte op haar af met het broodmes nog in mijn hand en gilde: 'En zeg niet dat ik op kan rotten!'

Ze keek met grote ogen naar het mes dat ik vasthield en ik realiseerde me dat zij dacht dat ik haar ermee wilde aanvallen. Voordat ik iets kon doen, rende ze de keuken uit. Maar ze gleed uit op de kleine overloop en viel achterover van de trap.

Ik rende ernaartoe om haar te helpen, maar het was al te laat: ze viel gillend naar beneden en kwam met een klap op de grond terecht.

Ik had amper genoeg tijd om me te realiseren wat er was gebeurd voordat de andere meisjes de woonkamer uit kwamen rennen om haar te helpen. Ik zag dat ze het meisje hielpen opstaan en dat ze begon te huilen. Lara controleerde eerst of ze in orde was en kwam toen de trap op.

'Wat heb je gedaan?' riep ze. Ze was woedend. 'Je hebt geprobeerd haar te vermoorden!'

Dat was zo belachelijk dat ik in de lach schoot. 'Waar heb je het over? Ik stond sandwiches klaar te maken, ik wilde niemand vermoorden. Het was een ongeluk.'

'Doe maar niet zo onschuldig, Oxana. We hoorden jullie tegen elkaar schreeuwen en daarna de klap toen ze onder aan de trap op de grond viel. Vertel op! Wat heb je gedaan?'

'Niets! Ik stond kaas en salami te snijden, zij kwam binnen, we scholden elkaar uit en toen struikelde ze en viel. Ik heb haar niet eens aangeraakt.'

Ik liep terug naar de keuken en probeerde tot rust te komen. Het was een belachelijk ongeluk, dat wist ik. Waarom dacht Lara dat het anders was gegaan? Ik was wel eens agressief en luidruchtig, maar ik zou nooit iemand pijn doen. Even later kwam Lara het keukentje binnen.

'Is ze in orde?' vroeg ik.

'Ja, het komt wel goed met haar. Maar ze heeft de politie gebeld. Die komen er zo aan. Ze zegt dat je hebt geprobeerd haar te vermoorden.'

Ik nam een slok wodka. Mijn borst brandde toen ik hem doorslikte. 'Ze mogen heus wel komen, hoor, ik heb niets gedaan.'

Dankzij de drank was ik moedig geworden. Toen er twee agenten kwamen om me te arresteren, deed ik alsof mijn neus bloedde, ik gedroeg me brutaal en helemaal niet bang, lachte zelfs maar wat. Maar tegen de tijd dat ik al een uur op het politiebureau zat en de invloed van de drank begon af te nemen, voelde ik me heel anders.

Ik zat in de problemen. Ze zouden me naar mijn papieren vragen en die had ik niet. Waarom was ik ook zo stom geweest? Ze zouden ontdekken dat ik illegaal in het land was en me in de gevangenis stoppen. Ik werd bang.

Ik werd naar een kamertje gebracht waar twee agenten zaten. De ene had een pen in zijn hand en de andere stelde me vragen.

'Waarom hebt u deze vrouw aangevallen?' vroeg hij.

'Dat heb ik niet gedaan.'

'U had een mes.'

'Ik was sandwiches aan het maken. We maakten ruzie en toen viel ze. Ik heb haar niet aangeraakt.'

De man keek me ongelovig aan. 'Hoe heet u?' vroeg hij.

'Alexandra Kolesnikova,' loog ik.

'Geboortedatum?'

Ik verzon een datum: '26 april 1971.'

'Wat doet u in Groot-Brittannië? Hebt u toestemming om hier te zijn?'

'Nee.'

'En waar is uw paspoort?'

Ik sloeg mijn handen voor mijn gezicht en begon te huilen. Nu was ik bang.

'Hebt u een identiteitsbewijs?'

Ik zei niets. Heel lang bleef het stil. Ik probeerde op te houden met huilen en keek de beide mannen aan.

'Goed. Vanaf nu is dit een zaak voor de immigratiedienst,' zei een van hen langzaam. 'Er moet maar even iemand anders met u praten.'

Ze verlieten het vertrek en pas drie uur later kwamen er andere mensen binnen, een jonge vrouw en een man. Ze vertelden dat ze van de immigratiedienst waren. Er was ook een vrouwelijke tolk bij die hun vragen vertaalde. Wie was ik? Wanneer was ik in Engeland gearriveerd? Waarom was ik hier? Ik wist niet wat ik moest doen. Hun mijn verhaal vertellen en maar hopen dat ze medelijden met me zouden hebben? Of liegen en hopen dat ze me zouden geloven?

Ik had geen keus. Ik moest hun de waarheid vertellen en erop vertrouwen dat ze me zouden laten gaan. Ik begon weer te huilen, mijn hoofd deed pijn en mijn mond voelde droog aan. 'Ik ben naar dit land gebracht door een man die me heeft gedwongen als prostituee te gaan werken,' fluisterde ik. 'Bijna twee jaar geleden ben ik door een stel gangsters gekidnapt en verkocht. De man die me kocht heeft geregeld dat we hiernaartoe werden gebracht. Eerst moest ik in Birmingham werken, maar na een paar maanden nam hij me mee naar Londen omdat er hier meer geld te verdienen zou zijn. Hij dwong me mezelf te prostitueren en het geld dat ik daarmee verdiende aan hem te geven. Ik mocht nooit alleen zijn. Ik ben erin geslaagd aan hem te ontsnappen, maar sinds die tijd heb ik in seksclubs en sauna's moeten werken om aan de kost te komen.'

Ze luisterden zwijgend naar mijn verhaal en namen alles op met een bandrecorder.

'Laat me alstublieft gaan,' smeekte ik.

Ze gaven geen antwoord, maar namen mijn vingerafdrukken en verlieten het vertrek. Toen zat ik daar in mijn eentje, doodsbang, zeker een kwartier. Had ik er wel goed aan gedaan hun de waarheid te vertellen? Zou ik naar de gevangenis worden gebracht?

Een tijd later kwam de vrouw terug met een brief met daarop de woorden *ministerie van Binnenlandse Zaken* en een telefoonnummer.

'We zullen u niet vasthouden,' zei ze. 'Maar u bent illegaal in dit land en u moet bij het ministerie een verblijfsvergunning aanvragen. Als u deze brief meeneemt en vertelt wat u is overkomen, dan kunnen zij u verder helpen.'

Ik begreep het niet. Liet ze me gaan? Waarom zou ze dat doen? Ik had immers de wet overtreden?

'Word ik teruggestuurd naar mijn eigen land?' vroeg ik.

'Dat weet ik niet,' zei de vrouw. 'Misschien.'

Toen wist ik dat ik nooit naar het ministerie van Binnenlandse Zaken zou gaan. Ik kon het risico niet lopen dat ik in Oekraïne een vreselijk leven moest gaan leiden. Deze mensen hadden er geen idee van wie ik was of waar ik vandaan kwam. Ik zou verdwijnen.

De meisjes waren verbijsterd toen ik weer in de sauna verscheen.

'Hoe heb je dat voor elkaar gekregen?' vroegen ze ongelovig.

'Ik heb geen idee,' antwoordde ik. 'Ik heb echt geen idee.'

Ik wist dat ik mazzel had gehad, maar dat gaf me niet echt een goed gevoel. De woede die al maanden in me borrelde, leek zo groot te zijn geworden dat hij bijna bezit van me nam. Hij leefde als een duivel in mijn binnenste en werd zo krachtig dat ik dit gevoel bijna niet meer kon beheersen. Ik haatte wat ik moest doen, maar zag geen uitweg. Ik moest geld naar huis sturen voor mijn kinderen en ondertussen een manier vinden om een ander leven te gaan leiden en mijn kinderen terug te krijgen.

De enige momenten waarop ik tevreden was en mijn verdriet kon vergeten, waren als ik bij Murat was, maar ik wist dat hij net zo'n hekel had aan mijn werk als ik.

Begin januari meldde ik me een keer af op mijn werk, omdat ik ongesteld was geworden.

'Blijf je even aan de lijn?' vroeg de receptioniste. Lara werkte niet die dag en dit meisje kende ik niet goed. Even later was ze weer aan de telefoon. 'Ik heb met de baas gesproken en hij wil dat je langskomt en het hem laat zien.'

'Waarom?'

'Hij wil zeker weten dat je niet liegt.'

Ik werd woedend. Het was net alsof ik weer voor Ardy werkte. Waarom moest ik zo vernederd worden? 'Zeg maar dat hij de pot op kan!' schreeuwde ik. 'Ik doe dit niet langer!'

Ik voelde me bevrijd toen ik de telefoon van me af gooide, maar niet lang. Hoe moest ik nu aan geld komen voor mijn eten en de huur? Hoe kon ik geld naar huis sturen? Ik belde de sauna weer en legde uit dat ik wel een beetje grof was geweest, maar weer was gekalmeerd. Mocht ik over een paar dagen terugkomen, als ik niet meer ongesteld was?

'Dan had je maar na moeten denken voordat je zei dat ik de pot wel op kon,' zei mijn baas op kille toon. 'Je hoeft hier niet meer terug te komen.'

Weer kwam Lara me te hulp. Deze keer stelde ze me voor aan een Turkse vrouw, Gul, die een bordeel runde in een appartement en die een receptioniste nodig had. Ik ging ernaartoe om kennis te maken en Gul en ik konden het meteen goed met elkaar vinden. Het was er schoon en goed georganiseerd.

'Wil je misschien in de slaapkamers werken?' vroeg ze opgewekt toen ze me het huis liet zien. 'Dan verdien je veel meer.'

Ik dacht hier even over na. Natuurlijk had ik geld nodig, maar hier kon ik tenminste een andere weg inslaan. Het was de hoogste tijd dat ik eens ophield met mezelf te verkopen. Als ik dat niet zou doen, zou die verschrikkelijke woede in me mij uiteindelijk vernietigen, dat wist ik zeker. Ik kon het niet langer. Dit was mijn kans om, eindelijk, op te houden met waar ik al zo lang geleden toe was gedwongen.

'Nee,' zei ik.

'Weet je het zeker?'

Ik keek haar aan en zei vastbesloten: 'Ik weet het zeker.'

Eindelijk zou ik weer in de spiegel kunnen kijken.

Twee weken later belde Gul me op om te vertellen dat de flat was gesloten. Er was een moord gepleegd in de buurt en overal was politie. Ik voelde me ellendig, want over twee dagen moest ik de huur van tweehonderd pond betalen en ik had maar dertig pond.

'Wat moet ik doen?' vroeg ik huilend aan Murat. 'Nu moet ik wel terug naar de sauna! Ik heb geen andere keus. Ik kan immers niets anders. Ik kan niet naar een legaal baantje solliciteren en ik moet me wel blijven verstoppen, want anders vindt de politie me.'

Hij zweeg even en zei toen: 'Je kunt bij mij komen wonen.'

Ik kon bijna niet geloven wat hij had gezegd. Wilde hij echt dat ik bij hem introk?

'Ik heb een kamer over en jij zit in de problemen,' zei hij.

Even kon ik niets zeggen. Murat bood aan me te helpen. Misschien was dit een tweede kans in mijn leven, misschien dat na al deze jaren van dromen eindelijk mijn happy end was gekomen.

'Dank je wel,' zei ik en ik omhelsde hem.

35

Ik hield bijna te veel van Murat. Het leek wel alsof God me een engel had gestuurd om me te helpen. Ik hield ontzettend veel van hem en dat was bijzonder, omdat ik al zo lang een muur om me heen had opgetrokken. Murat beschermde me, wist heel veel van dit land en legde me van alles uit. Hij las ook heel veel religieuze boeken, zoals de Koran, en praatte met mij over zaken waar ik daarvoor nog nooit van had gehoord. Ik vertelde hem een keer dat ik vaak tot God had gebeden om vergiffenis voor alle verkeerde dingen die ik had gedaan.

'Volgens mij is dit mijn straf geweest. Misschien was ik geen goede moeder. Misschien heb ik Pasha tekortgedaan. Ik moet wel een slechte moeder zijn, want ik weet immers niet eens waar hij is.'

'Maar je hebt gedaan wat je dacht dat goed was,' zei Murat. 'God heeft je getest en je hebt laten zien dat je sterk bent. Hij zal altijd bij je zijn en dat mag je nooit vergeten. Denk maar eens aan alle mensen op de wereld die geen eten of drinken hebben. Zij leven hun leven en jij moet dat ook proberen.'

Ik had nog nooit iemand zoals Murat gekend en hij hielp me om anders tegen de wereld aan te kijken. Iedereen had me altijd overal de schuld van gegeven, maar hij niet. Hij zorgde voor me en, ook al was hij geen miljonair, toch betaalde hij alle rekeningen. Ik deed zoveel voor hem als ik kon, zoals koken, wassen en strijken. Voor mij was het als het huwelijk dat ik nooit had meegemaakt. Murat sloeg me nooit. Hij was lief voor me en omhelsde me soms als we op de bank lagen of zei dat hij het leuk vond als ik een bepaald kledingstuk droeg. Daaraan kon ik zien dat hij om me gaf. Hij was een goede en tedere minnaar, maar vond het moeilijk om zijn genegenheid te tonen. Ik begon dit te begrijpen toen we een keer in een café zaten en er vrienden van hem binnenkwamen. Murats gezichtsuitdrukking veranderde op slag.

'Wil je even ergens anders gaan zitten?' vroeg hij snel. Ik begreep hem en liep vlug weg. Ik wachtte tot zijn vrienden waren vertrokken en daarna wandelden we samen naar huis.

'Waarom wilde je niet dat ze ons samen zagen?' vroeg ik.

'Je hoeft je nergens zorgen over te maken, hoor,' zei hij nonchalant. 'We waren gewoon even mannen onder elkaar. Je hoeft dat allemaal niet aan te horen. We kletsten over werk, baantjes en zo, saaie onderwerpen.'

'Maar schaam je je voor mij?'

'Nee, natuurlijk niet. Maar in mijn cultuur worden vrouwen er niet bij betrokken als mannen met elkaar praten, dat is alles.'

Ik wist dat hij loog, maar ik ging er niet op in. Daarna heeft hij me nooit weer hoeven vragen om ergens anders te gaan zitten, want ik zorgde er altijd voor dat zijn vrienden ons niet samen zagen. Zij zouden immers niet gewoon een vrouw zien, maar een hoer.

Heel diep vanbinnen, ondanks dat Murat me heel gelukkig maakte, was ik verdrietig omdat Murat niet net zoveel van mij hield als ik van hem. Maar ik begreep het wel. Ik schaamde me ook voor mezelf, dus hoe kon ik van hem verwachten dat hij zich niet voor mij schaamde? Ik zei tegen mezelf dat hij zou leren me te vertrouwen. Ik verkocht mijn lichaam niet langer; ik begon mezelf weer te respecteren en dat zou Murat binnenkort ook doen. In mijn land zeggen ze dat de tijd alle wonden heelt. Ik moest dus gewoon geduldig wachten op de dag waarop hij me zou vertellen dat hij van me hield en me ten huwelijk zou vragen.

Het was een geweldige opluchting dat ik mezelf niet langer hoefde te verkopen. Daardoor begon de woede die ik al zo lang voelde een beetje weg te zakken. Maar toen gebeurde waar ik de hele tijd bang voor was.

Vanaf het moment dat ik bij Ardy weg was gelopen, had ik elke paar weken geld naar huis gestuurd. Het betekende heel veel voor me dat ik de kinderen kon onderhouden en ik had mezelf gezworen dat ik hen nooit weer in de kou zou laten staan. Maar nu ik niet langer bij de sauna werkte, had ik geen inkomen en het bleek onmogelijk een andere baan te vinden. Ik vond het te eng om Engelse mensen om werk te vragen omdat ik geen papieren had en ze me bij de politie konden aangeven. In plaats daarvan zocht ik werk binnen de Turkse gemeenschap. Maar elke keer dat ik opbelde naar aanleiding van een advertentie waarin schoonmakers werden gevraagd, kreeg ik een man aan de telefoon die vroeg hoe ik eruitzag en of ik een vriendje had. Dan wist ik waar hij echt naar op zoek was. Andere mensen vroegen om referenties en die kon ik hun natuurlijk niet geven.

Een paar weken later kreeg ik een baantje in een café, maar werd na drie dagen alweer ontslagen omdat een paar klanten me herkenden. Ik was dus heel blij toen Gul me belde met de vraag of ik weer bij haar wilde werken. Haar flat was weer geopend. Ik wilde eigenlijk niet terug naar dat wereldje, maar ik had geld nodig en dus nam ik de baan aan.

Kort nadat ik daar weer was gaan werken, nam Gul een nieuw meisje mee. Ze had geen Engelse meisjes die voor haar werkten, omdat ze de helft van hun verdiensten eiste. Dit meisje was heel jong en heel bang, en duidelijk afkomstig uit het buitenland. Ik begreep meteen dat ze net zo was als ik vroeger.

'Ze blijft hier slapen, zodat je een oogje op haar kunt houden,' zei Gul. Ik bleef ook altijd in de flat als ik 's nachts moest werken. 'Ze heeft een schuld bij een vriend van me en ze moet dat snel afbetalen. Geef haar dus maar zo veel mogelijk klanten.'

Ik deed heel vriendelijk tegen het meisje en langzaam maar zeker vertelde ze me haar verhaal. Ze had gedacht dat ze legaal vanuit Rusland naar Engeland zou gaan, met de juiste documenten en met een arbeidscontract. Maar toen de mannen die haar reis hadden geregeld haar op het vliegveld ontmoetten, hadden ze haar opgesloten, haar verkracht en haar verteld dat ze hun twaalfduizend pond schuldig was voor het werk dat ze hadden moeten doen om haar het land binnen te krijgen.

'Ik moet dit zes maanden doen en dan laten ze me gaan,' zei ze in tranen. Maar ik wist natuurlijk dat dit niet zo was.

'Je moet weglopen,' zei ik. 'Zoveel geld zul je hier nooit verdienen. Ze laten je nooit gaan.'

Net zoals Naz mij had geholpen, sprak ik dat meisje moed in. Ik was net zo geweest als zij – verlamd van angst – en ik had maar één iemand nodig gehad die me een uitweg bood. Het kostte me ongeveer een week om haar ervan te overtuigen dat ze moest ontsnappen en in die week spaarde ik stiekem ongeveer honderd pond voor haar op, tot ze klaar was om weg te lopen.

'Ik zal de voordeur van het slot laten als we naar bed gaan. Dan kun je morgenochtend als ik nog lig te slapen op tijd weggaan,' zei ik.

'Maar wil je dan niet weten waar ik naartoe ga?' vroeg ze.

'Nee,' zei ik. 'Als ik dat weet, dan zal iemand proberen me zover te krijgen dat ik het vertel.'

De volgende dag vertelde Gul me dat het meisje was verdwenen. Ik deed net alsof ik heel verbaasd was, en woedend.

'Vuile trut,' zei ik. 'Ze wilde een zeepspons kopen en daarom liet ik haar even naar buiten.'

'Hoe kon je zo stom zijn?' schreeuwde Gul.

'Nou, ze was toch al eerder naar buiten geweest en elke keer kwam ze terug. Ik heb er niet bij stilgestaan. Het spijt me.'

Gul was zo boos, dat ze me meenam naar een pub waar de pooiers van het meisje zaten. 'Leg het zelf maar aan hen uit,' siste ze.

Het waren echte gangsters en toen ik hen zag, werd ik bang. Urenlang stelden ze me allerlei vragen, wat het meisje had gezegd en waar ik dacht dat ze naartoe was gegaan en waar we samen over hadden gepraat, maar ik was heel flink en vertelde hun niets. In al die jaren waarin ik als prostituee had gewerkt, had ik tenminste geleerd hoe ik mijn gevoelens moest verbergen en hoe ik moest doen alsof ik geen emoties had.

'Luister, ik ben net zo verbaasd als jullie en ik ben woedend op die stomme koe,' zei ik. 'Ik zit er heus niet op te wachten om mijn baantje kwijt te raken en problemen met jullie te krijgen. Ik wil gewoon rust, begrijp je? Ik heb geen idee waar die trut naartoe is, ze interesseert me geen steek. Ze was gewoon een groentje en wist niets te vertellen. Ze heeft nooit iets tegen me gezegd over waar ze vandaan kwam of waar ze naartoe wilde. Het verbaast me eerlijk gezegd dat ze hier het lef voor had!' Ik zat ontspannen te roken en deed alsof ik helemaal niet zenuwachtig werd toen die mannen me wantrouwig aankeken. Tot mijn grote opluchting geloofden ze me. Vervolgens moest ik nog een paar uur bij hen en Gul blijven zitten, lachen, roken en drinken.

Met een triomfantelijk gevoel liep ik daarna naar huis, omdat ik die walgelijke kerels het geld door de neus had kunnen boren dat ze voor dat arme kind hadden gedacht te krijgen. Maar ik wist ook dat ik geluk had gehad. Ik moest uit dit wereldje stappen. Ik haatte het te erg om het hier te redden.

Bovendien had ik nu een ander leven, samen met Murat.

Ik was er helemaal klaar voor om die smerige seksindustrie de rug toe te keren, maar ik had nog steeds geen ander werk gevonden. Toen de zomer overging in de herfst, begon ik me steeds meer zorgen te maken. Murat had me tweehonderd pond gegeven om naar huis te sturen, maar ik kon hem niet om geld blijven vragen. Wat zouden Sasha en Luda denken als hun moeder haar belofte alweer niet hield en niet voor hen zorgde? Ik wist niet meer wat ik moest doen.

Omdat ik geen geld had en geen baan, bracht ik uren in mijn eentje in de flat door. Die tijd alleen deed iets vreemds met me. Alle gevoelens die ik in de tijd dat ik gevangenzat had bevroren, zelfs nog nadat ik bij Ardy was weggelopen, dreven naar de oppervlakte en kwamen naar buiten. Toen dat proces eenmaal in gang was gezet, kon ik het niet meer stoppen. Ik bleef maar denken aan alle verschrikkelijke dingen die me waren overkomen en aan alle slechte dingen die ik had gedaan. Mijn leven was een puinhoop, realiseerde ik me. Voor het eerst werd ik bang bij het idee dat ik mijn kinderen weer zou zien. Zouden ze me haten om wat ik had gedaan? Hoe moest ik Pasha ooit terugvinden? Hoe moest ik hem recht in de ogen kijken zodra ik hem had gevonden? De gedachte aan hen alle drie had me al die tijd op de been gehouden, maar nu twijfelde ik eraan of ik hen wel wilde zien. Ik was smerig, beschaamd, voor altijd getekend. En hoe vaak ik God ook vroeg om me duidelijk te maken wat ik moest doen, ik had er geen idee van.

Ik werd depressief. Murat probeerde me te steunen en me te helpen, maar ten slotte verloor hij zijn geduld.

'Ga toch naar huis als je zo verdrietig bent,' zei hij. 'Ga maar naar je kinderen.'

'Maar dat kan ik niet. Ik heb daar niets. We zouden weer verhongeren en daar zijn mensen die me kwaad willen doen.'

'Dan moet je ophouden met huilen.'

'Maar wat moet ik dan beginnen?'

'Luister, we vinden wel een oplossing. Waarom zoeken we geen advocaat die ons kan vertellen hoe je hier legaal kunt zijn en hier kunt blijven wonen?'

Die suggestie gaf me een doel in mijn leven. Ik wist dat ik iets moest doen. Ik kon niet altijd in de schaduw blijven leven en bovendien, hoe moest ik mijn kinderen te eten geven als ik niet werkte? Murat en ik vonden een advocaat via een Turkse krant en ik maakte een afspraak met haar.

Het gesprek was geen succes. Ze leek niet te begrijpen wat mij was overkomen en ze bestookte me met talloze scherpe vragen. Als ik niet meteen het goede antwoord wist of me niet meteen kon herinneren wat ze wilde weten, werd ze boos. Uiteindelijk loog ik tegen haar en zei dat ik nog maar zes maanden in Engeland was, want ik dacht dat als men wist dat het langer was, ik weggestuurd zou worden. De advocaat zei dat ze mijn zaak in gang zou zetten en dat ik maar moest afwachten.

'In dit land is het niet eenvoudig om gelegaliseerd te worden, weet u,' zei ze. 'Het zal heel lang duren en heel veel geld gaan kosten. U zult vaak bij me langs moeten komen.'

Ik raakte ontmoedigd door dit gesprek en bij het idee aan de vele gesprekken die ik met haar moest voeren en aan alle documenten die ik moest invullen. De weken verstreken zonder dat ik iets hoorde en mijn depressie veranderde in angst. Eindelijk had ik iemand in vertrouwen genomen en nu was ik ervan overtuigd dat ze me zou verraden. Ze zouden me meteen terugsturen naar waar ik begonnen was: zonder geld, zonder eten en zonder een toekomst.

Toen de tijd verstreek en ik niets hoorde over mijn status en bovendien geen werk vond, werd ik steeds depressiever. Soms keek ik door het raam van de flat naar beneden en overwoog om zelfmoord te plegen. Ik voelde me zo hopeloos. God testte me alweer, maar ik had nog steeds geen antwoorden. Ik kon geen werk vinden en niet voor mijn kinderen zorgen en elke dag was er wel iets wat me aan mijn verleden herinnerde: kousen die ik in de sauna had gedragen, een lippenstift die ik had gebruikt, kleine dingen waardoor er allerlei herinneringen naar boven kwamen.

En wat het allemaal nog erger maakte was dat Murat, zelfs nu ik niet meer werkte, mijn verleden ook niet zo gemakkelijk kon vergeten.

'Ik ben je vriendje niet,' zei hij een keer toen we zaten te praten.

'Maar we wonen samen,' zei ik, verbaasd.

'Ja, maar we hebben gewoon lol samen. Je bent gewoon een vriendin.'

'Maar vrienden gaan toch zeker niet met elkaar naar bed?'

'Je weet hoe het was voordat je hier kwam wonen, dus je hoeft niet te proberen alles te veranderen. Je moet me niet opjagen.'

Ik dacht even na en zei toen met een klein stemmetje: 'Denk je dat je ooit van me zult houden?'

'Dat weet ik niet.' Hij keek naar het plafond. 'Ik heb geen idee.'

Mijn droom van een huwelijk met hem zou nooit uitkomen, dat begreep ik nu. Murat had me gered en ik was hem heel erg dankbaar, maar diep vanbinnen voelde ik me net zo verloren als vroeger.

36

Toen ik de hal in liep, zag ik dat er twee enveloppen op de deurmat lagen. Ik bukte me om ze op te rapen en zag dat eentje uit Oekraïne kwam. Ik herkende Tamara's handschrift en maakte hem dus meteen open.

Oxana,
Dit is dringend. Stuur me zoveel geld als je kunt. Bel me zo snel mogelijk. Grote problemen.
Tamara

Ik kon haar niet bellen, want ik had geen geld. De hele dag zat ik bezorgd te wachten tot Murat van zijn werk zou komen. Hij gaf me tien pond en daarvan kocht ik de volgende ochtend een telefoonkaart voor mijn mobiele telefoon. Toen Murat naar zijn werk was gegaan, belde ik Tamara.

'Oxana, ik heb op je telefoontje zitten wachten,' zei ze gehaast toen ze mijn stem hoorde.

'Het spijt me, maar ik kreeg je brief gisteren pas.'

'Maar waarom heb je toen dan niet gebeld?'

'Ik heb geldproblemen.'

'Ja, natuurlijk!' snauwde ze. 'Ik heb al maanden geen geld gezien.'

'Wat is er gebeurd?'

'Sasha en Luda zijn weggelopen.'

'Wat?'

'Ze zijn weg. Niemand weet waar naartoe. De politie is al tien dagen naar hen op zoek.'

Ik voelde de grond onder me wegzinken. Mijn benen begonnen te trillen. 'Maar hoe kan dat?'

Hoe was het mogelijk dat Sasha en Luda weg waren? Ik had nog geen twee weken geleden met hen gepraat en alles leek toen in orde. Ik hoorde amper wat Tamara vertelde.

'Weet Ira misschien waar ze zijn?' vroeg ik. Ik was helemaal in de war. Ze kónden niet weg zijn. Ze waren nog maar elf en acht, kinderen nog. Ira had me een paar foto's gestuurd en daarop zagen ze er nog altijd uit als baby's met hun grote ogen en blonde haar.

'Nee, natuurlijk niet,' snauwde Tamara. 'Maar er is ook nog iets anders. Ze hebben vijfhonderd dollar gestolen, geld dat ik voor een vriend in bewaring had. En over een paar dagen komt hij dat geld weer ophalen. Als hij erachter komt dat zijn geld weg is, schakelt hij vast de politie is. Ik moet hem het geld dus wel teruggeven.'

Ik kon niets zeggen over verdwenen geld. Waar waren Sasha en Luda? Oekraïne was een gevaarlijk land. Tien dagen? Dat was een heel lange tijd voor een paar kinderen om in hun eentje over straat te zwerven. 'Ik begrijp het niet,' fluisterde ik.

'Het is heel eenvoudig, hoor. Wij werden wakker. Geld weg. Kinderen weg. Oxana, luister je wel? Ik moet vijfhonderd dollar hebben!'

Waarom bleef ze maar over geld zeuren? Hoe zat het met mijn kinderen? 'Ik stuur je wel geld,' zei ik zonder nadenken. 'Maar waar kunnen Sasha en Luda zijn? Heb je de politie verteld hoe ze eruitzien?'

'Ja. Die zijn naar hen op zoek.'

Ik zweeg. Ik voelde me zo ver bij hen vandaan en zo hulpeloos. Mijn kinderen waren helemaal alleen en ik kon niets doen om hen te helpen. Ik was hun moeder, ik zou hen moeten beschermen.

'Je moet me ook het geld sturen dat jij me nog schuldig bent,' vervolgde Tamara. 'Het is al meer dan twee maanden geleden dat je geld hebt gestuurd. Je moet me in totaal dus negenhonderd dollar sturen.'

'Natuurlijk doe ik dat,' zei ik. 'Ik bel je morgen weer.'

Maar ik kon niet aan geld denken toen ik de telefoon neerlegde. Had Ardy misschien gedaan waar hij altijd mee had gedreigd? Of Serdar? Of Sveta? Waar waren Sasha en Luda? Wie had hen meegenomen? Waren ze dood?

Het voelde alsof mijn lichaam zich die dag had uitgeschakeld. Ik zat urenlang gewoon maar te zitten, tot het eerst begon te schemeren en daarna helemaal donker werd. Ik vroeg me af of dit mijn straf was. Waren mijn kinderen verdwenen omdat ik vrij had willen zijn? Had iemand hen nu bij mijn afschuwelijke wereld betrokken? Zou ik ze nu voor altijd kwijt zijn? Ik had nooit weg moeten lopen. Ik had alles gewoon moeten accepteren. Ik had hun moeder moeten zijn.

'Oxana?' vroeg een stem.

Ik keek op en zag een gezicht in het donker.

'Ik heb geprobeerd je te bellen,' zei Murat.

'Dat heb ik niet gehoord.'

'Wat is er aan de hand?'

'Kinderen. Weg. Weggelopen. Negenhonderd dollar.'

Hij keek me aan. 'Waar heb je het over?'

Ik deed mijn mond open, maar kon geen woord uitbrengen. Ik staarde naar de vloer.

'Kom mee,' zei Murat en ik voelde dat hij mijn hand pakte. 'Je moet even tot rust komen.'

Hij nam me mee naar de badkamer en liet het bad vollopen. 'Trek je kleren uit en stap in bad.'

Zonder nadenken deed ik wat hij zei en kleedde me uit. Toen het warme water me omsloot, voelde ik dat mijn spieren zich ontspanden. Nu pas kon ik Murat vertellen wat er was gebeurd.

'Help me alsjeblieft,' smeekte ik hem toen ik uitverteld was. 'Als ik Tamara dat geld niet stuur, stoppen ze mijn kinderen in de gevangenis zodra ze terecht zijn. Ik weet hoe het daar is, ik weet wat daar met mijn man is gebeurd. Mijn kinderen mógen daar niet naartoe! Kun jij me dat geld niet lenen? Ik zal je elke cent terugbetalen!'

'Maar als je dat geld hebt, denk je dan dat je kinderen terug zullen komen?'

'Dat weet ik niet, maar ik mag niet het risico lopen dat ze voor diefstal worden aangeklaagd.'

Murat keek me aan. 'Maar zoveel geld heb ik niet, Oxana. Ik heb maar honderd pond op de bank en dat kan ik jou niet geven, omdat ik de huur moet betalen.'

'Kun je me dan niet een beetje geld geven? Zodat ik wat geld naar Tamara kan sturen?'

'Ik heb geen geld.'

'Alsjeblieft,' fluisterde ik.

'Het spijt me,' zei hij.

'Kun je het dan niet van iemand lenen? Van een vriend? Je baas?'

'Nee.'

Ik begon zachtjes te huilen en wendde me van hem af.

De volgende dag gaf Murat me nog eens tien pond, zodat ik Tamara weer kon opbellen.

'Ze zijn gevonden,' zei ze opgewonden. 'Vannacht. Ze waren op het vliegveld. Daar klampten ze mensen aan met de vraag of ze tickets naar Londen voor hen wilden kopen. Maar ze hadden geen geld bij zich. Mijn vriend zegt dat hij naar de politie gaat als je niet betaalt.'

'Maar hoe is het met hen?'

'Goed. Ze zijn op het politiebureau en ik ben ernaartoe geweest, maar ze willen ze niet aan me meegeven omdat ik niet hun officiële voogd ben.'

'Hoe bedoel je?' Mijn vreugde en opluchting veranderden in afschuw.

'Precies wat ik zeg, de politie wil de kinderen niet aan mij meegeven. Ze willen ze naar een weeshuis brengen. Het spijt me, maar ik kan er niets aan doen. Ik heb geen documenten om te bewijzen dat ik voor hen zorg en de politie wil ze zelfs niet met Ira meegeven, en zij is hun tante.'

Ik voelde me ellendig, duizelig. Mijn kinderen naar een weeshuis?

'Je moet me echt zo snel mogelijk dat geld terugbetalen, weet je,' hoorde ik Tamara zeggen. 'De man had dat geld nodig en dus heb ik het geleend, maar de politie zal het niet fijn vinden om dat te horen.'

Ik raakte in paniek. Ik moest aan geld zien te komen. Mijn kinderen zouden nog meer problemen krijgen als de politie erachter kwam. Als ik Tamara kon terugbetalen, zou ze misschien wel een manier vinden om te voorkomen dat ze naar een weeshuis gingen. 'Goed, ik zal ervoor zorgen. Maar het duurt wel een paar dagen. Ik bel je zo snel mogelijk weer.'

Later die avond smeekte ik Murat me te helpen. 'Ik wil alles doen, ik zal gaan werken. Ik betaal je terug. Dat beloof ik je.'

'Maar ik heb het niet.' Hij keek me verdrietig aan en toen wist ik dat hij de waarheid sprak.

Vier dagen lang huilde, dronk en schreeuwde ik, en al die tijd hoopte ik dat Murat van gedachten zou veranderen en me een beetje geld zou geven. Maar hij zei alleen maar dat hij me niet kon helpen.

Op de vijfde dag stond ik voor de spiegel en keek naar mezelf. Mijn ogen waren opgezwollen en rood, mijn huid was grijs en mijn haar piekerig. Ik raakte mijn spiegelbeeld aan. Nog maar amper een paar maanden kon ik mijn spiegelbeeld verdragen.

'Je hebt geen keus,' zei ik tegen mijn spiegelbeeld. Ik voelde me koud worden en begon te rillen. 'Je moet wel terug naar de sauna. Dat is de enige manier waarop je aan het geld kan komen om hen te redden.' De tranen sprongen me in de ogen. 'Het spijt me. Het spijt me zo.'

'Dus dát wil je gaan doen?' schreeuwde Murat toen ik het hem vertelde. 'Je gaat dus weer neuken?'

'Maar ik heb geen keus,' jammerde ik. 'Jij kunt me niet helpen en Lara heeft niet zoveel geld. Ik heb niemand anders. Mijn kinderen hebben me nodig. Ik moet dit wel doen.'

Murat keek me woedend aan. 'Als je dat doet, ben je hier niet meer welkom, dat weet je toch?' zei hij somber. 'Dan wil ik je niet meer terug.'

Ik keek hem aan en mijn hart brak, maar ik bleef sterk. 'Dat weet ik. Maar mijn kinderen komen op de eerste plaats. Het maakt niet uit hoeveel ik van je hou. Ik moet dit voor hen doen. Ze hebben me nodig.'

Uren later verliet ik zijn huis en ging weer bij Lara wonen. Ik wist wat me te doen stond.

37

Het gezicht van de man draaide voor mijn ogen. Ik kon mijn blik niet fixeren toen ik naar hem opkeek. Mijn hoofd duizelde. Ik bracht het glas naar mijn mond en nam een slok.

'Ben je vrij?' vroeg hij.

Ik was niet in die kamer. Ik was ergens ver, heel ver hiervandaan. Ik probeerde op te staan en wankelde een beetje. Ik voelde een hand op mijn arm.

'Ben je vrij?' vroeg de man weer.

'Ja,' antwoordde ik. 'Kom maar mee, lieverd. Dan gaan we wat leuks doen.'

Ik liep vanuit de woonkamer naar een massagekamer. Opeens voelde ik zuur braaksel achter in mijn keel branden. Ik slikte en deed de deur open.

Denk aan je kinderen, zei een stemmetje.

Het was mijn tweede dag in de sauna. De baas was onze ruzie van lang geleden vergeten en wilde me graag mijn baan teruggeven. Ik had me net klaargemaakt voor de avond: ik droeg een wit verpleegstersuniform, zwarte hoge hakken, een valse blonde paardenstaart en veel make-up om mijn echte gezicht te verbergen. Het was een uur of negen 's avonds en ik zat met de meisjes in de woonkamer. We waren die avond met z'n zessen.

'Het ziet ernaar uit dat we het druk krijgen,' zei iemand. We keken allemaal naar de bewakingscamera en zagen een groepje mannen voor de deur staan.

Even later deed Lara de deur open. 'Politie,' fluisterde ze.

Allemaal werden we bang. Een paar meisjes hadden net als ik geen papieren. Maar ik was niet heel erg bang; er was immers een advocaat met mijn zaak bezig, ook al had ik al heel lang niets meer gehoord.

Er kwam een groepje mannen binnen, een paar in uniform en de rest in een gewoon pak. Ik schoot bijna in de lach. Een van hen kende ik, want hij was een vaste klant.

'We willen met jullie praten,' zei een van de mannen. 'Dit is een routine-controle van de immigratiedienst. Dit zijn mensen van de politie en van de immigratiedienst. We zullen jullie allemaal apart nemen en even met jullie praten, maar eerst willen we jullie namen weten.'

We vertelden hem hoe we heetten en daarna werden we een voor een meegenomen naar een van de massagekamers. Een vrouwelijke en een mannelijke agent stonden me op te wachten en begonnen me van alles te vragen.

'Je naam? Je geboortedatum? Hoe ben je hier terechtgekomen? Heb je een paspoort of officiële papieren?'

Ik vertelde hun wat ze wilden weten. Deze keer gaf ik mijn echte naam op en vertelde hun wie mijn advocaat was. Ze zeiden niets toen ze vertrokken, maar ik was niet heel erg bang. Ik bleef tegen mezelf zeggen dat ik een advocaat had en dat ik veilig was.

Daarna vertrok de politie en vergaten we hen weer.

Wat er de volgende dagen is gebeurd, weet ik niet meer precies. Op dit moment word ik er bang van, maar ik kan me niet meer veel herinneren. Wat ik wel zeker weet, is dat ik mezelf weer verkocht en zoveel verdiende dat ik een begin kon maken met het terugbetalen aan Tamara. Ik kan me de klanten die ik had niet meer herinneren, wat ik deed of wie ze waren en ook niet hun geur of hun aanraking. Ik was te verdoofd, te dronken, en ik dacht alleen maar aan Sasha en Luda; dat ik moest proberen het geld bij elkaar te krijgen, dat ik dat geld naar huis moest sturen en moest proberen hen in veiligheid te brengen. Ik was Pasha al kwijt en wilde hen niet ook nog eens kwijtraken. Tamara had me verteld dat Sasha en Luda naar een weeshuis waren gebracht en dat niemand wist waar dat was. Ze waren verdwenen.

Ik dacht continu aan hen terwijl ik probeerde te vergeten waar ik was. Het was de vreselijkste week van mijn leven. Nooit eerder heb ik zo serieus overwogen om zelfmoord te plegen. Dat ik terug was in die wereld vernietigde me bijna en ik bad elke dag tot mijn vader. Alsjeblieft, papa, zei ik dan, ik wil bij jou zijn.

Ik wilde mezelf steeds pijn doen. Als ik in de keuken stond, zette ik het broodmes op mijn pols en zag dan het grijze metaal op mijn huid. En als ik op straat liep, keek ik naar een bus en ik vroeg me dan af of ik ervoor kon springen. Maar ik was te bang om ook maar iets te doen en daardoor raakte ik nog meer van streek. Ik was zo'n zwakkeling dat ik dat zelfs niet kon!

De sauna was rustig omdat iedereen had gehoord dat de politie op bezoek was geweest en ik bleef God vragen me klanten te sturen. Ik wilde hiermee ophouden en ik was woedend op Hem. Ik wist dat wat ik deed verkeerd was, maar kon Hij me dan niet gewoon helpen? Ik huilde uren achter elkaar en dan omhelsde Lara me.

'Het duurt heus niet lang,' zei ze dan. 'Je moet gewoon keihard werken en dan heb je het geld zo bij elkaar.'

Ik wist dat ze gelijk had, maar ik voelde me weer zo smerig. Ik moest wel een heel slecht mens zijn dat ik zo werd gestraft, zo zwak en stom dat ik weer hier was. En ik bleef maar aan Murat denken. Ik wist dat hij het niet begreep en een deel van me was boos op hem omdat hij me niet had geholpen.

Hij is alleen maar een man, zei ik steeds tegen mezelf, maar inwendig was ik verdrietig en eenzaam.

Heel even had ik echt geloofd dat ik samen met Murat eindelijk mijn verleden achter me kon laten, dat hij de prins was die me kwam redden. Maar nu wist ik dat zoiets nooit zou gebeuren.

Ik heb hem één keer gebeld, toen ik dronken was.

'Waarom bel je?' vroeg hij. 'Ik heb het druk.'

'Ik wilde gewoon je stem even horen.'

'Ik kan nu niet praten. Ik bel je wel terug.'

Dat heeft hij nooit gedaan.

Zes dagen na hun eerste bezoek kwam de politie terug, maar deze keer waren het twee mannen in uniform. Ze zeiden dat ik en twee Thaise meisjes mee moesten komen.

Ik was verbaasd, maar te verdoofd om bang te zijn. Het kon me inmiddels amper nog iets schelen wat er met me gebeurde. Als ik de kinderen toch kwijt zou raken, dan kon ik net zo goed in de gevangenis zitten. We werden naar een politiebureau gebracht. Binnen stond er een agent achter een balie die tegen me zei dat ik de riem van mijn spijkerbroek af moest doen. Toen ik mijn riem aan hem gaf, stopte hij hem in een plastic zak.

Toen maakte hij mijn handtas open en schreef op wat erin zat.

'Is dat alles?' vroeg hij toen hij mijn portemonnee opende en alleen een biljet van vijf pond zag.

Een van de Thaise meisjes had ongeveer duizend pond in contanten bij zich gehad. Ik wees naar de meest recente kwitantie van het geld dat ik naar Oekraïne had overgemaakt. Ik had al een beetje geld naar Tamara kunnen sturen om iets van mijn schuld aan haar af te betalen.

'Ik begrijp het.' Hij glimlachte en ik ook, omdat ik het ironisch vond. Kennelijk dacht hij dat vrouwen zoals ik bakken met geld hadden. Maar in feite bezat ik niets.

De agent nam mijn sieraden en stopte die in een andere plastic zak. Toen gaf hij me een lijst van de dingen die hij van me had afgepakt. Toen werd ik naar een cel gebracht en opgesloten.

Ik keek om me heen. Het was een kaal vertrek, met alleen maar een plastic matras op een verhoging met een kussen en een donkerblauwe deken erop. Ik kon niet door het raam kijken, omdat die van ondoorzichtig glas was. In de hoek stond een toilet.

Het was nu dus eindelijk zover: ze hadden me als een crimineel in de gevangenis opgesloten. Ik ging op het bed zitten en begon te huilen. Nu begon ik bang te worden. Waarom was ik hier? Ik moest terug naar de sauna om geld te verdienen voor Sasha en Luda, om het geld terug te betalen dat ze hadden gestolen.

Ik drukte het kussen tegen mijn mond om mijn zachte kreten te smoren, maar ik bleef bang. Dit betekende het einde. Dit was de derde keer dat de politie me had gevonden en nu zou mijn geluk wel op zijn. Deze keer zouden ze me niet laten gaan. Ik zou terug naar Oekraïne worden gestuurd, waar ik zou moeten toezien hoe mijn kinderen honger leden totdat ik dood was. Ik sloeg met mijn hoofd tegen de muur omdat ik mijn gedachten niet stil kon zetten. Ik wilde nergens meer aan denken, niet meer bang zijn. Ik moest moedig zijn.

'Gaat het wel goed met je?' vroeg een stem. Toen ik opkeek, zag ik een agent boven me uittorenen.

'Ja.'

'Waarom zit je op de grond?'

'Dat vind ik prettig.'

'Oké, als je het zeker weet.' Hij boog zich naar me toe. 'Wil je iets drinken?'

'Koffie alstublieft. Sterk, zonder suiker.'

'Goed hoor.'

Een paar minuten later kwam de man terug met een kopje koffie.

'Je hoeft je geen zorgen te maken, hoor,' zei hij toen hij me mijn koffie gaf. 'Het is al laat. Ga maar lekker slapen.'

'Maar wat gaat er gebeuren? Ik begrijp het niet.'

'We wachten op een advocaat en een tolk. Je hebt geen paspoort en geen reisdocumenten en dus is de kans groot dat je hier illegaal bent.'

De man praatte heel vriendelijk met me. In Oekraïne was ik altijd bang geweest voor de politie, omdat ze je daar verrot slaan of je documenten laten ondertekenen waarin je toegeeft dat je dingen hebt gedaan die je niet hebt gedaan. Maar deze man leek anders. Na een tijdje ging hij weg.

Ik weet niet hoe lang ik in die cel heb gezeten. Voor mij leek een minuut wel uren en al gauw raakte ik in paniek. Ik bonsde op de deur.

'Mag ik alstublieft een sigaret?'

Deze keer kwam er een andere agent bij me. 'Een sigaret? Dat moet ik even vragen.' Hij was een paar minuten weg, maar toen hij terugkwam maakte hij de deur van mijn cel open en liet me eruit. Hij gaf me een pakje sigaretten en een aansteker.

Dankbaar stak ik een sigaret op en blies de rook uit. Ik had het ontzettend koud en bleef maar rillen. Nadat ik twee sigaretten had gerookt, stond de agent op en gebaarde dat ik weer terug moest.

'Kom op, je moet terug,' zei hij.

'Mag ik hier alstublieft nog even blijven?' vroeg ik. 'Ik wil niet terug in die cel.'

De man bleef staan. 'Vijf minuutjes dan,' zei hij.

De deur van mijn cel ging open en toen ik opkeek, zag ik een vrouw bij de deur staan. Ik werd weer bang.

'We willen je nu ondervragen,' zei ze. 'Kom maar mee.'

Ik werd naar een klein vertrek gebracht waar twee mannen zaten te wachten.

'Dit is uw tolk en dit is uw advocaat,' zei de vrouw. 'En ik ben van de immigratie- en zedendienst.'

Ik zei niets toen de advocaat begon te praten en de tolk het voor me vertaalde. Hij sloot af met de woorden: 'Als u iets wilt zeggen maar te bang bent om het aan ons te vertellen, dan hoeft u niets te zeggen. Het is uw recht om te zwijgen.'

Ik ging rechtop zitten. 'Zwijgen? Ik wil niet zwijgen. Ik wil u mijn verhaal vertellen.' Ik had het overweldigende gevoel dat ik nu maar eens de hele waarheid moest vertellen. Deze vrouw moest weten wat mij was overkomen, ze moest weten dat ze me niet naar huis kon sturen. Ik kon niet langer liegen.

Ik begon met de dag waarop Sergey de gevangenis inging en hoe wanhopig ik toen was geweest. Ik legde uit dat ik mijn kinderen te eten moest geven en waarom ik de moeilijke beslissing had genomen om hen achter te laten toen ik naar Turkije ging. Toen vertelde ik hoe ik was bedrogen, was gekidnapt en verkocht in een wereld van slavernij en opsluiting. Ik vertelde hen over Sveta, Serdar en Ardy; dat ik mijn kinderen al bijna drie jaar niet had gezien en dat ik zo wanhopig naar hen verlangde dat ik het gevoel had dat ik doodging. Ik praatte twee lange uren achter elkaar.

De vrouw van de immigratiedienst luisterde aandachtig en toen ik uitgepraat was, stelde ze me allerlei vragen. Ik had geen idee van wat ze dacht van mijn verhaal, maar daar probeerde ik niet aan te denken. Ik wist alleen maar dat ik zo eerlijk mogelijk moest zijn om haar duidelijk te maken dat ik niet slecht was.

Ik vertelde haar over de advocaat die ik weken geleden had opgezocht.

'Maar we kunnen helemaal geen dossier van u vinden, miss Kalemi,' zei ze. 'Er ligt geen aanvraag voor een verblijfsvergunning of asiel in Groot-Brittannië. Wanneer heeft die advocaat uw zaak aangenomen?'

'Zes maanden geleden.'

'Zes maanden?' Ze keek verbaasd. 'Waarom heeft het zo lang geduurd?'

'Dat weet ik niet. Ze zei dat ze contact met me zou opnemen, maar ik heb niets van haar gehoord.'

'Nu kunnen we haar niet meer opbellen. Dat zullen we morgenochtend doen.'

'Maar wat gaat er met me gebeuren?'

De vrouw keek me ernstig aan. Ze had een verdrietige blik. 'Vrouwen zoals u worden meestal het land uitgezet. U bent hier illegaal en de kans is groot dat u naar huis wordt gestuurd.'

Ik begon te huilen. 'Maar u mag me niet terugsturen. Begrijpt u dat dan niet? Dan ga ik dood.'

'Dat is niet mijn beslissing, ben ik bang,' zei de vrouw zacht.

Niemand zei iets en ik kon wel gillen. Hadden deze mensen dan niet gehoord wat ik hun had verteld? Dachten ze nu echt dat ze me terug konden sturen?

De vrouw keek me aan en zei: 'Nog één ding, wacht even.'

Ze stond op en liep het vertrek uit. Ongeveer een kwartier later kwam ze terug.

'Ik heb een nieuwtje,' zei ze. 'Eerder dit jaar is er een speciaal liefdadigheidsproject opgezet in Groot-Brittannië. Het heet het Poppy Project en ze richten zich op vrouwen die als seksslavin zijn verkocht. Zij hebben huizen waar vrouwen zoals u kunnen verblijven en ze helpen u door uw zaak voor het ministerie te bepleiten. Er zijn niet veel plaatsen beschikbaar, maar ik heb een vriendin opgebeld die hen kent en zij probeert uit te vinden of er een plekje voor u beschikbaar is. Dat horen we morgenochtend.'

'Betekent dit dat ik in Engeland kan blijven?' vroeg ik.

'Dat weet ik niet,' zei ze. 'Niets is zeker. Laten we maar hopen dat zij u kunnen helpen.'

Ik werd teruggebracht naar mijn cel en terwijl ik door het geblindeerde raam zag dat het weer ochtend werd, hoopte ik dat die dag niet zou aanbreken. Misschien was dit de dag waarop ik naar een centrum voor illegalen zou worden gebracht, zoals Naz me had gezegd. Misschien was dit de dag waarop ze me Engeland zouden uitzetten. Ik wist dat ik het niet zou overleven als dat zou gebeuren. Ik zou het niet weer kunnen opbrengen. Zou ik hier ooit vandaan komen om Sasha en Luda te redden en Pasha terug te vinden? Zou ik ooit weer hun moeder kunnen zijn?

Een paar uur later werd het ontbijt gebracht: een bord met worstjes en bonen. Ik wilde niet eten, maar was wel dankbaar voor de kop hete thee die ze ook kwamen brengen. De warme thee brandde in mijn keel, maar daar trok ik me niets van aan. Ik was uitgeput, door gebrek aan slaap en doordat ik zo had liggen huilen.

'Miss Kalemi?' vroeg een stem.

Toen ik opkeek, zag ik twee vrouwen voor me staan. Ze waren achter de man die het ontbijt had gebracht mijn cel binnengekomen. Een van hen had donker haar en leek van middelbare leeftijd. De andere was slank, had blond haar en leek heel jong.

'Hallo,' zei de jongste. Ze glimlachte tegen me.

Ik was amper in staat mijn hoofd op te tillen om haar aan te kijken. Ik voelde me heel slap.

'Oxana?' vroeg ze.

Nu bekeek ik haar wat beter. Ze had vriendelijke ogen. En ze keek verdrietig.

'Ik ben Sally,' zei ze zacht. 'Ik kom van het Poppy Project. Ik ben hier om je te helpen.'

38

Ik stond voor een rijtjeshuis. Sally stond naast me en de vrouw met het donkere haar, de tolk, was ook bij ons.

'Zo, we zijn er,' zei Sally glimlachend. 'Dit is het huis waar je een tijdje zult wonen. Er zijn drie kamers en op dit moment is er maar eentje van bewoond.'

'Hoe lang blijf ik hier?' vroeg ik toen ze de deur van het slot deed.

'Om te beginnen vier weken, maar dat hangt van je zaak af. We zullen moeten afwachten.'

'Zullen ze me terugsturen naar Oekraïne?'

'Het is heel ingewikkeld allemaal, dus we zullen er nog vaak over moeten praten. Maar eerst zal ik je je kamer laten zien.'

Ik was uitgeput. Eerder had ik mezelf in een spiegel gezien. Het enige waar ik aan kon denken, was wat er aan het einde van die vier weken met me zou gebeuren. Ik begreep niet goed wat voor organisatie Poppy was. In Oekraïne deelt een liefdadigheidsinstelling alleen maar geld of eten uit, geen huizen.

'Oxana?' zei Sally.

Ik keek haar aan.

'We moeten helemaal naar boven. Jouw kamer is op zolder.'

We liepen de trap op en toen Sally de deur van mijn slaapkamer opendeed, hapte ik naar adem. Het was prachtig: de muren waren donkerroze geverfd, er stond een eenpersoonsbed met nieuwe lakens die nog in de verpakking zaten, er was een wastafel met een kastje eronder en in het schuine dak zaten twee ramen. Ik had nog nooit een eigen kamer gehad.

Sally gaf me een tasje met zeep, een handdoek, een tandenborstel en shampoo erin en ook een mobiele telefoon.

'Ik zal je een telefoonnummer geven dat je altijd kunt bellen als je ons nodig hebt. Als er iets is, kun je me bellen. Maar eerst laat ik je de rest van het huis zien en daarna kun je uitrusten.'

Sally nam me mee naar de keuken en naar de woonkamer. Toen gaf ze me negentig pond.

'Hier kun je een week van rondkomen,' zei ze. 'Zullen we wat boodschappen gaan doen?'

We liepen naar een supermarkt en daar kocht ik wat eten. Daarna gingen we terug naar het huis. Toen Sally vertrok, zei ze dat ze de volgende dag terug zou komen. Het was nog maar twee uur in de middag, maar mijn benen voelden loodzwaar toen ik de trap op liep naar boven. Ik haalde de lakens uit hun verpakking, maakte het bed op, ging erop liggen en viel meteen in slaap.

Uren later werd ik midden in de nacht wakker en vroeg me af waar ik was. Ik keek omhoog en zag sterren door een van de ramen. Toen herinnerde ik me dat ik heel ver verwijderd was van de sauna, het politiebureau, de flat waarin ik met Murat had gewoond, en alle andere verschrikkelijke plaatsen waar ik had gewoond. Hoe had Sally dit huis ook alweer genoemd? Een 'safehouse'. Een plaats waar niemand me kon vinden als ik dat niet wilde. Voorlopig was ik veilig, eindelijk.

Ik zuchtte, draaide me om en viel weer in slaap.

Ondanks dat ik nu in een safehouse woonde, was ik toch nog steeds bang. Ik begreep amper waar ik was of wat er met me zou gebeuren. Ik was nog steeds overgeleverd aan andere mensen, ik was niet de baas over mijn eigen leven. Ik moest er gewoon op vertrouwen dat ik hulp zou krijgen.

Sally kwam de volgende dag terug en de dag daarna ook. Langzaam maar zeker begreep ik wat het Poppy Project was en hoe ze me konden helpen.

'Wat wij doen is vrouwen helpen die naar dit land zijn gebracht om in de prostitutie te gaan werken. Wij zorgen voor huisvesting en steun, en we kunnen je ook helpen als je hier asiel wilt aanvragen.'

'Ik wil graag in dit land blijven,' zei ik snel.

'Dan moeten we je allereerst helpen met het indienen van een asielaanvraag,' zei ze. 'Ik heb geen idee wat jouw advocaat al heeft gedaan, maar op het ministerie van Binnenlandse Zaken is geen dossier van jou. Wij kennen mensen die jou kunnen vertegenwoordigen. Het is een langdurig proces, maar wij zullen ervoor zorgen dat je de beste hulp krijgt die er maar is.'

'Mag ik dan in dit land blijven?'

'Dat weten we niet zeker. Dat weet niemand. Maar dat hopen we wel.'

'Wat moet ik ervoor doen?'

'Niets. Maar je zou ons kunnen helpen door de autoriteiten hier ter wille te zijn. We willen een einde maken aan deze afschuwelijke handel in seksslavinnen en als jij ons wilt vertellen wat er met je is gebeurd en hoe, dan kunnen wij misschien voorkomen dat het iemand anders ook overkomt. Maar nu hoef je nog niets te doen. Denk er maar eens over na.'

Het idee dat ik de autoriteiten alles moest vertellen, was griezelig. Als ze erachter kwamen wat voor slechte dingen ik had gedaan, dan zouden ze me vast en zeker wegsturen. Maar Sally oefende geen enkele druk op me uit.

'Denk er maar eens over na. Misschien ben je er over een tijdje wel klaar voor.'

Tijdens die eerste weken in dat safehouse kwam ik meer te weten over het Poppy Project en zij meer over mij. Ik vond het moeilijk om iemand te vertrouwen na alles wat me was overkomen, maar langzaam maar zeker begon ik vertrouwen in Sally te stellen. Ze deed van alles voor me: ze nam me mee naar een arts en naar een tandarts die mijn slechte gebit opknapte. In Oekraïne was ik altijd bang geweest om naar de tandarts te gaan, want gratis tandartszorg betekende geen verdoving en ik kon het niet zelf betalen. Ze vertelde me ook dat Poppy opgeleide mensen in dienst had die counselor werden genoemd en met wie ik kon praten over de dingen die ik had meegemaakt als ik dat wilde. Ik mocht ook een opleiding volgen in de tijd waarin mijn asielaanvraag werd behandeld. Ik kon een taalcursus volgen zodat ik goed Engels kon leren.

'Dat wil ik heel graag!' riep ik uit toen Sally me dat vertelde. Ik werd helemaal opgewonden bij het idee dat ik goed Engels kon leren spreken. 'Dat wil ik heel graag!'

'Goed,' zei Sally lachend. 'Ik zou willen dat alle leerlingen zo enthousiast waren als jij.'

Terwijl de dagen verstreken en het tot me doordrong dat het Poppy Project me echt wilde helpen, begon ik aan mijn nieuwe leventje te wennen. Ik bracht veel tijd alleen door; dan dacht ik na of ik las boeken uit de Russische bibliotheek of wandelde door de stad en kocht eten op de markt. Ik had Londen nog nooit echt gezien, ook al woonde ik hier al vrij lang, en ik kende de stad helemaal niet. Ik woonde heel ver van Tottenham vandaan en daarom ging ik af en toe op onderzoek uit in East London. Maar ik vond de buitenwereld eng en daarom bleef ik vaak thuis. Wel ging ik af en toe even bij Lara op bezoek.

In al die lange eenzame uren dacht ik terug aan alles wat er met me was gebeurd. Hoe had ik het allemaal kunnen laten gebeuren? Ik zou wel een slappeling zijn, nutteloos, stom. Ik had mijn eigen leven in de vernieling geholpen en bovendien het leven van mijn kinderen. Elke ochtend als ik wakker werd, was ik bang en schaamde ik me. Ze hadden me zo gemakkelijk kunnen bedriegen, in hun macht kunnen houden – ik was te bang geweest om ertegenin te gaan. Ik was een slechte moeder die niet eens wist waar een van haar kinderen was. Waarom hielpen deze mensen me eigenlijk?

Af en toe werd ik woedend op mezelf, zomaar, op willekeurige momenten, overdag en 's nachts. Als ik buiten liep, voelde ik soms opeens dat alle kracht uit mijn benen stroomde en moest ik gaan zitten. Dan begon ik te trillen en te huilen. 's Nachts kreeg ik vaak een nachtmerrie en als ik dan wakker schrok, lag ik te zweten en te rillen. Soms wilde ik gillen en mezelf in stukken scheuren. En op andere momenten wilde ik alleen maar gaan liggen, me terugtrekken op een stil en donker plekje, en voor altijd alleen blijven.

Op een dag ging ik naar Sally.

'Nu wil ik wel praten,' zei ik. 'Ik wil proberen de autoriteiten te helpen. Als zij deze klootzakken kunnen tegenhouden, hen misschien kunnen bestraffen, dan wil ik hun alles vertellen wat ik weet.'

'Dat is heel moedig van je, Oxana,' zei Sally zacht. 'Je hebt de juiste beslissing genomen. Ik weet hoe moeilijk het voor je is.'

De volgende dag kwam er een agent van de zedenpolitie naar Poppy. Ik vertelde hem het hele verhaal, alles wat me was overkomen. Ik vertelde hem hoe vrouwen zoals ik werden behandeld, waar ze verborgen werden gehouden en hoe ze woonden. Ik vertelde hem over mannen als Ardy en hoe ze vrouwen verkochten en van hun werk leefden, hoe ze valse paspoorten en rijbewijzen kochten, waar ze het geld aan uitgaven dat hun slavinnen voor hen hadden verdiend en waar ze naartoe gingen om zich te amuseren.

Maar ik was te bang om hem te vertellen waar ik Ardy had verlaten en waar ze hem misschien zouden kunnen vinden. Ik was doodsbang dat Ardy daardoor aan mij zou gaan denken en dan aan mij kinderen, en dat dit zijn behoefte aan wraak zou aanwakkeren.

De gedachte aan mijn kinderen werd een obsessie. Ik was eraan gewend geraakt om regelmatig even met hen te praten, maar nu ze in het weeshuis zaten werd dat kleine genoegen me ook ontzegd. Het was een marteling.

Ik gebruikte iets van het geld dat Sally me elke week gaf om Ira op te bellen. Ik smeekte haar alles te doen wat ze kon om de kinderen terug te krijgen.

'Ik heb mijn best gedaan,' zei ze. 'Ik ben naar het weeshuis gegaan omdat ik wilde proberen hun voogd te worden, maar dat kan niet.'

'Waar zijn ze?'

Ira vertelde me de naam van het weeshuis en ik kon wel gillen. Ik kende dat tehuis; daar waren allemaal kinderen die hadden gestolen of aan de drugs waren.

'Ik mag de kinderen niet zien,' zei Ira. 'Ik vroeg of ze bij mij mochten wonen, maar ze zeiden van niet, omdat ik maar twee slaapkamers heb, geen heet water en geen toilet in huis. En omdat ik ook al voor Vica zorg. Je weet hoe het is, Oxana. Zij beweren dat ze allerlei documenten moeten hebben en die heb ik domweg niet. En daarom willen ze Sasha en Luda niet laten gaan en bij mij laten wonen.'

Ik wist hoe het zat: de overheidsmolen maalde langzaam en het enige wat de wieken smeerde, was geld. Maar ik had net genoeg geld om eten te kopen en niets om aan Ira te sturen.

Als ik me heel ongelukkig voelde, overwoog ik weer de prostitutie in te gaan. Niemand van Poppy zou het weten, ik zou gewoon 's avonds op een straathoek kunnen gaan staan, net zoals ik in Italië had gedaan. Dan zou ik Tamara haar geld kunnen terugbetalen en zou Ira de overheid geld kunnen geven. Maar ook al dacht ik er vaak en lang over na, ik kon het niet opbrengen om het echt te gaan doen. Sally had me verteld dat wanneer ik asiel zou krijgen, mijn kinderen ook konden komen. En ik was ervan overtuigd dat ze me het land uit zouden zetten als ze me betrapten. En ik moest alles in het werk stellen om te voorkomen dat ze me terug zouden sturen.

De kinderen zaten al in een weeshuis. Zelfs als Tamara's vriend de politie erbij haalde, konden ze onmogelijk meer doen dan dat. Ik zou mijn ui-terste best doen om terug te betalen wat de kinderen hadden gestolen, maar nu kon ik alleen maar hopen dat Sasha en Luda nog steeds bij elkaar waren.

39

Ik werd overweldigd door het lawaai toen ik het restaurant binnenkwam. Ik had nu al zoveel weken alleen doorgebracht dat ik er niet meer aan gewend was. Het was 23 december en ik was uitgenodigd voor het kerstfeest van Poppy. Een paar dagen eerder was ik verhuisd van het safehouse naar een ander huis in het noorden van de stad en over een paar weken zou ik beginnen met mijn cursus Engels.

Dit vond ik de ergste periode van het jaar. Ik had een hekel gekregen aan de kerst, omdat het me alleen maar herinnerde aan de afstand die er was tussen mij en mijn kinderen. Ik dacht aan hen. Ik wist dat Ira haar uiterste best deed, maar het voelde zo verkeerd dat ik nu veilig was en mijn kinderen niet. Ik wist nog altijd niet waar Pasha was, hoewel Sally me had verteld dat er mensen waren die gezinnen weer bij elkaar brachten. Ik hoopte dat we samen met hen mijn zoon terug zouden vinden. Tot die tijd was het idee dat hij onbereikbaar was, een marteling voor me.

Ik voelde de woede in me opborrelen toen ik in het restaurant allemaal mensen zag die zaten te glimlachen. De woede zat tegenwoordig nooit erg diep. Het ene moment voelde ik me prima en het andere was ik boos. Soms was ik boos op een bepaald iemand – Murat die me in de steek had gelaten, Ardy die me had verkocht, Sergey die me had geslagen – maar op andere momenten was er amper een echte reden voor. Vandaag was ik boos, omdat ik niets leuks had om aan te trekken. Ik voelde me verschrikkelijk in mijn lange gebreide rok en coltrui. Ik wilde met niemand praten, omdat ik me schaamde voor mijn uiterlijk.

'Oxana?' Het was Sally. Ze zat aan een tafel met allemaal vrouwen. 'We hebben een stoel voor je vrij gelaten en we willen je iets geven.' Ze wees naar een grote zak. 'Hier zitten cadeautjes in. Zoek er maar een uit.'

Ik liep ernaartoe en haalde een pakje uit de zak. Er zat zilverkleurig en blauw papier omheen en erop stonden de woorden *Gelukkig kerstfeest.* Ik ging aan tafel zitten en toen ik het pakje openmaakte, zag ik dat er bodycrème, zeep en parfum in zaten. Iemand wenste me een gelukkig kerstfeest. Ik kon me niet herinneren wanneer ik voor het laatst een cadeautje had gekregen. De tranen brandden in mijn ogen.

Ik keek op en bekeek de andere vrouwen aan de tafel. Eerder had ik niet echt gekeken naar wie er aan tafel zaten, maar nu zag ik dat er ongeveer dertig vrouwen om me heen zaten. Zwarte gezichten, blanke gezichten, Aziatische gezichten – vrouwen vanuit de hele wereld. Ik hapte naar adem; ze hadden waarschijnlijk allemaal hetzelfde verhaal te vertellen als ik.

Ik was verbijsterd. In deze afgelopen jaren had ik wel een paar vrouwen leren kennen die ook verkocht waren, maar ik had er geen idee van dat het zó was, dat we met zo velen waren. Ik was niet de enige. Ik was niet de enige die zo stom was geweest om al die leugens te geloven. Ik voelde dat de tranen me in de ogen sprongen toen ik om me heen keek en al die gezichten zag. Enkele vrouwen lachten, andere keken heel ernstig. Net als ik hadden ze het overleefd. Maar hoevelen van ons hadden niet zoveel geluk gehad? Hoeveel zouden zich vanavond ook verkopen aan mannen die de angst in hun ogen weigerden te zien?

Eindelijk begreep ik dat het niet gewoon geluk was geweest dat Poppy me had gevonden. God had een weg voor me uitgestippeld en die liet Hij me nu zien. Mensen hadden me al veel te lang opgesloten, naar beneden gehaald en me gevangen gehouden. Nu kreeg ik echt een kans een nieuw leven op te bouwen en die kans moest ik grijpen. Ik was net zoals al die andere vrouwen om me heen, ik was dus niet de enige die dit was overkomen. Nu hoefde ik eindelijk niet meer bang te zijn.

Mijn hart ging tekeer toen de telefoon aan de andere kant overging.

'Ja?' zei iemand.

'Hallo,' antwoordde ik. 'Dit is Oxana Kalemi. Ik wil even praten met mijn zoon Sasha Kalemi en mijn dochter Luda Kalemi.'

'Prima. Blijft u even aan de lijn?'

Ik hoorde dat de telefoon werd neergelegd en daarna voetstappen die zich verwijderden. Aan de andere kant van de lijn hoorde ik kinderstemmen, geroep en gelach. Ira had een paar dagen geleden eindelijk het telefoonnummer gekregen van het weeshuis waar Sasha en Luda woonden. Al snel hoorde ik iemand naar de telefoon toe lopen.

'Hallo?' zei een stem.

Sasha.

'Ik ben het,' zei ik.

'Mama!' riep hij.

'Ja, lieverd. Ik kon je niet eerder opbellen, maar ik ben zo blij dat het nu wel kan! Hoe is het met je?'

'Goed,' zei hij met een klein stemmetje.

'Echt waar?'

'Ja.'

Even waren we stil.

'Waarom ben je weggelopen?' vroeg ik vriendelijk. 'Je mag je zusje niet zomaar meenemen en geld van andere mensen stelen. Waarom heb je dat gedaan?'

'We misten je, mama,' zei Sasha snel. 'We wilden je gaan opzoeken en ik dacht dat als we genoeg geld hadden, we wel met het vliegtuig naar Engeland konden vliegen.'

Mijn keel werd dichtgeknepen door de tranen. 'O, Sasha,' fluisterde ik. 'Ik mis jou ook, maar je mag geen geld pakken dat niet van jou is.'

'Dat weet ik, mama. Het spijt me.'

'Ach, het is nu gebeurd en ik wil niet boos op je zijn, maar je moet me beloven dat je nooit weer zoiets zult doen.'

'Dat is goed.'

'Wat voor eten krijg je daar? Heb je wel kleren?'

'Ja. Ira en Tamara zijn langs geweest en die hebben wat meegenomen en het eten is goed. We krijgen runderpastei met aardappels, en thee met suiker.'

'Vind je het daar wel leuk?'

'Ja hoor, mama. Het is hier goed. Maak je maar geen zorgen.'

'Dat is fijn, lieverd.' Op de achtergrond hoorde ik een stem.

'Luda wil met je praten. Bel je weer?'

'Natuurlijk. Vanaf nu elke twee weken, dat beloof ik je.'

'Dag, mama.'

'Dag, Sasha.'

Ik hoorde gesnik toen Luda de telefoon oppakte.

'Ik vind het hier vreselijk,' jammerde ze. 'Ik wil hier niet zijn.'

Mijn hart zonk me in de schoenen toen ik haar kleine stemmetje hoorde. 'O, liefje,' zei ik. 'Waarom vind je het daar niet prettig?'

'Omdat ik hier niemand ken. Wanneer kom je ons halen, mama?'

'Zo snel mogelijk. Ik ben nu Engels aan het leren en ik doe heel erg mijn best op school. Elke dag als ik thuiskom van school, duik ik weer in mijn boeken zodat ik zo veel mogelijk leer. Weet je, als ik een goede Engelse mevrouw ben, dan krijg ik documenten en mag ik hier blijven. En als dat gebeurt, dan mogen jullie hier ook naartoe komen en bij me komen wonen.'

'Echt waar?' schreeuwde ze. 'In Engeland?'

'Ja.'

'Maar vinden de mensen dat echt goed?'

Ik haalde diep adem. 'Ja, dat vinden ze goed. Ik zal ervoor zorgen dat ze dat goed vinden en dan gaan we Pasha zoeken zodat we allemaal weer bij elkaar kunnen zijn. Dan vormen we met z'n vieren weer een gezinnetje.'

'Ik kan gewoon niet wachten, mama,' fluisterde Luda.

'Ik ook niet, liefje. Ik ook niet.'

Epiloog

Er hangen vier kleine schilderijtjes aan de muur. Ik heb ze ooit in een afvalbak gevonden. Iemand had ze weggegooid, maar ik vond ze prachtig. Het zijn kleine olieverfschilderijtjes en hoewel ze allemaal verschillend zijn, staat overal hetzelfde op: een huis onder een blauwe lucht, een groen weiland en bloemen langs een beekje. Ooit zal ik zo wonen, samen met mijn kinderen.

Het is nu al meer dan vier jaar geleden sinds ik die belofte heb gedaan aan Sasha en Luda, en af en toe heb ik het gevoel dat het wel honderd jaar geleden is. Het lijkt wel alsof de tijd langzamer gaat als je wacht op iets wat je het allerliefst wilt.

Ik probeerde de tijd door te komen door heel erg mijn best te doen toen ik weer naar school kon dankzij het Poppy Project. Ik studeerde hard en haalde binnen zes maanden mijn diploma terwijl andere mensen daar een jaar over doen. Ik was alweer net zo'n ijverige leerling als vroeger. Ik wilde dolgraag aan het werk, mijn eigen dingen kunnen bekostigen en iets van mijn leven maken, zodat mijn kinderen trots op me konden zijn. Ik studeerde Engels, informatica en economie, en ik kreeg een baan in de catering. Eindelijk was ik onafhankelijk en verdiende ik mijn eigen geld.

Deze resultaten konden echter de pijn niet verlichten en het waren geen gemakkelijke jaren. Hoewel mijn leven ontzettend was verbeterd, voelde ik me nog steeds verdrietig en eenzaam. Af en toe namen de duivels van woede en wanhoop weer bezit van me, ondanks dat ik mijn best deed sterk te zijn. Ik leed onder alles wat me was overkomen en onder de scheiding van mijn kinderen. Ik probeerde de pijn te vergeten met drank en met korte relaties met mannen die niet van me konden houden en die me niet de troost konden schenken die ik nodig had. Ik treurde om het verlies van

Murat, de enige man die ooit van me had gehouden, en ik kreeg last van chronische slapeloosheid; ik sliep maar een paar uur per nacht. 's Nachts ging ik op de bank tv liggen kijken om het moment uit te stellen waarop ik naar bed zou moeten waar de duivel me in het donker te pakken kon krijgen.

's Nachts bleef ik maar denken aan mijn verleden, aan de nachtmerrie-achtige reis, ingepakt in dat krat in die vrachtwagen, aan die wereld van slavernij en vernedering, aan dat leven waar ik zelf geen controle over had. Overdag liep ik door de straten en vroeg me af of de andere vrouwen die ik zag op dat moment zo'n zelfde leven leidden. Ik hoopte van niet. Ik bekeek de gezichten om te kijken of ik de bekende dode blik in hun ogen herkende, die blik die ik zo vaak in mijn eigen ogen had gezien.

De ergste tijd was juni 2004. Toen kreeg ik verschrikkelijk nieuws: de Oekraïense overheid had me de ouderlijke macht ontnomen, omdat ik er niet was. Ik wist er niets van, ik kon mezelf niet eens verdedigen en opeens waren mijn eigen kinderen niet meer van mij. Ik heb drie dagen in bed gelegen nadat ik dat had gehoord, omdat ik het gevoel had dat mijn leven geen zin meer had. Hoe zou ik hen ooit terug kunnen krijgen? Ik wist maar al te goed hoe de dingen in mijn land gingen. Er was sprake van eindeloos papierwerk en alles ging in een slakkengangetje, tenzij je de juiste connecties had of heel veel geld. Daar waren geen organisaties die vrouwen zoals ik hielpen hun kinderen terug te krijgen.

Maar ik wist dat ik moest vechten. Ik was nu al zó ver gekomen en ik kon niet toestaan dat ze me nu nog versloegen. Bovendien moest ik me aan mijn belofte houden. Ik stapte mijn bed uit, vond een advocaat en begon aan het lange proces om mijn kinderen terug te krijgen. Soms werkten de autoriteiten me tegen, weigerden mensen me te helpen en het duurde eeuwen voordat één stuk papier werd ondertekend. Ik vroeg me vaak af of ik ooit weer moeder zou kunnen zijn. Maar ik heb doorgezet en nu heeft mijn Oekraïense advocaat me verteld dat het einde in zicht is. Over enkele maanden hoop ik verenigd te worden met mijn kinderen.

In 2005 zijn er twee fantastische dingen gebeurd. Op een van de gelukkigste dagen sinds jaren hoorde ik dat ik asiel had gekregen in Groot-Brittannië. Eindelijk was ik echt veilig en zodra mijn kinderen weer aan me teruggegeven zouden worden, konden ze naar mij toe komen in Engeland waar hen een betere toekomst wachtte.

Maar het gelukkigst was ik toen ik Pasha terugvond. Hij zat op een dovenschool voor oudere kinderen in Simferopol. Ik zag er heel erg tegen op om weer contact met hem op te nemen, maar ik schreef hem een brief omdat mijn hart hem nooit was vergeten en ik hoopte dat zijn hart mij ook nooit was vergeten. Het was de eerste keer in jaren dat we contact met elkaar hadden en ik kreeg al gauw een brief terug.

Hij schreef:'*Hallo, lieve mama. Ik heb vier vakken en mijn lerares heet Larissa en mijn verzorgsters heten Nadia en Ludmilla. Ik studeer praten, lezen en schrijven. Ik hou van mijn school, maar ik wil heel graag naar huis, naar jou. Ik hou van je, ik kus je.*
Je liefhebbende zoon Pasha.'

Zijn handschrift was duidelijk en krachtig, en zijn lerares had iets onder aan zijn brief geschreven: '*Hallo, Oxana, Pasha was heel blij toen je brief kwam. Hij heeft de foto's bekeken die je hebt gestuurd en heeft iedereen laten zien hoeveel hij op je lijkt. Nu vraagt hij steeds wanneer hij naar huis mag. We hebben hem verteld dat hij nog even moet wachten. Hij is heel erg vooruitgegaan, hij doet heel erg zijn best en hij kan veel beter schrijven en lezen. Hij heeft ervoor gezorgd dat er geen enkele fout stond in deze brief aan jou.*
Pasha is een heel communicatief en belangstellend kind. Hij kan goed tekenen, maakt dingen van papier en gedraagt zich in de klas heel netjes. Hij heeft ook veel vrienden en iedereen weet wanneer hij jarig is en elk jaar vieren we zijn verjaardag; dan krijgen we thee met koekjes en maken dan verjaardagskaarten voor hem.
Oxana, ik wens je het allerbeste en hoop dat je alles kunt doen wat nodig is om je zoon weer bij je te hebben. Maar voorlopig zal Pasha vol ongeduld op je brieven wachten.'
Ik huilde toen ik dat las, kuste zijn brief, glimlachte en huilde toen weer. Mijn zoon, die eerst verdwenen was, was teruggevonden.

*   *   *

Ik weet dat ik nu nergens zou zijn zonder het Poppy Project en ik zal hen altijd dankbaar blijven. Ze hebben me gered toen ik dacht dat ik echt alles was kwijtgeraakt, ze zorgden voor een bepaalde regelmaat in mijn leven dat helemaal verloren leek en ze waren vriendelijk voor een vrouw die al zo lang zo weinig genegenheid had ondervonden. Met hun hulp heb ik helemaal opnieuw kunnen beginnen en in december 2006 heb ik hun huis verlaten en ben ik verhuisd naar mijn eigen appartement in hetzelfde flatgebouw als Lara. Ik heb geprobeerd iets terug te geven van alles wat ik heb gekregen. Ik heb nu betaald werk, maar doe ook vrijwilligerswerk in een dierenwinkel van de liefdadigheid en bij Women's National Commission, een onafhankelijk adviesorgaan. Ik ben van plan om een kappersopleiding te gaan volgen en hoop ooit mijn eigen kapsalon te hebben.

Een jaar geleden ben ik verliefd geworden op een Engelsman. Niets in het leven is zeker, maar ik voel dat ik eindelijk iemand heb leren kennen die van me houdt om wie ik echt ben. Eindelijk kan ik misschien beginnen met iets wat op een normaal leven lijkt. We wonen in het noorden van Engeland, op een plek met groene bomen, frisse lucht en vriendelijke gezichten. Eindelijk voelt dit als een thuis.

Vandaag denk ik terug aan alle vreselijke dingen die me zijn overkomen en dat lijkt nu allemaal heel ver weg. Ik beleef die vreselijke tijd weer in mijn dromen of wanneer ik depressief ben. Dan voel ik weer die angst, het geweld en het gevoel dat ik waardeloos ben. Het maakt me zo verdrietig dat ik het slechtste van de mens heb leren kennen: hebzucht, harteloosheid, wreedheid en egoïsme. Ik zou willen dat ik dat allemaal niet had gezien en dat ik niet aan den lijve had ondervonden wat een afschuwelijke macht mannen over vrouwen kunnen uitoefenen, de manier waarop ze hen kunnen misbruiken, hen kunnen weggooien, hun lichaam kunnen gebruiken als een instrument voor hun eigen plezier of hen als slavinnen gevangen houden om geld voor ze te verdienen.

Wat zou er zijn gebeurd met de mannen die me hebben gebruikt en me hebben doorverkocht? Waar zijn ze nu en wie martelen ze nu? Ik denk aan Ardy – die stomme, hebberige jongen – en hoop dat niemand anders op dit moment hetzelfde ondergaat als ik toen. Ik hoop dat hij ooit zal begrijpen wat hij heeft gedaan en hoeveel pijn en schade hij heeft aangericht.

Dan herinner ik me de vriendelijkheid – de tederheid van Roberto, de aanmoediging van Naz, de loyaliteit en trouw van Lara, de hulp en de steun die ik van de mensen van het Poppy Project heb gekregen – en dan probeer ik me daaraan vast te houden en te geloven in de goedheid van de mens.

De verschrikkelijke handel in seksslavinnen moet worden tegengegaan, en we moeten allemaal doen wat we kunnen om deze hedendaagse slavernij te voorkomen. Het Poppy Project is één manier om vrouwen te bereiken en te redden, en van hun verhalen te leren hoe we die handel kunnen laten ophouden. Alstublieft, als u in staat bent te helpen, denk dan aan mijn verhaal en het verhaal van duizenden vrouwen zoals ik.

Maar van alle littekens op mijn ziel, zal de manier waarop ik Pasha in de steek heb moeten laten het enige zijn dat nooit zal genezen. Ik zeg tegen mezelf dat ik toen jong was, dat ik probeerde te overleven en dat hij veel behoeften had die ik toen niet begreep. Maar tegenwoordig zijn mijn schuldgevoel en mijn verdriet hierover nog even sterk als altijd. Ik hoop maar dat hij me ooit eens zal vergeven. Ik weet niet of ik ooit zal leren mezelf te vergeven.

Nu ik op mijn kinderen wacht, lijkt het soms wel eens alsof mijn hoop een breekpunt heeft bereikt. We praten regelmatig met elkaar aan de telefoon, we schrijven elkaar en ik voel me heel erg betrokken bij hun leven, maar het is niet hetzelfde als wanneer ze straks echt bij me zullen zijn. Maar ik weet dat ik moet blijven geloven dat ze binnenkort hier zullen zijn. Ik kan zelf nooit terug naar Oekraïne, maar zij hopen net als ik dat we in 2008 weer een gezin zullen vormen.

Ik hoop dat ik gauw de moeder kan zijn die ik al zo lang niet heb kunnen zijn. Ik heb ontzettend veel fouten gemaakt waarvan ik waarschijnlijk mijn leven lang spijt zal hebben. Maar ik weet dat mijn kinderen binnenkort bij me zullen zijn; dan kunnen we samen een leven opbouwen en dan zullen ze gaan begrijpen dat ik altijd van hen ben blijven houden, ook al was ik een hele tijd niet bij hen. Voor mij waren ze de gouden draad die altijd bleef glanzen, ondanks alle duisternis.

Meer informatie

- Prostitutie en vrouwenhandel zijn de op twee na hoogste inkomsten-bron op de 'zwarte markt', na wapens en drugs.
- Het Britse ministerie van Binnenlandse Zaken schat dat er in Groot-Brittannië op elk willekeurig moment zeker 4000 verhandelde vrouwen gedwongen zijn tot prostitutie. Deskundigen zeggen dat het werkelijke aantal nog veel hoger ligt.
- Unicef denkt dat er ten minste 5000 seksslavinnen in Groot-Brittannië aan het werk zijn, en dat de meesten zijn verhandeld.
- Het Poppy Project is het enige project in Groot-Brittannië dat zich alleen bezighoudt met vrouwen die zijn verkocht om als prostituee te werken. Ze hebben 35 bedden beschikbaar.
- Voor meer informatie over het Poppy Project of om geld te doneren, kun u kijken op hun website www.eaves4women.co.uk of schrijven naar 2nd Floor Lincoln House, 1-3 Brixton Road, Londen sw9 6de, Groot-Brittannië.
- Veel verhandelde vrouwen die uit de prostitutie zijn gered worden op dit moment beschouwd als illegale immigranten en zitten in de gevangenis.
- De Council of Europe Convention on Action against Trafficking in Human Beings verklaart dat verhandelde vrouwen in plaats daarvan een plaats in een safehouse zouden moeten krijgen tot ze door deskundigen zijn onderzocht op geweld tegen vrouwen.
- In maart 2007 heeft de Britse regering dit verdrag ondertekend, maar moet het nog ratificeren. Dit betekent dat de aanbevelingen nog niet helemaal zijn geïmplementeerd.
- Meer informatie over vrouwenhandel vindt u op de website: www.amnesty.org.uk/svaw

Meer informatie vrouwenhandel in Nederland

CoMensHa (Coördinatiecentrum Mensenhandel, voorheen STV, Stichting Tegen Vrouwenhandel) is de Nederlandse belangenvereniging voor slachtoffers van mensenhandel, waar vrouwenhandel onder valt. CoMensHa dient als landelijk meldpunt voor gevallen van vrouwenhandel, registreert slachtoffers en zet hulpverlening in gang. In 1995 is door STV het La Strada-netwerk opgericht, een samenwerkingsverband tussen Nederland en acht Midden- en Oost Europese landen, dat zich richt op preventie en opvang en begeleiding van slachtoffers wanneer zij terugkeren naar hun eigen land.

In Nederland vallen slachtoffers van vrouwenhandel onder de B9-regeling (hoofdstuk B9 uit de Vreemdelingencirculaire). De B9-regeling regelt het verblijfsrecht en het recht op voorzieningen van buitenlandse slachtoffers van mensenhandel. De regeling geeft recht op sociale voorzieningen en een (tijdelijke) verblijfsvergunning terwijl de verdachten worden opgespoord en vervolgd. Helaas komen alleen slachtoffers die aangifte hebben gedaan in aanmerking voor de B9-regeling. Aangezien velen dit niet durven, worden er dus nog veel slachtoffers niet geholpen.

(Bron: www.mensenhandel.nl)

Zie ook:
www.blinn.nl
www.iom-nederland.nl
www.lastradainternational.org
www.srtv.info